SI SUPIERAN CUÁNTO LOS AMO

JIRINA PREKOP / BERT HELLINGER

SI SUPIERAN CUÁNTO LOS AMO

Traducción: Claudia Cabrera

Herder

Titulo original: *Wenn ihr wüsstet, wie ich euch liebe*
Traducción: Claudia Cabrera
Diseño de la cubierta: Armando Hatzacorsian

ISBN: 968-5807-00-0

Impreso en México / *Printed in Mexico*

Herder
www.herder.com.mx

CONTENIDO

LAS HISTORIAS

PRÓLOGO DE BERT HELLINGER

Este libro me fue presentado cuando ya casi estaba terminado, puesto que fue Jirina Prekop quien lo planeó y lo escribió. Incluso la documentación de las constelaciones por ella escogidas fue elaborada por su colaboradora Annette Wolf, de modo que yo, al final, únicamente contribuí un poco al diseño externo de las documentaciones y de las gráficas. No obstante, acepté gustoso la invitación que me hizo Jirina Prekop de firmar como coautor, puesto que los dos métodos que aquí se presentan, las constelaciones familiares y la terapia de contención, se compenetran y complementan mutuamente, como describe aquí Jirina de manera impresionante. Además, a Jirina y a mí nos une un gran respeto mutuo y el deseo de que los hijos y los padres se sientan mejor. Y así, le deseo a este libro que llegue a los corazones de muchos padres y que les dé valor para confiar en el amor que sienten por sus hijos, para que con ese amor los puedan guiar por el camino que los ha de conducir a la felicidad.

INTRODUCCIÓN

Cuando rebasé mi sexagésimo cumpleaños, creí que ya no podría aprender nada esencial en cuanto a la práctica terapéutica. En vista de mi experiencia, me sentía a veces como una psicóloga de cien años de edad. Siempre hago sola el trabajo para el que normalmente se requieren dos o tres personas. De modo que si se multiplican por dos o por tres los años de mi práctica profesional, se llegaría fácilmente a los cien años. Ahora bien, por favor no vaya usted a pensar que soy una adicta al trabajo, porque me entregué de tal modo a él. Para mí, mi trabajo es mi vocación ética en esta vida, y quiero ayudar a las personas a ser más humanas. Me hace libre y feliz reconocer y cumplir esta misión. El problema en todo esto es mi tendencia a ver casi cualquier problema psicológico como un desafío para mi afán detectivesco. Sencillamente, yo no me puedo dar por satisfecha con tratar los síntomas contemplados, por ejemplo: la intranquilidad, con un entrenamiento de relajación. A mí me atraen las causas del síntoma. Con apasionada curiosidad tengo que indagar acerca del nacimiento del síntoma. No logro tener paz hasta que no haya visto el lugar de los hechos y no haya descubierto al culpable. Así fue que descubrí cómo surgen los miedos autistas, así revelé la topografía del pequeño tirano y también algunas causas de la creciente hiperactividad en los niños. En la terapia de contención encontré un instrumento que puede sanar los vínculos dañados entre personas que pertenecen al mismo grupo familiar y, de este modo, me convertí en la punta de lanza del movimiento de la terapia de contención.

No obstante, me intranquilizaba algo que todavía no me podía explicar: ¿Por qué precisamente este niño es incontrolable, a pesar de que tiene los mismos padres que sus bien educados hermanos? ¿Por qué precisamente con este niño la madre se comporta de manera tan obcecadamente inconsecuente? ¿Por qué algunos niños parecen ser inmunes a la terapia y resistentes a la educación? ¿Por qué algunos procesos de contención encallan como barcos en la arena sin que el amor pueda fluir, a pesar de que ambos, la madre y el niño, y también la pareja entre sí, sientan un gran anhelo por renovar el amor y a pesar de que el terapeuta haya hecho su mejor esfuerzo? Acabé por resignarme a que hubiera algunas causas indescifrables para mí. No tengo una pretensión narcisista de omnipotencia. A mi ambición detectivesca le bastaba con saber que el jardinero había sido el asesino, ya no tenía forzosamente que sacar a la luz los móviles profundos que lo llevaron a cometer el crimen. También pensaba que, posiblemente, existieran algunos secretos que no se podían o incluso no debían ser revelados.

Pero cuando ya me había hecho a la idea de que en mi vejez podría cosechar en la práctica y la enseñanza lo que había sembrado con el conocimiento acumulado en toda una vida, sin tener que aprender algo realmente nuevo, recibí una sorpresa. De nuevo se confirmaba la vieja y siempre renovada máxima de que nunca se acaba de aprender en la vida. Un hombre sabio alzó el telón tras el cual se ocultaban las causas que todavía me eran oscuras y las sacó a la luz. De manera inesperada, el conocimiento de este hombre enriqueció mi trabajo con una dimensión totalmente nueva.

Su nombre es Bert Hellinger y nació en 1925. Después de haber estudiado filosofía, teología y pedagogía, trabajó dieciséis años en

África como miembro de una orden misionera católica. Posteriormente, se dedicó con la misma entrega a diversos métodos psicoterapéuticos, entre otros el psicoanálisis, la dinámica de grupos, la terapia primaria, el análisis transaccional, la terapia familiar y la programación neurolingüística. En 1990 conoció conmigo la terapia de contención. Buscando la forma más rápida y más profunda de ayudar, desarrolló su propia *psicoterapia sistémica.*

La base de esta terapia es el conocimiento de que una persona sólo se puede desarrollar libremente si está bien integrada en el sistema de su familia, es decir, si todos tienen la posición que les corresponde.

¿Qué quiere decir eso, integrado en el sistema?

"Aquí sistema se refiere a un grupo de personas que comparten un destino común por varias generaciones, cuyos miembros pueden estar enredados, de manera inconsciente, en el destino de otros miembros del grupo."[1] ¿Quién pertenece al sistema? "Este destino común es compartido por los hijos, los padres y sus hermanos, los abuelos, a veces alguno de los bisabuelos y todos aquéllos que le dejaron su lugar a alguno de los anteriormente mencionados. Entre aquéllos que dejaron su lugar se encuentran los ex esposos de los padres y los abuelos o bien sus parejas muy cercanas, por ejemplo, los ex prometidos. También todos aquéllos cuya partida o infelicidad le haya permitido a otros el acceso a este grupo o le haya otorgado algún tipo de ventaja."[2]

1. Véase Bert Hellinger, *Los órdenes del amor*, Editorial Herder, 2001.
2. Hellinger, *op. cit.*

"En estas comunidades de destinos compartidos todos están relacionados con todos. Los lazos más fuertes se dan entre padres e hijos, entres hermanos y entre marido y mujer. [...] El vínculo provoca que los miembros de generaciones posteriores y los más débiles se aferren a los miembros de generaciones anteriores o a los más fuertes para impedir que se vayan o, si ya se fueron, ocasiona entonces que los quieran seguir. El vínculo provoca que aquéllos que tienen una ventaja se quieran parecer a quienes tienen una desventaja. De esta manera, los hijos sanos se quieren parecer a sus hermanos enfermos, y los pequeños inocentes, a los mayores culpables. Y el vínculo provoca que los sanos se sientan responsables de los enfermos; los inocentes, de los culpables; los felices, de los infelices; los vivos, de los muertos. [...] Entonces, en la comunidad de destinos compartidos por la familia y por el clan existe, debido al vínculo y al amor, una necesidad irresistible de compensación. [...] Todo grupo tiene una jerarquía que se establece desde el momento en que comienza la pertenencia. [...] Siempre que en una familia se da una tragedia es porque un miembro subordinado contraviene el orden original. Por ejemplo, si un hijo trata de expiar las culpas de sus padres o de cargar las consecuencias de algún acto cometido por sus padres, esto es un acto de arrogación. Pero el hijo no se da cuenta de ello, porque está actuando por amor. No escucha en su conciencia ninguna voz que le advierta al respecto. Por eso, todos los héroes trágicos son ciegos."[3] "Existe un vínculo muy fuerte de los niños hacia su familia de origen. Viven con la conciencia: aquí pertenezco, aquí quiero pertenecer y compartir el destino de esta familia, sea cual sea. Por eso hacen todo lo necesario para pertenecer, sin ningún tipo de egoísmo.

3. Véase Hellinger, *op. cit.*

Este amor no es una estrategia de sobrevivencia, porque también están dispuestos a morir si su muerte ayuda a los otros. Este vínculo es controlado por un órgano especial de la percepción. [...] Los niños saben instintivamente qué hacer y qué no hacer para poder pertenecer. [...] Este órgano de percepción especial es la conciencia."[4]

Acerca de la conciencia personal y la conciencia de clan, el amor y el orden

"Igual que la conciencia personal vigila las condiciones del vínculo, de la compensación y del orden, existe también una conciencia de clan, una instancia que vigila el sistema, que está al servicio del clan y se encarga de que el sistema mantenga su orden o lo recupere, y que también ejerce la venganza contra las violaciones del orden en el sistema. Nosotros no sabemos de la conciencia de clan, y tampoco tenemos acceso a la esencia del orden al que sirve. Si mucho, lo reconocemos por el sufrimiento que ocasiona su no observancia, tanto a nosotros mismos como a los otros, sobre todo a los niños. Así pues, la conciencia nos ata con graves consecuencias a un grupo, de modo que nosotros sentimos en nuestra propia conciencia como derecho y obligación lo que otros sufrieron y ocasionaron, y así, por medio de esta conciencia, nos vemos enredados ciegamente en culpas e inocencias ajenas, en pensamientos, preocupaciones, sentimientos, pleitos y consecuencias, metas y finales ajenos."[5] Por eso, no se logra el amor anhelado de manera personal si no cabe en el orden que nos ha sido dado de antemano. "La lucha del amor contra el orden es el

4. Véase Bert Hellinger, Gabriele ten Hövel, *Reconocer lo que es. Conversaciones sobre implicaciones y desenlaces logrados*, Editorial Herder, 2001.
5. Véase Gunthard Weber (ed.), *Felicidad dual*, Editorial Herder, 2001.

comienzo y el fin de toda tragedia. Y sólo hay una forma de escapar: comprender el orden y después seguirlo con amor."[6]

El mérito de Bert Hellinger es haber reconocido este campo superior de energía, en el que opera el orden impuesto por la Creación, por medio de la conciencia de clan. No llegó a este descubrimiento por medio de la teoría, sino gracias a las experiencias prácticas al hacer constelaciones de los sistemas familiares. A Hellinger le gusta llamar a este campo superior de energía el "alma grande".

El conocido biólogo Rupert Sheldrake acuñó el concepto de campos morfogenéticos para los planes invisibles de construcción en los que opera el universo creador. También podríamos hablar de planes divinos de la Creación o de la mano de Dios. No nos son desconocidas algunas experiencias individuales. Especialmente las antiguas tragedias griegas, las leyendas y los mitos se han ocupado frecuentemente del tema: cómo es que los órdenes sistémicos se confundieron y qué consecuencias tuvieron estos enredos. Algunos ejemplos harán que esto quede más claro: Antígona se deja enterrar viva por amor a su hermano, a quien su padre le negó el sepulcro. Cuando la segunda esposa del rey no honra a la primera esposa y no le da primacía a su hijastra Blancanieves frente a su esposo, termina muy mal; sin embargo, de tanto en tanto, Blancanieves tiende a seguir el camino de su propia madre.

Partiendo de muchos trabajos individuales con los sistemas familiares, Bert Hellinger pudo percibir de manera cada vez más precisa los efectos del campo superior de energía, así como comprender sistemáticamente regularidades en forma de un "orden del amor". Reconoció tanto las fuerzas dañinas como las sanadoras, y las pudo describir con creciente claridad. En la cubierta de su CD *Cuerpo y alma, vida y muerte, psicoterapia y religión* escribió: "En conferencias anteriores ya resonaba el efecto del alma grande, pero desde

6. *Ibidem.*

entonces he podido observarla y reflexionar más acerca de ella, tanto en la vida como en la psicoterapia." Las conferencias más recientes "nos conducen a límites que yo ya no puedo traspasar. Pero los invito a acompañarme hasta esos límites."

¿Cuál es el procedimiento terapéutico de Bert Hellinger?

Constela a la familia dentro de un grupo. El afectado elige de este grupo a un representante para cada uno de los miembros de su familia de origen y/o su familia actual y lo conduce al lugar que le corresponde según su imagen interna. También escoge a un representante para sí mismo. Después el terapeuta pregunta a cada uno de los participantes cómo se siente en ese lugar. Tomando en cuenta las respuestas, cambia a los constelados de lugar y los coloca en interacciones aclaradoras, conciliatorias, para formar una imagen de solución en el que todos, también los excluidos, tengan un buen lugar, de modo que el amor pueda volver a ser vivido.

El efecto del campo superior de energía se puede comprobar por las reacciones de los constelados. Porque, extrañamente, los representantes se sienten exactamente igual que las personas reales en cuanto asumen su lugar en la constelación. Sienten sus sentimientos, también sus inclinaciones corporales o de otro tipo (acercarse o alejarse, darse la vuelta, ver a alguien, recargarse en alguien). Para mí fue una experiencia inolvidable cuando me tocó representar en una constelación a una madre que se desangró al dar a luz a su sexto hijo; sentí mi impotencia, sentí cómo la sangre escurría por mis piernas y cómo me estaba vaciando de sangre. Los participantes vieron cómo empalidecía, cómo me tambaleaba. Otra vez me tocó representar a una mujer autista y esquizofrénica, y comencé a balancearme imperturbablemente de un pie a otro al tiempo que golpeaba con la cabeza. Después resultó que éstas eran, verdaderamente, conductas usuales de esta mujer. Esta identificación es típica de las constelaciones, es más, es el recurso más importante de que dispone el terapeuta para poder reconocer los vínculos y los enredos, los órdenes contravenidos, los bloqueos y las oportunidades para el amor. El terapeuta dirige su fuerza al lugar en el que el amor está más concentrado, tanto en sus heridas como en su liberación. Cuando está en armonía de manera respetuosa y humilde con esta fuerza, puede lograr la solución de estos enredos.

La imagen de solución se reconoce por el hecho de que todos los constelados se sienten bien en su lugar. En la mayoría de los casos, el terapeuta sustituye a los representantes con los verdaderos afectados y deja que lleven a su corazón la imagen del amor ordenado. Esta imagen de solución tiene una gran fuerza, que opera por largo tiempo. No obstante, depende del individuo el estar dispuesto a permitir que su corazón se dirija hacia la solución ofrecida, de modo que se les abran tanto a él como a sus seres queridos los caminos que conducen a la libertad interna.

La terapia de contención

Antes de que les explique la enorme riqueza que constituyeron para mí las soluciones sistémicas ofrecidas por Bert Hellinger, ha llegado el momento de presentar la terapia de contención, cuyo desarrollo convertí en la misión de mi vida. En cuanto a su historia, hay que decir que fue inventada por Martha Welch en Estados Unidos, con el nombre de *holding*, para tratar a niños autistas, y que Niko Tinbergen, ganador del Premio Nobel por sus investigaciones de etología comparada, la fundamentó como el medio más natural para restaurar vínculos dañados. De esta manera, adopté agradecida este *hol-*

ding y lo desarrollé, con ayuda de mis colegas, hasta convertirlo en mi propia terapia de contención.

El sentido de la terapia de contención es que dos personas que pertenecen al mismo grupo familiar y que tienen un vínculo tan dañado que es imposible restaurarlo verbalmente tengan la oportunidad de una confrontación emocional. Ésta se da en un estrecho abrazo. Los dos expresan su dolor de entraña a entraña, de corazón a corazón, cara a cara, durante el tiempo necesario para que vuelvan a sentir al otro y su amor pueda volver a fluir.

La dificultad en la terapia de contención radica en la masiva disposición a la huida de uno de los dos participantes en la terapia cuando, en el marco de la ambivalencia afectiva en la que se encuentra el vínculo, los sentimientos de aversión son mucho más poderosos que el amor. Por cierto que esta tendencia a la huida está condicionada por nuestros instintos de fuga natos, que compartimos con todos los mamíferos, peces, aves e insectos. No obstante, el ser humano debería ser capaz, apoyándose en su conciencia y en su responsabilidad por conservar las relaciones familiares, de superar esta tendencia a la fuga y comprometerse por lograr la reconciliación. Como el ser más maduro sobre la Tierra, el ser humano forma parte de órdenes más elevados de la Creación, cuya fuerza motriz es el amor. Sólo puede volverse realmente humano cuando convierte al amor en su ley superior, cuando lo cuida, lo salva una y otra vez del peligro y está dispuesto a transformar el odio en un amor que ha de renovar siempre.

A través del firme abrazo, las dos personas se aseguran mutuamente que soportarán esta polaridad el tiempo necesario y que no se separarán hasta que el amor vuelva a fluir. La elevada fuerza de la Creación se ha encargado de que el ser humano se grabe en la memoria este patrón mientras está en la edad decisiva del aprendizaje (lo que no se aprende de niño, no se aprenderá ya de adulto). En los primeros dos o tres años de vida (es decir, en la edad del berrinche), cuando los niños todavía pertenecen al género de las crías que viven en el nido, las madres los cargan pegados a sus cuerpos, de modo que aprenden desde pequeños que pueden expresar y soportar todas las efusiones sentimentales. La contención la proporciona, de manera totalmente natural, el reboso que sostiene al niño. En la época de la civilización técnica, el ser humano ya no puede vivir esta experiencia, pues se le castiga con el aislamiento o de otras formas cuando llora o expresa su coraje. Así, el amor se le va de las manos y tiene que enfrentar la soledad y el anonimato. Con frecuencia, la humanidad se pierde. En condiciones vitales en que las confrontaciones agresivas no permiten llegar al objetivo de la reconciliación, se requiere de la terapia de contención.

La práctica de la terapia de contención

El abrazo se da casi siempre con las personas tendidas en el suelo, sólo cuando se trabaja con bebés la madre o el padre abrazan sentados a su hijo. Uno de los dos (casi siempre el niño o, en el caso de la contención de pareja, la mujer, debido a la dinámica de la relación) yace de espaldas. El otro se acuesta sobre él y lo abraza, la cabeza de quien está abajo queda en el hueco del cuello del otro. Los dos tienen los ojos cerrados al principio. Así empieza casi siempre la confrontación, que es acompañada de manera ininterrumpida por el terapeuta. El objetivo es expresar abiertamente todos los dolores, y el terapeuta refleja, por medio de su compenetración, lo que pasa y modera la reconciliación. También la rabia se puede expresar en la contención, pero no conduce a la resolución de la crisis en la relación, porque la rabia es ciega. Sólo las lágrimas del duelo abren el dique para que fluya el amor. El proceso termina cuando ambas personas vuelven a sentir alegría por el vínculo y por su amor renovado.

En muchos casos, se recomienda seguir asesorando a la familia. Por ejemplo, con frecuencia los padres deben aprender la conducta educativa para poder dar a sus hijos el apoyo de la contención no sólo en la colchoneta de terapia, sino también en la cotidianidad. En relación con el manejo de las agresiones se recomienda, por principio, únicamente permitirle expresar al niño su coraje contra los padres si está siendo contenido en sus brazos y si se le confronta con su rabia. Ésta es la única oportunidad que tiene el niño de expresar su agresión contra los padres sin perder por esto el respeto hacia ellos ni tener que sentirse no querido.

Entre tanto, se han desarrollado cuatro variantes de la terapia de contención. Existe, entonces, la contención:

- para restaurar el vínculo emocional que fue roto debido a nacimiento prematuro, cesárea, hospitalización, etc., en la fase más temprana de la vida del niño;
- entre madre e hijo o entre padre e hijo, para solucionar conflictos acumulados en la relación. Y esto no sólo se aplica a los hijos pequeños, sino también a los hijos adultos y a sus padres, ya mayores;
- entre los integrantes de una pareja, también para solucionar conflictos acumulados en la relación;
- como terapia de reconciliación para adultos y sus padres que no puedan estar presentes, debido a su avanzada edad u otros motivos (por supuesto, esto se aplica de manera especial cuando los padres ya han muerto). A diferencia de las primeras tres variantes, en este caso la confrontación se da con ayuda de una visualización dirigida por el terapeuta y en un abrazo dado por un buen amigo (o por la pareja).

La terapia de contención dio un salto cualitativo gracias a los conocimientos que le debo a Bert Hellinger.

Lo que más me convenció fue que los enredos sistémicos con frecuencia son la causa de los trastornos de conducta. Los afectados parecen como embrujados, hechizados, como en un cuento de hadas, mientras que se vean forzados a imitar los sentimientos y el destino de un miembro excluido del grupo familiar. Ni como hijos ni como parejas o padres pueden tomar el lugar que les corresponde en su familia. Lo único que los puede liberar es descubrir y solucionar el enredo.

La consecuencia para el posterior desarrollo de la terapia de contención fue que, en la mayoría de los casos, la constelación de la familia se convirtió en condición indispensable para realizar el subsecuente proceso de contención. Porque no es sino después de la constelación que queda claro en qué conflicto se encuentran los miembros individuales de la familia, en qué orden deben transcurrir los procesos y cuál es el tema para la confrontación de la crisis en la relación. Un ejemplo: los padres dan como tema para la constelación las agresiones de su hijo Marius. Pero en la constelación aparece la abuela paterna de Marius, semiolvidada, que murió después del parto y a la que su hijo, el padre de Marius, sigue de manera inconsciente. Esto le ocasiona conflictos con su padre y su madrastra de modo que, de adulto, no puede hacer frente a sus responsabilidades como esposo y como padre. Entonces, el plan para la terapia de contención se estructura de la siguiente forma: primero, el padre de Marius se reconcilia con su madre muerta. Entre tanto, se había invitado al abuelo de Marius para que se reencontrara con su hijo y éste, a su vez, pudiera obtener fuerzas de su padre. Sólo ahora, que está fortalecido, puede confrontarse con su esposa en una contención de pareja, para acoger sus reproches, pero también para expresar los suyos propios y presentarse como protector de su mujer. Posiblemente ya no sea necesaria la contención de Marius, pues se le brindó la oportunidad de respetar a sus padres y su disposición a dejarse educar por ellos puede surgir ahora espontáneamente. De cualquier forma, seguramente no le hará a Marius ningún daño escuchar de labios de su padre lo preocupado que estaba por sus agresiones y reconocer en sus brazos que siempre podrá desahogarse con él de todas sus preocupaciones.

Tomé conciencia del orden existente en el sistema de la familia. Me di cuenta que ninguna educación podía funcionar, que toda terapia, incluyendo la contención, estaba condenada al fracaso o aun contraindicada mientras que no se hubiera hecho orden en la familia. Por eso, me encargo de que el orden se asimile emocionalmente por medio de los procesos terapéuticos de contención. El hombre y la mujer deben estar muy cerca uno del otro. Frente a ellos están sus hijos; en este grupo los hermanos deben colocarse siguiendo el orden de su nacimiento: el primero, en primer lugar; el segundo, en segundo, etc., sin importar sexo, inteligencia o discapacidad (tampoco si viven o si murieron).

Para que se pudieran hacer las averiguaciones de tipo sistémico, sobre todo las constelaciones familiares, el trabajo terapéutico de contención fue desplazado cada vez más de las sesiones individuales en las consultas ambulantes a los grupos de talleres. Para muchas familias participantes y muchos terapeutas esto ha sido muy enriquecedor. Cada vez tienen que colaborar más terapeutas en un equipo, para poder acompañar a las familias individuales. Así se ha dado también un fértil intercambio de experiencias entre los terapeutas de contención.

La perspectiva sistémica de Hellinger confirmó más de una vez mi manera de pensar, por ejemplo, en relación con el manejo de la rabia contra los padres. Mi insistencia, intuitiva en ese momento, de que el coraje de un niño hacia su padre o su madre sólo debía ser expresado mientras estuviera siendo contenido en sus brazos, de modo que el coraje se transformara ahí mismo de nuevo en respeto y amor, fue confirmada por las experiencias sistémicas de Hellinger. Tomo una cita textual de su libro *El orden en el amor*: "He visto que las personas que son alentadas en terapia a decirles a sus padres que están furiosas con ellos o aun que los quisieran matar, después se castigan tremendamente por ello. El alma de un hijo no admite que se desprecie a los padres, porque se estará despreciando a sí misma." En el alcoholismo, la drogadicción, la prostitución o el cáncer en los órganos reproductivos podemos ver las consecuencias de haber despreciado al padre o a la madre.

El hecho de que ambas terapias estén tan cercanamente emparentadas me llena de un gozoso asombro, me alegro también enormemente por nuestra compenetración y porque estemos cobijados bajo el mismo campo de energía creador. A ninguno de los dos nos interesa crear un nuevo método terapéutico, sino renovar el amor por medio de la reconciliación dentro de los vínculos familiares, tal y como nos lo dicta un poder superior. Creo que este campo superior de energía o alma grande, como le llama Bert Hellinger –yo le llamo la fuerza de Dios– es una ayuda rápida y eficaz para fortalecer el amor en nuestro tiempo, tan lleno de estímulos irritantes.

Felices por las cosas que compartimos y como una forma de profundizar la comprensión del destino de los niños, nosotros –es decir, Bert Hellinger y el Instituto de la Sociedad para el Fomento de la Contención como Forma de Vida y como Terapia– organizamos en el otoño de 1995 dos talleres compartidos, cada uno de los cuales duró tres días. Tanto en el contenido como en la metodología, las constelaciones familiares estaban en primer plano. La terapia de contención sólo se ofreció al margen, tras el transcurso del programa principal sistémico, para brindar a las familias una primera ayuda para elaborar el dolor surgido en las constelaciones. Pues cuando en la constelación se abre una herida profunda, el dolor no siempre se puede expresar dentro del grupo con la intensidad necesaria. La sensación de estar siendo observado con frecuencia provoca inseguridad. En contraste, la situación íntima, sin límite de tiempo, que brinda la terapia de contención, garantiza que se exprese todo el dolor y que el proceso pueda culminar en la reconciliación. Esta asimilación emocional complementa la terapia sistémica del mismo modo que la mujer complementa al hombre. Lo sistémico es un principio más bien patriarcal, cabeza y corazón. La terapia de contención es matriarcal, estómago y corazón. Como ambas terapias coinciden en el corazón, se redondean en un todo que sana.

Los talleres se planearon para niños con problemas de conducta y con enfermedades psíquicas y psicosomáticas. A diferencia de otros talleres con Bert Hellinger, por primera vez se invitó a los niños afectados. Siempre estuvieron presentes durante las constelaciones y Bert Hellinger los colocó, lleno de empatía, en la imagen de la solución. Muchos psicoterapeutas infantiles aprovecharon la oportunidad para echar un vistazo a la problemática de sus familias difíciles. Pero también muchos terapeutas de contención participaron para aprender el manejo de las constelaciones familiares.

Tras un período de año y medio, se les preguntó a las familias qué efectos a largo plazo se habían presentado. Las respuestas fueron diferentes, pero casi siempre esperanzadoras, dependiendo de la disposición de los padres para aceptar la solución ofrecida. Así surgió la idea de hacer un libro a partir de estas documentaciones.

Yo asumí gustosa esta tarea. De las muchas constelaciones elegí nueve que representan la problemática típica discutida en la actualidad: el pequeño tirano, el niño hiperactivo, el niño con discapacidad intelectual, el niño en riesgo de incesto, niños de familias divorciadas, trastornos *borderline*, niños adoptados. Pero también los padres fueron niños. También de ellos trata este libro. Para poder trabajar con libertad en la representación, protegí a las familias bajo el manto del anonimato. La documentación acerca de las constelaciones, los resultados de la retroalimentación así como los reportes sobre la terapia de contención son auténticos. La parte que presenta lo que pasó antes y después fue completada por mí con base en datos concretos proporcionados por las familias y en mi conocimiento de casos similares. Lo que me dio alas para ello fue, sobre todo, la fascinación que representa para mí el descubrimiento de los enredos sistémicos.

También el peso que se le dio a la terapia sistémica en relación con la terapia de contención corresponde a la realidad. A veces la terapia de contención sólo se alude de paso, a pesar de que con base en su efectividad se le debería conceder la misma extensa documentación que a la terapia sistémica. Por eso le pido al lector que lea el primer capítulo con atención especial, porque en él se presenta una amplia documentación de ambas terapias. Este capítulo conforma la perspectiva desde la cual deberán leerse los restantes capítulos. En este libro le concedo a Bert Hellinger la primacía absoluta, como homenaje y muestra de mi aprecio.

Agradezco desde lo más profundo de mi corazón no sólo a Bert, sino también a los padres y los hijos que acudieron a los dos talleres. Mis agradecimientos son también para Annette Wolf, que no sólo dirige para mí los diversos asuntos del instituto (incluyendo la organización de los dos históricos talleres) y me suple como terapeuta de contención, sino que también se hizo cargo de toda la documentación de las constelaciones familiares presentadas en este libro.

Mi agradecimiento especial es para esas fuerzas superiores, cuya presencia bendita puedo sentir de cerca durante mi actividad y que espero me sigan acompañando siempre.

LAS HISTORIAS

LA PEQUEÑA TIRANA DESCUBRE EL PROBLEMA

"Vengo a verla, señora Prekop, por los problemas de educación que tenemos con nuestra hija." Con estas palabras dio inicio a nuestra conversación la atractiva mujer, de aspecto alegre. "Cuando leí su libro sobre el pequeño tirano, reconocí a nuestra Verena. La hubiera usted podido tomar como un caso típico de los niños omnipotentes."

"¿De qué forma se manifiesta el problema?" La manera más rápida de determinar el diagnóstico es preguntar si el niño come todo o si tiene alguna manía particular en cuanto a la comida; también es importante saber cómo reacciona a las exigencias, aun cuando no tenga ganas de cumplirlas, y si le es posible jugar y participar con otros niños.

"Si le anotara los platillos que nunca comería, necesitaría muchas hojas. Por el contrario, el menú con las cosas que sí come constaría de tres renglones: milanesa con papas fritas, pero no milanesa sin papas ni papas sin milanesa, también le gusta el chocolate con relleno de pasta de almendras, pero sólo el de la envoltura roja. Desde siempre ha estado pegada a mis faldas y siempre logra satisfacer todos sus deseos a través de mí. Así, por ejemplo, tengo que decir su nombre cuando alguien le pregunta cómo se llama, o tocar a la casa de su compañera de juegos cuando Verena pasa por ella para llevarla a nuestra casa, ya que no le gusta jugar en otro lugar que no sea su propio reino. Sin mí, no se va a la cama, ni tampoco puedo yo salir de compras sin ella. Me siento como su guardaespaldas, su traductora, su dama de honor y su sirvienta. Tengo que estar a su servicio todo el tiempo. Esto se hizo costumbre desde su más temprana infancia, porque debido a su nacimiento prematuro y a sus constantes problemas pulmonares y bronquitis la tuvimos que mimar por ocho años y hacer todo lo posible para que comiera, hablara, jugara; sencillamente, para que fuera normal. En pocas palabras, la consentimos demasiado. Se convirtió en una auténtica princesa caprichosa."

"Usted sonríe apaciblemente cuando habla de estos problemas. Entonces, supongo que no le resultan tan pesados. ¿Quizá hasta le gusta hacer todo lo que me acaba de enumerar?"

"Esto que le estoy contando no es tan malo, en realidad, sería soportable. Mi mayor preocupación es la situación en la escuela. Ahí se acaba lo divertido, porque en la escuela la conducta de Verena se observa con mucha seriedad. Los maestros creen que no tiene la madurez necesaria para estar en un grupo y seguir una trayectoria escolar normal. No es capaz de terminar un solo ejercicio sin que alguien la ayude. Y no es un problema de inteligencia, tiene el cociente intelectual necesario para asistir a la escuela. Pero su conducta para aprender es inmadura, casi como si fuera un bebé."

"O sea que es un caso especial en una escuela normal. ¿Le han sugerido que Verena asista a una escuela especial?"

En ese momento, el rostro de la madre se tornó serio. "Sí", suspiró.

"¿Y cómo estudia en casa? ¿Hace sola sus tareas?"

"Es el mismo drama que en la escuela. Si no estoy sentada todo el tiempo junto a ella, impulsándola, sea con palabras cariñosas o con regaños, mira al vacío y no hace nada."

"¿Y cómo eran las cosas antes de que entrara a la escuela? ¿Jugaba sola? ¿Terminaba un juego? ¿Guardaba sus cosas ella sola?"

"Nunca. Siempre insistía en que yo le ayudara o, por lo menos, en que estuviera cerca."

"Lo que no se aprende de niño, no se aprenderá ya nunca", dije yo. "No aprendió a tiempo a trabajar de manera independiente. ¿Qué dice el padre al respecto? ¿Dónde está, por cierto? ¿Por qué no vino con usted?"

"Él dice que todo esto es mi culpa, porque yo la consentí demasiado y que ahora yo tengo que cargar sola con las consecuencias."

"¿Con él Verena se comporta de manera diferente?"

"Oh, sí, totalmente diferente. Pero tampoco es de extrañarse. Mi esposo no tuvo que participar en todas las acciones de salvamento por la niña. Con toda tranquilidad se siguió dedicando a su trabajo, mientras que yo me pasaba los días y las noches temblando al pie de la camita de Verena. A cada respiración suya temía yo que no llegara la siguiente, por cada bocado que tomaba tenía yo que luchar. Me pasó a mí y no a mi esposo, me pasó a mí exactamente eso que usted describe en su libro, que me adapté totalmente a mi hija, quien me vivió entonces como la más débil, la manipulable, razón por la cual no se puede sentir protegida conmigo. Comprendí –desgraciadamente demasiado tarde– que Verena estaba tratando de conseguir compulsivamente un sustituto de seguridad ejerciendo su poder sobre mí y quienes son parecidos a mí."

Me quedé pensando si esta mujer tendería de manera general a esa postura que no le dejaba al niño otro recurso que dominar a la madre. ¿Era una de esas madres poco claras, inseguras, indecisas, incapaces de decir ni sí ni no?

"¿Cómo fueron las cosas con su primer hijo?"

"Muy normales. Naturalmente, Dieter fue durante largo tiempo el centro de la familia. Fue durante mucho tiempo el hijo único, el único niño varón, el primer nieto. Y sin embargo, nunca tuvo estas fantasías de omnipotencia en las que está atrapada Verena. No tenía yo problema alguno en marcarle los límites que como niño necesitaba."

¿Qué pasaba aquí? ¿Por qué esta mujer se comportaba precisamente con su hija, amenazada por toda clase de discapacidades, de manera diferente que con su esposo y su hijo? ¿Por qué se estaba perdiendo a sí misma en esta relación?

La madre me contó que había asistido a un centro de orientación educacional, para que la instruyeran en cómo educar consecuentemente a su hija. Un renombrado terapeuta conductual tomó la instrucción de Verena en sus propias manos. Desgraciadamente, fracasó a pesar de todas sus artes de motivación, pues Verena sólo obedecía las indicaciones de su madre si el terapeuta estaba presente. Nada de lo que ahí aprendieron pudo ser transferido a la casa o a la escuela.

Pensé: si al renombrado asesor en educación no le fue posible llegar a su meta, cambiar la conducta educativa de la madre para que fuera clara y tuviera una presencia más segura de sí misma, con toda probabilidad yo tampoco lo lograré. Siguiendo el orden lógico, deberíamos recuperar las últimas semanas del embarazo, el nacimiento y el vínculo simbiótico de la época posterior al parto. Pero esta comprensión emocional del dolor de la separación y la alegría por el vínculo rehabilitado sólo puede realizarse bajo condiciones físicas y anímicas comparables a las originales. Sin el abrazo de contención esto no es posible. Para ello, Verena, de 11 años, tendría que dar su consentimiento, porque sino el intento de utilizar la terapia de contención podría acabar en una indigna lucha de poder. Verena tendría también que estar dispuesta a someterse al período de 1 a 3 horas en el que habría de transcurrir el proceso de transformación del dolor en una amorosa compenetración. Pero dadas las condiciones de lucha de poder, no se podía contar con que Verena estuviera de acuerdo. Y aun cuando lo lográramos, la madre tendría que ser capaz de darle a su hija el apoyo emocional consecuente no sólo en la colchoneta de terapia, sino en todas las situaciones educativas cotidianas, pero a mí me parecía que todavía no podría hacerlo.

Racionalmente la madre sabía que debía haber sido una madre fuerte, madura y superior mientras que su hija fuera pequeña e inmadura. Sabía que no sólo tenía el derecho sino la obligación de imponerle límites a su hija, para que durante el resto de su vida pudiera enfrentarse a ellos. Me gustó la forma en que dijo: "Estoy consciente de que los límites son importantes en la vida. A mí misma me educaron de esa forma y no me hizo daño alguno. A mi hijo Dieter le enseñé que no sólo debe soportar que el entorno le imponga límites, sino que él mismo también debe poder delimitarse de su entorno, así como aprender a respetar los límites del otro..."

Racionalmente, esta mujer no necesitaba ninguna asesoría educativa, pensé yo. Sólo su corazón necesitaba ayuda. Porque su corazón estaba en huelga frente a este orden racional, se rebelaba frente a la razón, se contraía, se partía en dos del dolor y sucumbía ante él. Y precisamente el amor era lo que se perdía, a pesar de que era lo que más anhelaba el corazón. "A veces me asusto de mí misma", me dijo con voz ahogada y con una rara sonrisa en los labios.

En sus ojos se leía el espanto: "A veces la odio. A veces preferiría matarla, ahorcarla con mis propias manos, cuando le pido un poquito de voluntad para que estudie y ella me contesta tratándome como si estuviera loca. Cuando me siento tan impotente, tan desairada, tan anulada, preferiría estar muerta."

¿Qué había pasado? Con gran probabilidad se trataba de un enredo sistémico, pensé yo. Y como estaba cercano el taller de Bert Hellinger, limité mis actividades terapéuticas a invitar a la familia de Verena a que participara en él. De esa manera se sentarían las bases para los procedimientos posteriores. Sólo le aconsejé a la madre que investigara qué destinos dramáticos habían existido en su familia de origen.

HELLINGER *a los padres:* ¿Cuál es su problema?
MUJER: Tenemos problemas con los niños. Mi hija nació prematuramente y desde entonces tiene grandes dificultades.
HELLINGER: ¿Qué tan prematura fue?

MUJER: Nació a las treinta y seis semanas.

HELLINGER: ¿Estuvo en incubadora?

MUJER: Sí.

HELLINGER: Eso siempre es un duro trauma para un niño. ¿Sabes cómo se repara?

MUJER: No.

HELLINGER: Haciendo contención. Éste es precisamente el caso en el que la contención es la terapia adecuada. La niña tiene que recuperar contigo el calor que echó de menos en ese entonces. ¿Ya has estado en un grupo de contención?

MUJER: No.

HELLINGER *a Jirina Prekop*: Ahí tienes ya una candidata para mañana.

A la mujer: ¿Fue parto natural o cesárea?

MUJER: Se tuvo que hacer una cesárea. Los doctores dijeron que el bebé tenía que salir.

HELLINGER: Ése es en sí un gran problema para un niño, porque le falta la estimulación que proporciona el nacimiento. El nacimiento es un proceso muy fuerte, que agota al niño, pero también lo estimula. Eso le faltó a tu hija. Muchos niños que nacen por cesárea sienten la necesidad de pasar por pasadizos estrechos. Se les puede ayudar a hacerlo por medio de juegos. De esta manera recuperan la experiencia perdida y se tranquilizan.

MUJER: La niña no quería vivir. No podía o no debía vivir, no sé, estuvo en gran peligro de muerte. Durante varios días no pudo respirar.

HELLINGER *al público*: Ella acaba de decir algo terrible. Un niño tan pequeño no tiene la voluntad para decidir si quiere vivir o no. Ésta es una imputación terrible. El hecho es que la niña estuvo en peligro de morir y fue salvada. Y en ese caso sólo hay una cosa que los padres pueden hacer: agradecer que todo haya salido bien.

Al escuchar la última frase, la mujer respira profundamente y se yergue.

HELLINGER *a la mujer*: ¿Ves?, ése es el efecto. Algo así se agradece y se acepta como un regalo especial que hay que cuidar. Les acabo de hacer un bien tanto a ti como a tu hija. ¿Qué más pasa?
MUJER: También temo por mi hijo.
HELLINGER: ¿Cuál es el problema?
MUJER: Siento como si hubiera algo torcido, equivocado, como si tuviera que ver conmigo.
HELLINGER: Por la forma en que hablas, seguramente tiene más que ver contigo que con él.

Hasta ese momento, el hijo de la mujer había estado mirando el piso fijamente, ahora dirige su atención a la conversación.

HELLINGER *a la mujer*: ¿Pasó algo especial en tu familia de origen?
MUJER: Tuve una hermana con una severa discapacidad, que murió a los doce años. ¿Pero tendrá eso que ver? *La mujer alza los hombros, desconcertada.*
HELLINGER: A lo mejor eso es lo que está equivocado, que tu hijo está teniendo que sustituir a tu hermana discapacitada. Hablaste en esos términos. Entonces, estás poniendo en riesgo a tu hijo con esa idea.

La mujer afirma con la cabeza.

HELLINGER *al público*: No le afectó nada que le dijera esto. A mí este pensamiento me asusta. Ella no está asustada.
A la mujer: ¿Tienes otros hermanos?
MUJER: Sí, tres.
HELLINGER: ¿La hermana discapacitada era mayor que tú?
MUJER: Era menor. Yo soy la mayor de todos.

HELLINGER *al hombre*: ¿Tú cómo ves todo esto?
MARIDO: No sé si esto tenga que ver con el niño. Pero no hay duda de que la niñez de mi esposa fue muy difícil. Por un lado estaba la niña discapacitada, pero además estaba también la abuela, que pasó diez años en cama y a la que se tenía que atender. Como mi esposa era la mayor, sobre sus hombros pesaba esta gran carga: la abuela, la hermana discapacitada y los hermanos menores.
HELLINGER *al público*: Este hombre siente empatía por su esposa, ¿lo notan?
Al hombre: ¿Qué pasó en tu familia de origen?
ESPOSO: Somos cinco hijos, yo soy el segundo. Yo tenía 14 años, mi hermano mayor 15, y la más pequeña de todos 3, cuando mi padre perdió la vida en un accidente automovilístico. Por lo demás, no pasó nada especial.

HELLINGER *a la mujer*: Voy a constelar ahora a tu familia de origen. Son parte de ella: el padre, la madre y todos los hijos, incluyendo a la niña discapacitada. ¿Qué número de hermana era ella?
MUJER: La tercera.
HELLINGER: ¿Qué discapacidad tenía?
MUJER: Tenía una muy severa discapacidad física y, probablemente, también intelectual. No podía hablar, no se podía sentar, no podía hacer nada por sí misma.
HELLINGER: ¿Había reproches entre los padres por la discapacidad de su hija?
MUJER: Más bien hacia nosotros, los hermanos. Yo sentía que el reproche me lo hacían a mí.
HELLINGER: ¿Y cuál era ese reproche?
MUJER: Como había nacido sana, mi papá dijo una vez que nosotras, mi hermana menor y yo, la habíamos dejado caer y que por eso había enfermado. Y llegó un momento en el que yo ya no sabía si eso era

verdad o no. Mi mamá le dijo que cómo era posible que dijera una cosa así, que era imposible. En un principio lo creí, pero con el tiempo me llegué a preguntar si yo no habría tenido parte de la culpa.

HELLINGER *al público*: Ésta es una información muy importante. Cuando un niño discapacitado nace en una familia, con frecuencia se busca una razón o un culpable. Porque entonces no es necesario doblarse ante el dolor y la violencia del destino. Es una incriminación terrible para los hermanos. Aun cuando las niñas mayores hubieran dejado caer a la pequeña, ellas no serían las responsables, sino los padres, por entregarle un bebé a unas niñas que todavía no eran capaces de cuidar de él. La responsabilidad debe quedar en manos de los padres. Es su destino haber tenido una hija así. Con frecuencia sucede que tras un acontecimiento así, la relación de los padres termina, porque existe un reproche tácito entre ellos. Pero cuando los padres dicen "es un destino difícil pero lo afrontaremos juntos", entonces se unen todavía más. Entonces todos se sentirán bien, sobre todo el niño discapacitado.

MUJER: Las cosas no fueron así. Nadie se sentía bien.

HELLINGER: Ya lo sé, por eso lo digo. Ahora constela a tu familia de origen.

Figura 1

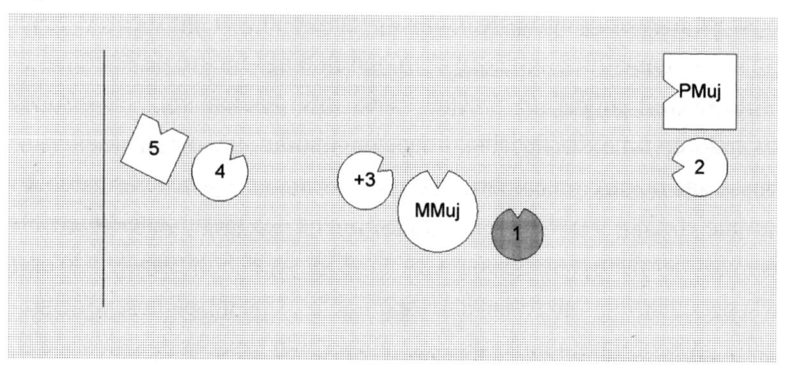

PMuj	Padre de la mujer
MMuj	Madre de la mujer
1	**Primera hija (la mujer que está constelando)**
2	Segunda hija
+3	Tercera hija, con una muy severa discapacidad, murió a los 12 años
4	Cuarta hija
5	Quinto hijo

HELLINGER *a la mujer*: ¿Qué pasó en la familia de origen de tu madre?

MUJER: Su papá murió cuando ella era todavía una niña. Sus dos padres eran ya mayores cuando ella nació, mi abuela tenía 45 años y fue la segunda esposa de mi abuelo.

HELLINGER: ¿Qué pasó con la primera?

MUJER: Eso no lo sé.

HELLINGER: ¿Se dijo algo sobre ella, por ejemplo que hubiera muerto después de dar a luz?

MUJER: Sólo sé que mi abuela cuidó a los hijos de la primera esposa, que no sé cómo ni cuándo murió.

HELLINGER: Ésa sería una información importante. Si miramos la constelación, vemos que tu madre está en peligro. Sus hijas la detienen para que no se vaya.
A la madre de la mujer: ¿Cómo te sientes?
MADRE DE LA MUJER: Al principio tuve una taquicardia muy fuerte, estaba asustada y temblaba.
HELLINGER *a la tercera hija*: Sal del cuarto y cierra la puerta tras de ti.

Figura 2

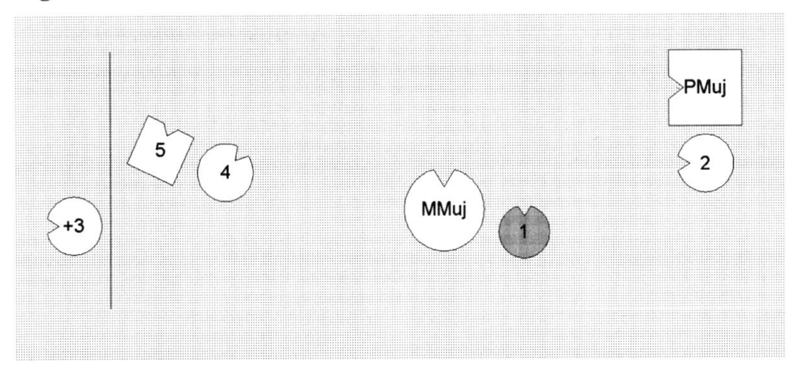

HELLINGER *a los otros representantes de la familia*: ¿Cambió algo desde que ella salió?
MADRE DE LA MUJER: No.
PADRE DE LA MUJER: No.
SEGUNDA HIJA: Siento alivio.
PRIMERA HIJA: Me siento más ligera.
CUARTA HIJA: Se me quitó un peso de encima y ahora puedo ver hacia allá. *Señala al resto de la familia.*
QUINTO HIJO: Mejor.
HELLINGER *a los padres*: Todos los hijos se sienten aliviados. La madre se ha erguido. Antes estaba encorvada, ahora está erguida.

Hellinger pide a la tercera hija que entre y retome su lugar.

Figura 3

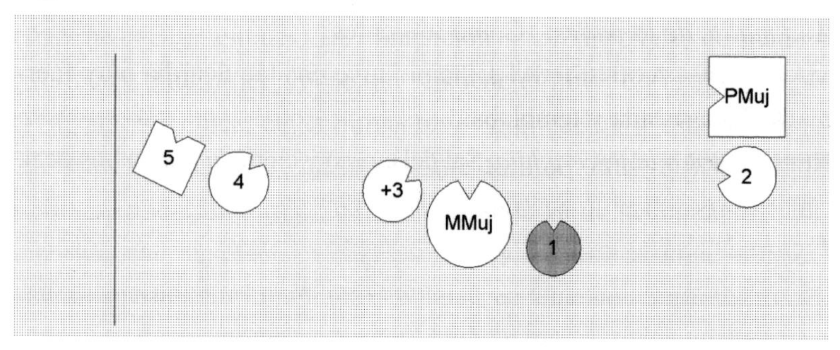

HELLINGER *a la niña muerta*: ¿Cómo te sentiste afuera, mejor o peor?
TERCERA HIJA †: Mejor.

Hellinger toma a un representante del padre de la madre de la mujer, prematuramente fallecido, y lo coloca frente a la madre.

Figura 4

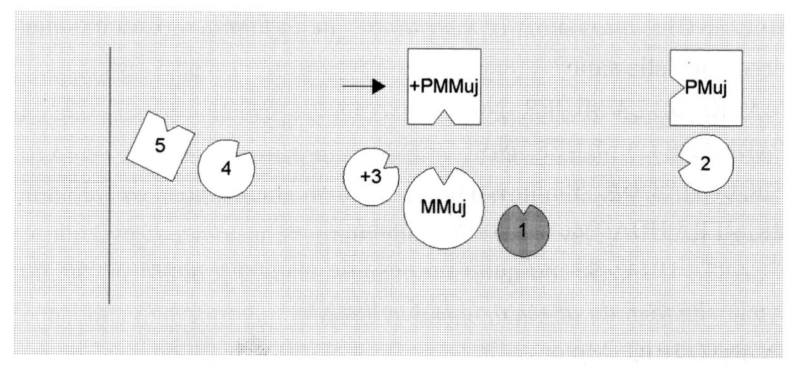

+PMMuj Padre de la madre de la mujer, murió cuando la madre tenía 8 años

HELLINGER *a la mujer*: ¿Qué edad tenía tu mamá cuando murió su papá?
MUJER. Ocho años.
HELLINGER: *a todos los representantes en la constelación*: ¿Cambió algo para ustedes?
MADRE DE LA MUJER: Tengo la sensación de que ella me está jalando. *Señala a la tercera hija, a su izquierda, y la atrae hacia ella.* Con mi papá tengo una sensación de extrañeza.
HELLINGER *a la tercera hija*: ¿Cambió algo para ti?
TERCERA HIJA †: Me siento mejor desde que llegó el abuelo.
HELLINGER *al padre de la madre*: ¿Cómo te sientes?
PADRE DE LA MADRE DE LA MUJER †: Me siento neutral.

Hellinger coloca ahora a la primera hija a una lado, y coloca al fallecido padre de la madre de la mujer a la derecha, atrás de su hija.

Figura 5

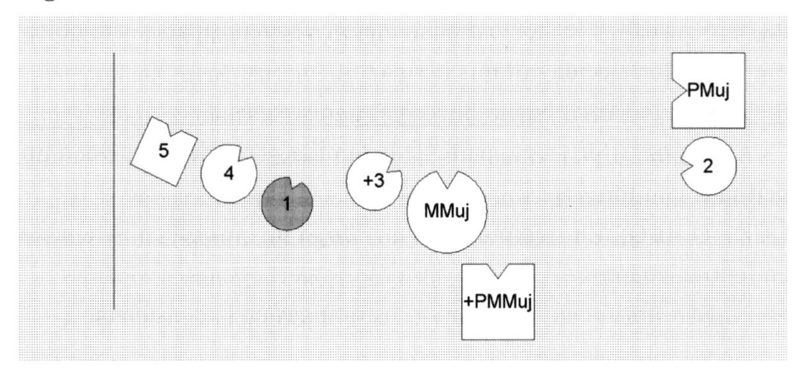

HELLINGER *a la madre de la mujer*: ¿Cómo te sientes ahora?
MADRE DE LA MUJER: Bien.

Hellinger reacomoda a la familia.

Figura 6

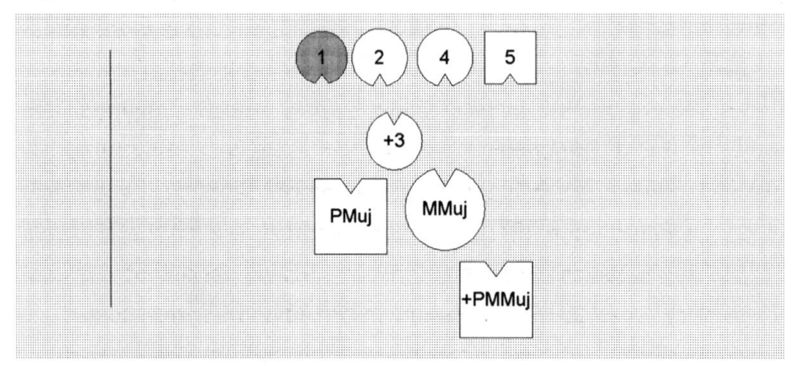

HELLINGER: ¿Cómo se sienten ahora?
PADRE DE LA MUJER: Antes estaba muy aislado, ahora me siento parte de la familia. Me siento muy bien con mi suegro atrás de nosotros. Me hace sentir más fuerte y tranquilo.
TERCERA HIJA †: Me siento mucho mejor.
MADRE DE LA MUJER: Necesito que mi papá esté atrás de mí.
PRIMERA HIJA: Me siento mucho mejor. Veo a mis papás y también me siento fortalecida por mis hermanos.
SEGUNDA HIJA: Es bueno poder ver a mis papás.
CUARTA HIJA: Me siento parte de la familia, y me da gusto ver a mi hermana con mis papás.
QUINTO HIJO: Me siento bien aquí. Tengo un cosquilleo agradable en todo el cuerpo.
HELLINGER *a la mujer*: Ahora toma tu lugar en la constelación.

Hellinger conduce a la mujer a su lugar. Después coloca a la hermana muerta en el lugar que le corresponde entre sus hermanos.

Figura 7

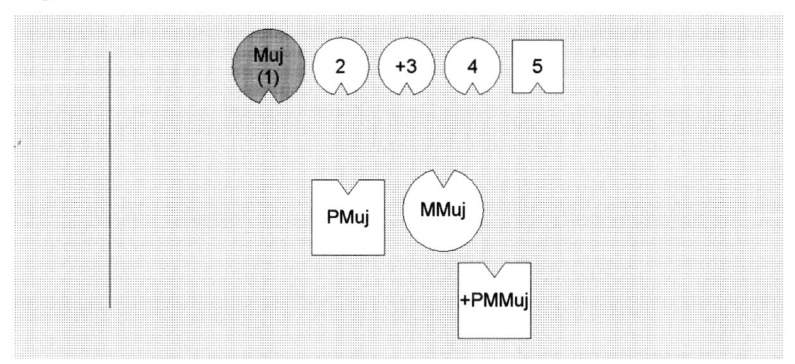

HELLINGER *a la hermana discapacitada*: ¿Cómo te sientes ahí?

TERCERA HIJA †: Primero me costó trabajo separarme de mis papás. Pero ahora me siento bien entre mis hermanos. También es bueno poder ver a mis papás.

HELLINGER *al público*: Éste es el paso que faltaba. La niña debía ir primero con sus padres, para sentirse aceptada y sentir que les pertenece. Después debe tomar su lugar entre los hermanos.

A la mujer: ¿Cómo te sientes?

MUJER *dudosa*: Bien.

HELLINGER: Ponte frente a tu hermana discapacitada.

Figura 8

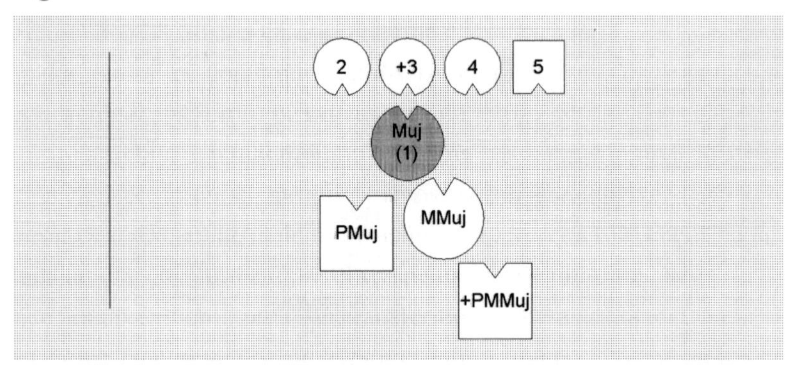

HELLINGER *a la mujer*: ¿Cómo se llamaba?

MUJER: Teresa.

HELLINGER: Dile: “Querida Teresa, eres mi hermana.”

MUJER: Querida Teresa, eres mi hermana.

HELLINGER: “Te acepto como mi hermana.”

MUJER: Te acepto como mi hermana.

HELLINGER: “Y me inclino ante tu destino.”

MUJER: Y me inclino ante tu destino.

HELLINGER: “Me quedo con mi hijo.”

MUJER: Me quedo con mi hijo.

Hellinger coloca al niño, quien hasta ahora había seguido atentamente la constelación, al lado de su madre.

Figura 9

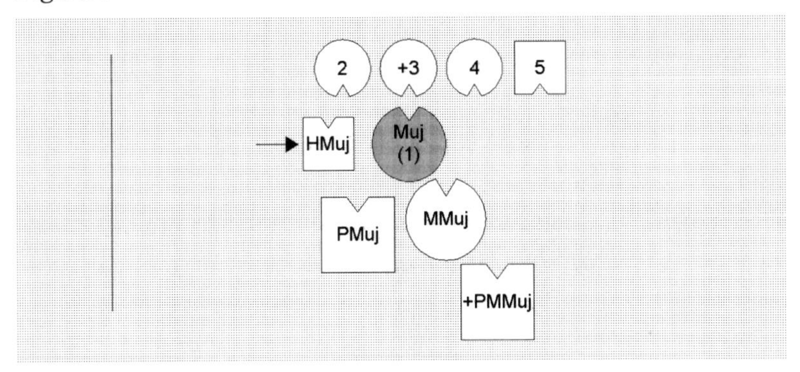

HMuj Hijo de la mujer

HELLINGER *a la mujer*: Dile a Teresa: "Éste es mi hijo."
MUJER *con voz conmovida*: Éste es mi hijo.
HELLINGER: "Éste es mi hijo y tú eres mi hermana."
MUJER: Éste es mi hijo y tú eres mi hermana.
HELLINGER: "Por favor míranos amorosamente."
MUJER: Por favor míranos amorosamente.
HELLINGER *a la mujer*: ¿Cómo te sientes?
MUJER: Bien.
HELLINGER *a su hijo*: ¿Cómo te sientes?
HIJO DE LA MUJER *alzando los hombros*: No sé.
HELLINGER: Está bien, aquí lo dejamos.

Hellinger disuelve la constelación, todos se sientan.

HELLINGER *al público*: Ése fue sólo el primer acto; por así decirlo, la obertura.
A la mujer: Ahora constela tu sistema actual.

Figura 10

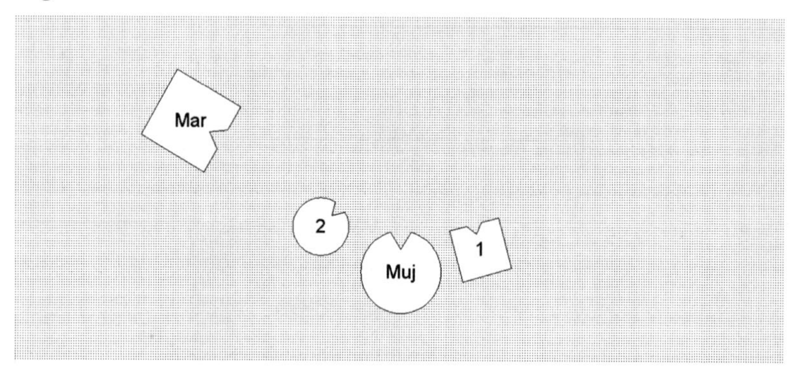

Mar	Marido
Muj	Mujer
1	Primer hijo
2	Segunda hija, nació prematuramente, por cesárea

HELLINGER *a la mujer*: Ya vimos una imagen semejante. Pon también a tu hermana discapacitada y elige a la misma representante de hace rato.

Figura 11

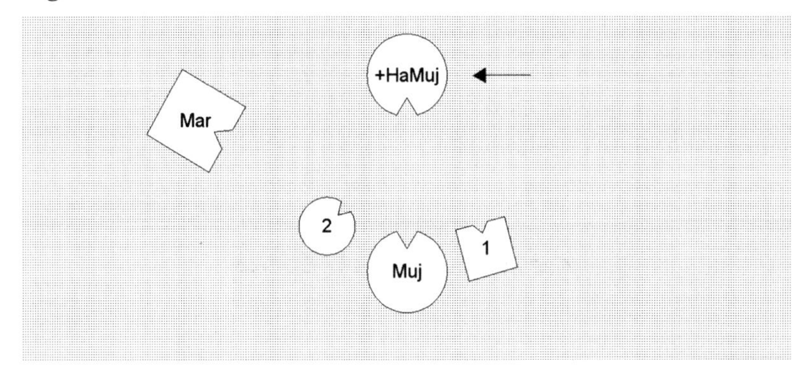

+HaMuj Hermana de la mujer, con una muy severa discapacidad, murió a los 12 años

HELLINGER *al representante del marido*: ¿Cómo te sientes?
REPRESENTANTE DEL MARIDO: Quisiera hacer algo, pero no sé qué.
REPRESENTANTE DE LA MUJER: Sólo veo a mi hermana, a mi esposo casi no lo alcanzo a ver.
REPRESENTANTE DEL PRIMER HIJO: Tengo mucho calor. Estoy en un lugar que no me corresponde.
REPRESENTANTE DE LA SEGUNDA HIJA: Quiero ir con la tía muerta. Es con la única con la que tengo relación.
HELLINGER *a la hermana muerta de la mujer*: ¿Cómo te sientes?
HERMANA DE LA MUJER †: No me siento bien, no pertenezco aquí.

Hellinger hace que la hermana se dé la vuelta y dé un paso hacia delante. Coloca a la mujer atrás de ella.

Figura 12

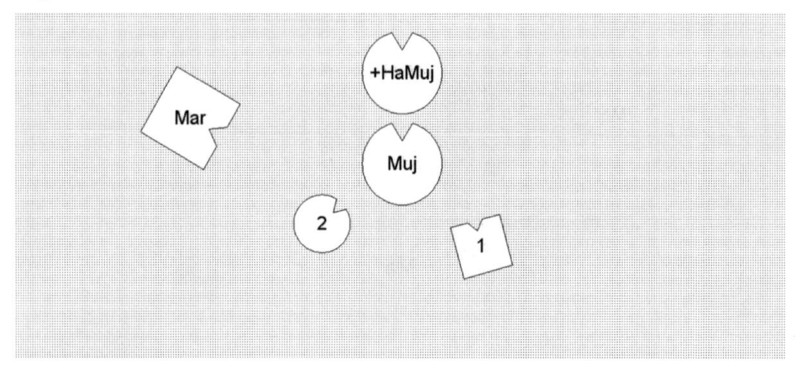

HELLINGER *a la hermana de la mujer*: ¿Cómo te sientes ahí?
HERMANA DE LA MUJER †: Mejor.
REPRESENTANTE DE LA MUJER: Mejor, pero me falta mi esposo.
HELLINGER: Cuando se está con los muertos no se necesita esposo.
Al resto de la familia: ¿Cómo se sienten?
REPRESENTANTE DEL MARIDO: Mejor.
REPRESENTANTE DEL PRIMER HIJO: Me siento muy solo.
REPRESENTANTE DE LA SEGUNDA HIJA: Me gustaría ir también con ellas.
HELLINGER *a la mujer, que observa*: ¿Qué opinas al respecto?
MUJER: No sé.
HELLINGER: Los niños están muriendo por ti.
MUJER *afirma muy conmovida*: Es verdad.
HELLINGER: Exactamente.
A los niños, en la constelación: Sólo hay un lugar seguro para ustedes, junto a su padre.

Hellinger coloca a los dos niños junto al padre.

Figura 13

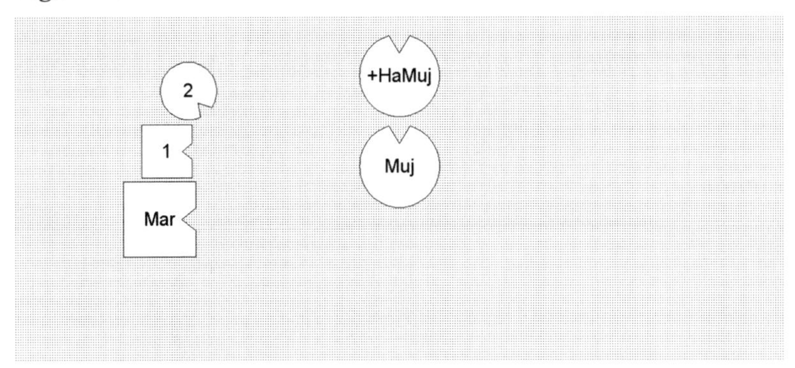

HELLINGER *al hombre*: ¿Qué tal se siente esto?
REPRESENTANTE DEL MARIDO: Es duro. Con los niños está bien, pero con mi esposa es duro.
REPRESENTANTE DEL PRIMER HIJO: Ya no siento que tenga que ir hacia donde está mi mamá.
REPRESENTANTE DE LA SEGUNDA HIJA: Me siento bien.
HELLINGER *a la mujer*: Los niños están seguros con tu esposo. El destino de tu familia de origen es muy duro y eso aleja a los niños. Tienes que dejárselos a él. Con él están seguros.
Al hombre: ¿Qué dices al respecto?
MARIDO: Ya había pensado alguna vez que mi esposa no estaba del todo presente.
HELLINGER *a la representante de la mujer*: ¿Cómo te sientes ahora?
REPRESENTANTE DE LA MUJER: Todavía bien.
HELLINGER *a la mujer*: ¿Qué hacer en este caso? Voy a hacer un último intento.

Hellinger coloca entonces a la propia mujer en el lugar detrás de su hermana muerta. Tras una breve pausa, se extiende una sonrisa en su cara.

HELLINGER *a la mujer*: Bienaventurados sean los muertos.

Hellinger conduce a la mujer junto al esposo y coloca a su hermana detrás de ella.

Figura 14

HELLINGER *a la mujer*: ¿Cómo te sientes junto a tu esposo?
MUJER: Mejor de lo que esperaba. *Sonríe.*
HELLINGER *al representante del marido*: ¿Cómo te sientes ahora?
REPRESENTANTE DEL MARIDO: Bien.
REPRESENTANTE DEL PRIMER HIJO: Bien, pero me gustaría ver mejor a mi papá.

Hellinger coloca a los niños frente a los padres, pero más en la esfera del padre.

Figura 15

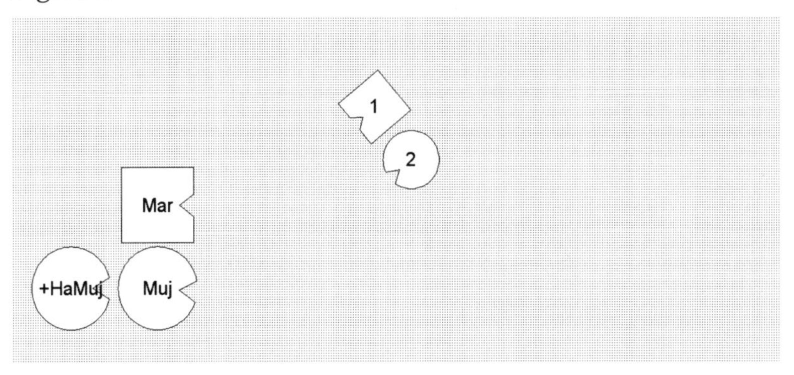

HELLINGER *al público*: Los niños deben estar en la esfera del padre. No porque la madre sea mala, sino porque el destino en su familia de origen es muy duro. Si no, los niños serán atraídos por ese destino.

Hellinger hace que el esposo y los niños tomen también su lugar en la constelación.

HELLINGER: ¿Cómo se sienten?
MARIDO: Yo me siento bien.
MUJER: Yo también, ahora sí siento a mi esposo.
PRIMER HIJO: Bien.
SEGUNDA HIJA: Yo también me siento bien. *Risas del público.*

Hellinger hace que el niño se pare junto a su padre, y que éste le pase el brazo por los hombros.

Figura 16

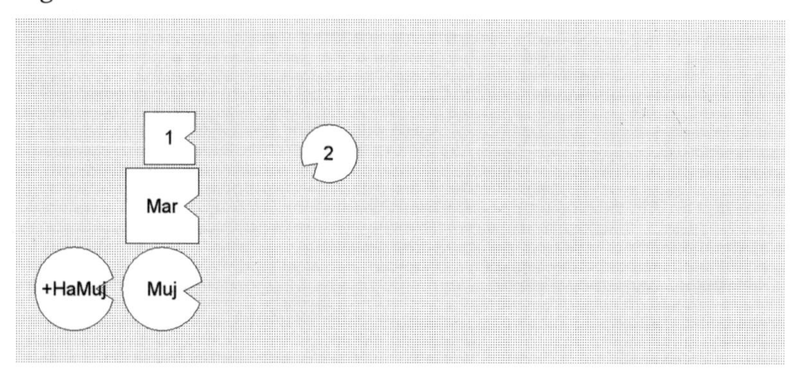

HELLINGER *al hombre*: Dile a tu hijo: "Yo te sostengo."
MARIDO *a su hijo*: Yo te sostengo.

El niño se recarga en su padre y sonríe.

HELLINGER *a la mujer*: Dile a los niños: "Se los confío a su padre."
MUJER *muy conmovida*: Se los confío a su padre.
HELLINGER: "Me quedo con su padre y con ustedes."
MUJER: Me quedo con su padre y con ustedes.
HELLINGER: "Con él están en buenas manos."
MUJER: Con él están en buenas manos.
HELLINGER: Bueno, ya terminamos.

Durante la constelación, la mujer estaba como obnubilada, como envuelta entre nieblas. La niebla tiene la particularidad de crear ilusiones mientras que nos rodea. En cuanto se retira, reaparecen los contornos de la dura realidad. Por eso fue de gran importancia que, bajo el efecto de la niebla, la mujer haya constelado a su familia actual casi igual que a su familia de origen: en ambos casos, la madre es apoyada por dos hijos. En la constelación, su preocupación por

Verena queda relegada a un segundo plano, como si hubiera desaparecido por arte de magia. En primer plano está Dieter. "Temo por mi hijo... Siento como si hubiera algo torcido, equivocado... Como si tuviera que ver conmigo." Después de este primer velo de niebla, cayó el siguiente: "Tuve una hermana con una severa discapacidad, que murió a los doce años. ¿Pero tendrá eso que ver?" ¿Quizá sea ahí donde está enredado el nudo sistémico?

"¿Cómo era tu hermana, cómo se veía, qué imágenes conservas de ella?" "Mejor ni pensar en eso. Imágenes de la más terrible discapacidad. El peor horror que le puede suceder a una familia." Teresa en la recámara de sus padres. Está acostada en la cama matrimonial, en el lugar del padre, junto a la madre, para que la pueda voltear fácilmente del otro lado y ayudar inmediatamente si le da uno de sus ataques epilépticos. Olores a sudor, a pañales sucios, a pomadas. Mamá le da a Teresa friegas de alcohol para que no se llene de llagas, y frota particularmente bien su pecho, para que se descongestione. Teresa en su silla de ruedas, bajo el árbol de Navidad. Teresa mientras le dan de comer. Mamá limpia la saliva de Teresa con el babero. Teresa en el ataúd. En su vestido de encajes, se ve totalmente normal, incluso tiene algo noble. Imágenes de la infancia, largamente enterradas, emergen ahora. Son como agudas torres de iglesia que sobresalen de entre la niebla. Como si Dios te señalara con un dedo acusatorio que se refleja hasta el infinito, dándote a entender desde todas partes que sabe de tu pecado. Como un arcángel que te estuviera llamando al Juicio Final, con la espada en la mano. No hay manera de que escapes de la espada. ¡Imágenes de horror!

¿Dejaste caer a Teresa cuando era bebé? Tú eras la hermana mayor, tú tenías la responsabilidad de vigilarla. Aun cuando hubiera sido tu hermana menor quien la hubiera dejado caer, tú, la mayor, tenías la responsabilidad. Por tu culpa, Teresa es una inválida. Es tu culpa que no podamos ser felices, que seamos una familia inválida.

Cuando todo el mundo canta "Aleluya" y da gracias, nuestras voces callan. Por tu culpa. Mamá puede repetir mil veces que es una tontería echarte a ti la culpa, pero tú sabes que no es así. Nunca, escuchas, nunca podrás estar segura de que no hayas sido tú. Tú eres culpable de esa discapacidad. Tú mereces la misma muerte cruel que padeció Teresa cuando se asfixió una bochornosa noche de verano.

Sí, yo tengo la culpa. Y yo tengo que reparar esa culpa mientras viva, mientras tenga que vivir… Oh, Dios, ¿cómo podría llenar mi vida sino comprometiéndome a una reparación constante?... Tú me enseñaste qué era lo que tenía que hacer. Verena nació con los mismos problemas respiratorios que le ocasionaron la muerte a Teresa. Varios días no pudo respirar por sí misma. Sus pulmones no funcionaban. Tuvo que conectársele a un pulmón artificial. Y ocho años enteros sufrió de afecciones respiratorias. Se hicieron todos los diagnósticos posibles: bronquitis, pulmonía… Me pongo el saco que me están ofreciendo. Mi vida entera la coloco en el altar de sacrificios. Le voy a dar a mi hija Verena todo lo que le quedé a deber a mi hermana, todo lo que todavía le debo.

Y ahí, precisamente, está el drama. Mientras que la madre de Verena se siga atormentando con la culpa y quiera repararla a través de un sustituto, no va a llegar a ningún lado. Tiene que hacer las paces directamente con su hermana discapacitada, una compensación que dé rodeos –a través de su hija– la hará desviarse del camino. Todavía no puede aceptar a su hermana en su corazón, porque las imágenes que emergieron todavía se vinculan con su culpa: representan la encarnación de sus pecados y su castigo. Amarla equivaldría a autodestruirse. Pero mientras no se atreva a tomar el camino del amor a su hermana, su complicada reparación no tendrá fin.

Mis reflexiones en cuanto al subsecuente proceso terapéutico fueron que el enredo sólo se podría resolver eliminando la culpa. Pero esto no era posible hacerlo de la noche a la mañana. Así como la montaña de la culpa se fue acumulando a través de décadas, debía irse desmontando capa por capa.

Aparentemente sería lógico hablar con el padre acerca de la injusta imputación de culpa, pero sólo aparentemente. Reflexioné acerca de lo que podríamos lograr por medio de una confrontación entre él y su hija. Prácticamente, nada. Cuando mucho, una nueva irritación. En vista de las devastadoras consecuencias de su imputación, seguramente diría que nunca quiso decir lo que dijo. Seguramente, en su desesperación, sólo quiso encontrar respuestas a preguntas sin respuesta, quiso aclarar lo inaclarable, y deshacerse de ese lastre que le imponía el destino. Quiso proteger a sus hijos y nietos de la sospecha de una discapacidad hereditaria. Por eso buscó un accidente. ¿Quién podría ser sospechoso? ¡Nunca, la madre! Ella, debido a sus depresiones, vivía de por sí al borde de la muerte. Nunca hubiera soportado ser culpable de la discapacidad de su hija, hubiera preferido morir. En la constelación, la imagen fue muy clara: las hijas sostenían a la madre, para que no se fuera. No era su esposo el que la sostenía; en su lugar, a la derecha de la madre, estaba la hija mayor, sana, y a su izquierda, la tercera hija, discapacitada. Si la hermana mayor era tan grande y su influencia sobre la madre, mayor que la de él mismo, entonces también podría soportar la sospecha de ser la culpable, pensó él. En su miedo de enfrentar al destino, no reflexionó sobre el lastre tan terrible que estaba depositando sobre los hombros de su hija. Si se le confrontara con el dolor de ella, en el mejor de los casos se desharía en arrepentimiento y retiraría todo lo que dijo alguna vez. Y, naturalmente, ella no le podría creer. Entonces, una confrontación con el padre carecía de sentido.

Y la terapia de contención con Verena no estaba todavía indicada, en tanto que su identidad estuviera enredada con la de la tía discapacitada muerta.

Quien hasta ese momento había recibido poca atención de parte de los padres era Dieter. Por muchos años la madre había estado convencida de que Dieter se pegaba a sus faldas a su peculiar manera, porque estaba celoso de Verena. Hasta que ella nació, Dieter había sido un niño abierto, emprendedor, que gustaba de seguir su propio camino, separado de la madre. Pero esta disposición a separarse de ella sólo duró mientras estuvo seguro de contar con la presencia materna. Debido a las preocupaciones por Verena esto cambió, porque tenía que confirmar continuamente que su madre estuviera ahí para él, y se fijaba con gran detenimiento si Verena recibía más atención que él. Por lo menos así lo interpretó la madre. También el padre tenía una opinión similar. Él pensaba que Dieter se estaba adaptando a Verena, para parecerse a ella y gustarle a su mamá. Lástima por el muchacho, las mujeres lo estaban ablandando. Sólo en la constelación de la familia actual quedó de manifiesto que los dos niños estaban sosteniendo a la madre para que no se fuera. "Ya vimos una imagen semejante. Es lo mismo que con tu hermana", dijo Bert Hellinger cuando vio la constelación. La acción para rescatar a una madre tristísima, según el mismo patrón original. Dieter debía ser liberado de esta misión sistémica, para que pudiera ocuparse de sí mismo, y había que hacerlo tan pronto como fuera posible, pues no existía ningún obstáculo para asimilar emocionalmente la recomendación de Bert Hellinger, en una terapia de contención.

Así, inmediatamente después de la constelación, Dieter y su padre fueron a la colchoneta de terapia. El padre nunca hubiera pensado que el corazón de su hijo contuviera tanto dolor. Contaba con que Dieter aprovecharía la confrontación para expresar sus deseos más o menos materiales que todavía no habían sido cumplidos: que papá todavía le debía una bici nueva, que tenía que seguir yendo a clases de violín cuando él realmente quería aprender a tocar guitarra, etc., etc., etc.... Y estaba preparado para recibir sus reproches, a la vez que se había propuesto leerle la cartilla por su habitación, que nunca ordenaba. Nada de esto ocurrió. Cuando tuvo a su hijo en brazos y la cabeza del niño estaba en el hueco de su cuello, sintió la cálida humedad de sus lágrimas. "Tengo tanto miedo por mamá… ni siquiera me atrevo a ir al campamento de verano, no sea que le vaya a pasar algo… me da tanto miedo cada vez que los maestros de Verena se quejan y hacen sentir a mamá que ella es responsable de todo… ¿cómo la puedo consolar?... y tú, papá, nunca estás, siempre te vas… ¿cómo la puedo ayudar?... ¿quién le podrá ayudar?... ¡Papá, y tú no estás!" ¿Qué puede responder el papá? Anima a Dieter, para que descargue todas sus preocupaciones con él. "¡Desahógate, Dieter!, Dime todo lo que te oprime y te preocupa. Tengo que saberlo para poder ayudarte. No eres tú el que me tiene que ayudar a mí, sino yo a ti. Tampoco te corresponde preocuparte por mamá o por mí. Ésa es mi responsabilidad." Para Dieter, estas palabras se escuchan bien, muy bien. ¿Pero las puede aceptar? "¿De verdad eres tan fuerte, papá?" En la pregunta de Dieter resuenan la duda y la esperanza.

"Óyeme, Dieter, ¿estás dudando de mi fuerza? Soy lo suficientemente fuerte."

Dieter lo mira. Por primera vez durante la confrontación, mira a su padre a los ojos. Tenso, curioso, probándolo. "¿O crees tú, Dieter, que soy débil, más débil que tú y que me voy a rendir?" Dieter le sostiene la mirada. "Entonces, pruébalo. Trata de voltearme. ¿Crees que puedas?" Dieter abraza a su padre combativamente y reúne todas sus fuerzas para ponerlo de espaldas. No hay un solo rastro de coraje en su postura desafiante, lo que domina es el anhelo de que papá gane la prueba. Dieter no logra voltear a su padre. Papá ganó. ¡Gracias a Dios! El hombre sostiene a Dieter suave y cálidamente contra su corazón, tan cerca y largamente como no lo hacía desde que era un bebé. "Yo te abrazo, Dieter, quiero que te sientas protegido conmigo. Todo va a estar bien, es mi responsabilidad." "Sí, papá, abrázame, lo necesito. Necesito sentirte."

Antes de que terminara el seminario, el hombre preguntó si también podía contener a su esposa. Las frases que dijo en la constelación sonaban muy bien y prometían lo mejor. Las buenas intenciones fueron articuladas por la razón: "Niños, se los confío a su padre... con él están en buenas manos… me quedo con su padre y con ustedes…" Pero la mujer no había estado con el corazón totalmente puesto en sus palabras. La cabeza puede cuestionar y aun olvidar más tarde la intención razonada de amar, en tanto que el corazón no se apropie de ella. El amor no surge mediante un cambio en el pensamiento, sino que se percibe como una verdad en el corazón cuando se ha atravesado por transformaciones que lo han hecho ser verdadero. El misterio de la trasformación por medio del cuerpo y la sangre. Esta experiencia de la maravillosa renovación del amor ya la había hecho el padre con su hijo. Ahora sentía la necesidad de darle también a su mujer el apoyo que necesitaba, para poder librarse de los terribles sentimientos de culpa.

Su deseo coincidía con mis intenciones terapéuticas, porque es bien sabido que las cosas hay que hacerlas en caliente. La conciencia del conflicto ha sido despertada desde la razón, los sentimientos están revueltos y el anhelo por llegar a una solución palpita en los corazones.

Ahora sostenía a su mujer en brazos como antes había sostenido a su hijo. Pero la confrontación fue mucho más dramática y el dolor en lo más profundo de su corazón era tan terrible, que seguramente hubiera abandonado el proceso si un terapeuta no hubiera estado ahí. Después de largo tiempo la volvió a sentir, a ella, a la única mujer que había amado, la dulce, la tierna. En la contención no había lugar para la sexualidad que durante muchos años había ocultado el verdadero alejamiento entre ellos, y podía sentir el dolor real de la pérdida. "¿Cómo pudiste no darte cuenta de cuánto te necesito y cuánto te extraño? ¿No sentiste cuán terriblemente me estabas lastimando? Lo contrario de lo que dijiste en la constelación es lo que le decías a tus hijos: no pueden confiar en su padre, él no los entiende, él vive en su mundo, su negocio y su orquesta de cámara le importan más que ustedes, yo misma no sé cuánto tiempo más voy a aguantar. Así les hablabas a nuestros hijos, les arrebataste el padre y a mí me arrebataste a los hijos. ¡Cómo lo odio!

¡Duele tanto!" Pero él también oyó y sintió que ella se había sentido abandonada, despreciada y no amada por él en medio de su más terrible desesperación. Ninguna conversación a la mesa hubiera podido desatar este dolor. Antes o después uno de los dos se hubiera enconchado, quizá después de gritarle histéricamente al otro; de una u otra forma, él y probablemente también ella hubieran terminado por enmudecer. En la terapia de contención no hay escape. El otro te sostiene y te bloquea el camino a la fuga. También tú sostienes al otro y juras, acompañado por el terapeuta: "No te voy a soltar, te voy a abrazar hasta que vuelva a fluir el amor." Así, con gran amor, la pareja se volvió a encontrar. Sin ayuda alguna, ella le pudo decir a su esposo: "Te necesito. Por favor, sostenme en tus brazos, dame tu apoyo al principio de mi proceso, para que pueda tener fuerzas. ¡No permitas que mis hijos me sostengan! Te confío a nuestros hijos. Contigo están en buenas manos." Se quedaron abrazados por un largo rato, ya sin confrontación alguna.

Sólo con un séptimo sentido se podía percibir, en el silencio, la armonía interna que existía entre los dos.

Antes de abandonar el seminario, se le hicieron algunas recomendaciones a la familia. La pareja debía cuidar su renovada relación como si se tratara de una delicada flor, y alimentarla siempre con un fresco regalo de amor. El padre debía asumir la responsabilidad principal de la educación de sus hijos. Sería también muy provechoso cambiar el orden en que se sentaban a la mesa del comedor, siguiendo la posición sistémica, para que todos pudieran ver y aprender de manera perceptible qué lugar le correspondía en la familia. Los hermanos se sientan uno junto al otro, Dieter en su lugar de primogénito y Verena en el de la segunda hija. Están enfrente de sus padres. El padre tiene a su izquierda a la madre, posición desde la que puede ocuparse mejor de los niños. La madre siente, a su derecha, el apoyo de su esposo y, detrás de ella, a su hermana Teresa. La clave de la solución está en esta hermana discapacitada y muerta. Si la primogénita se puede inclinar ante el terrible destino de su hermana y albergarla en su corazón sin culpa ni rencor alguno, otorgándole de esta manera su lugar en el sistema familiar, entonces ninguno de los sobrevivientes o miembros de las generaciones posteriores (como Verena) tendrá que hacer una reparación o una sustitución. Entonces todos serán libres. Y sólo entonces Verena podrá nacer a una vida libre. Sólo en esas condiciones estaría indicado hacer una terapia de contención entre ella y su madre, para recuperar la experiencia emocional de la que se perdieron durante el parto.

Varias semanas después del taller llamo a la mujer para preguntarle cómo están ella y su familia. Dieter es el que mejor se siente, me dice al teléfono, tiene una buena autoestima y se está dedicando a sus intereses fuera de la familia, tampoco anda ya pegado a sus faldas. También en la pareja hay mucho más cercanía. Con Verena todo sigue igual. El "Me quedo" fue convincente en las tres primeras semanas después del taller, pero cada vez se volvía más dudoso. Naturalmente, después de esta información, hubiera podido prescindir de la pregunta de si ya había acogido a su hermana en su corazón. De todos modos, hago la pregunta y obtengo la respuesta esperada:

"No. Los capítulos con mi hermana discapacitada no los puedo cerrar así nada más. Lo que significó en mi vida sigue siendo horrible y doloroso."

"Mientras no lo hagas, el horror y el dolor afectarán tu vida."

"Lo sé, estoy consciente de ello."

Le aconsejé poner en su casa una foto de su hermana, prenderle una vela y decirle: "Mi querida hermana Teresa, tuviste que padecer un destino muy difícil. Me inclino ante ti, porque lo soportaste. Con gran respeto, dejo contigo esta carga. Por favor, bendíceme, para que me sienta mejor y para que mi hija Verena pueda ser libre."

A veces, la niebla necesita mucho tiempo para irse desvaneciendo totalmente. Si nos confiamos a este plazo en el que opera la fuerza del esclarecimiento, podremos ser agradecidos testigos del prodigioso acontecimiento. La niebla desaparece y los contornos se vuelven claramente reconocibles, aparecen las líneas que dividen la luz y la sombra. La realidad se delimita de la ilusión.

Después de pocos meses, volví a llamar.

"¿Cómo están?"

"Algunas cosas se han puesto en movimiento. Últimamente he regañado con frecuencia a Verena, cosa que antes nunca pasaba. Antes siempre cedía y me adaptaba a ella. Pero ahora se está invirtiendo la situación. Soy más estricta con ella, le exijo más y le estoy poniendo límites más claros."

"Supongo que ya pusiste en tu casa la foto de tu hermana fallecida."

"Sí. Primero me costó mucho trabajo. No encontraba una foto que hubiera podido poner. En todas había sólo discapacidad. Hasta que escogí la foto en la que ésta se muestra de manera más clara, porque era precisamente el duro destino de su discapacidad el que debía y quería honrar: Teresa en la época, después de una de sus muchas estancias en el hospital, cuando ya ni siquiera podía tragar por sí misma. La sonda de alimentación pasa por su nariz, sus manos están amarradas a la silla de ruedas, para que no se pueda arrancar la sonda con un movimiento inquieto. Para encenderle su vela, hice una pequeña ceremonia con mi familia, cantamos un himno religioso muy bonito. Después, recordé a mi familia la constelación de mi familia de origen en el taller con Bert Hellinger, cómo me incliné ante mi hermana y le pedí que nos mirara amorosamente y nos bendijera. Y lo volví a hacer en el círculo de mi familia y encendí solemnemente mi vela para Teresa."

"¿Cómo reacciono Verena?"

"Estaba muy conmovida y me dijo: 'Mamá, ¿verdad que ésta no es sólo tu vela?, ¿verdad que es también la mía?' 'Así es, hija querida', le contesté, 'eres una gran alegría para mí.'"

EL PARTISANO

Ésta es la historia de un niño que se vio atrapado entre dos frentes. Nada extraordinario. Una historia banal, como las que escribe la vida en nuestra sociedad. Una pequeña familia que se desintegra después de pocos años. Típico, el hijo único que oscila entre la madre, ahora sola, y el padre, también solo. Típico, cómo el niño vive con uno de sus dos padres –que se considera el mejor–, aunque ama en secreto al otro. Típicos son, también, los problemas de conducta de estos niños.

En Alemania, la tasa de divorcios está aumentando a una velocidad espantosa. Cada tercer matrimonio termina en divorcio; en los grandes centros urbanos, incluso cada segundo matrimonio. Su duración es cada vez menor, en promedio los cónyuges comparten sólo cinco años de su vida. El fuego que desencadena esta explosión proviene de dos mechas, ambas producto de la sociedad materialista y tecnócrata.

Desde hace ya varias generaciones, el niño no aprende de sus padres cómo expresar los conflictos de su relación durante el tiempo necesario, hasta que vuelva a fluir el amor. Esta experiencia le va a hacer falta después, como adulto, en su matrimonio. (Lo que no se aprende de niño…) En las sociedades primitivas, el niño aprende esta disposición a la reconciliación en sus primeros años de vida, que transcurren en el rebozo en el que se le carga. De corazón a corazón siente que puede expresar todo su coraje y que se puede confrontar el tiempo que sea necesario con su madre, que es su persona de referencia, hasta que se vuelva a sentir amado sin reservas y pueda volver a amarla también a pesar de todas sus reservas. En la sociedad tecnócrata, el niño se ha visto y se sigue viendo sometido a un programa de aprendizaje totalmente opuesto. Bajo el modelo de la educación autoritaria, el niño sencillamente no tenía permitido expresar la ira contra sus padres, se le hacía callar por medio de golpes y aislamiento. En la época de la educación antiautoritaria sí se le permitía al niño expresar su furia, desahogarse en su habitación y azotar las puertas; pero no se le enseñó cómo, a pesar del instinto de fuga, se podía confrontar el dolor de la relación y a la persona de referencia con la que se tuvo el problema, cómo reconciliarse y cómo volver a amar a pesar de todas las reservas. En ambos casos la divisa era: ¡alejarse del enemigo! Una disposición profundamente primitiva, animal, que compartimos con todos los pájaros, los peces, etc. y que se muestra siempre que la hostilidad es más fuerte que el gusto por el acercamiento. Pero como esta conducta es parte de una ideología muy extendida, hemos convertido esta incapacidad para manejar el conflicto en una filosofía de la libertad. El cambio de cónyuge en ciertas etapas de la vida se ha vuelto socialmente aceptable.

En países más pobres, las condiciones de vida son diferentes: muchas personas se ven obligadas a vivir juntas en lugares pequeños, por necesidad tienen que volverse a reconciliar una y otra vez y, a pesar de todos los reproches, se tienen que, por lo menos, soportar mutuamente. Para ellos sería inconcebible abandonar así nomás a un niño que llora o a una pareja incómoda. Los niños aprenden de sus mayores, inevitablemente, que las personas se mantienen juntas no sólo en las buenas, sino en las malas, que se comparten desde el último mendrugo de pan hasta la única cama. Un niño puede contar con la unión de su familia y aun del clan entero. Y, así, obtiene una sensación de seguridad.

En las sociedades industrializadas, por el contrario, los individuos son tan ricos que no tienen que compartir nada con nadie. Todos pueden tener su propio departamento, su propia televisión, disfrutar su propio control remoto y su propio seguro médico y acordar un contrato matrimonial sobre la separación de bienes. El precio que estamos pagando por este bienestar material es un aislamiento cada vez mayor.

Debido a esta riqueza y a que la sociedad está organizada de esta manera, ya no tenemos que mantenernos unidos en tiempos difíciles. No obstante, de esta manera perdemos la oportunidad de encontrar al amigo cuando lo necesitamos. No necesitamos sentirnos responsables por el otro, si se comporta de manera distinta a nuestra forma de ser. Ya no hay tabúes religiosos ni prejuicios pequeñoburgueses que se opongan a nuestra libertad de separarnos del otro, si no resulta de nuestro gusto.

Nunca un divorcio había sido tan fácil como hoy. Eso sí: sólo para los adultos. Los niños pagan siempre con un gran dolor la ligereza con que se realiza un divorcio. Con la precisión de una golondrina, que todas las primaveras reencuentra su nido en el establo, el alma del niño sabe también que su casa está con su madre y su padre. Para ello no necesita conocer el Cuarto Mandamiento, que dice que una persona sólo puede ser feliz en este planeta si honra a su padre y a su madre. Tampoco se tiene que apoyar en libros filosóficos que hablan de la dualidad y la polaridad inherentes a toda persona, también presentes en los padres. Sin tener que entender racionalmente los mandamientos de la Creación divina, un niño siente con gran precisión este orden en su corazón. Más aún, anhela satisfacer la necesidad de cumplir con este orden.

El acto de engendrar no consiste únicamente en la vivencia de la unión entre el hombre y la mujer, sino que es una convergencia de las más diversas fuerzas (factores hereditarios físicos y psíquicos, destinos…) provenientes de los ancestros de las líneas paterna y materna, que confluirán en el futuro. Sólo cuando una persona respeta todo lo que recibió de su padre y de su madre puede respetarse a sí mismo. Y este valor del respeto puede convertirse en el valor más elevado, el amor. Pues cuando uno ama a su madre y a su padre también puede amarse a sí mismo. Y todavía se puede subir otro peldaño: si está dispuesto a amar a su padre y a su madre a pesar de todas las reservas, también podrá amarse a sí mismo a pesar de todas las reservas. Es recorriendo este penoso camino que pasa por la superación de las crisis consigo mismo y con los otros, que el individuo puede reconocer sus fuerzas verdaderas y ganar la conciencia de su identidad.

En una difícil situación de conflicto en la que uno de los dos padres, decepcionado, expulsa al otro de su corazón, al niño le ocurre una desgracia terrible. Por fidelidad a uno de los dos, tendría que aliarse con él en contra del otro. Pero también quiere serle fiel al otro, y por eso se siente desgarrado. Sus desesperados intentos por arreglar las desavenencias ente el padre y la madre fracasan estrepitosamente. El dolor ocasionado por el fracaso del amor y por la esperanza perdida de una familia feliz hace que los dos mayores giren en torno a su propio sufrimiento. Los dos buscan una justificación y combaten al otro, aprovechando toda oportunidad para explicarle al niño las diferencias entre el bueno y el malo, poniendo como ejemplo la conducta de mamá o de papá. Rara vez los padres se ponen en el lugar del niño. Si lo hicieran, sabrían que lo que el niño anhela desesperadamente es la unión de los padres, que toda división atraviesa su corazón como un cuchillo, que se siente desgarrado y ha perdido su equilibrio interior, que no puede encontrar el reposo que necesita para realizarse como niño. Con frecuencia, los niños también son usados como arma contra el otro, por ejemplo: "¿Necesitas una bicicleta nueva? Pues pregúntale a tu padre. Él tiene dinero. Me debe todavía la manutención de dos meses." Y no es sólo que el niño se vea impelido por ambos padres a pensar que el otro es el culpable, sino que también acaba sintiéndose culpable él mismo, al fin y al cabo se dio cuenta que muchos de los pleitos fueron por él. Puesto que un niño, hasta su ingreso a la escuela, se encuentra en la llamada fase mágica del desarrollo, refiere todo lo que sucede en el universo a sí mismo. Entonces, si la luna está escondida tras las nubes, es porque papá se fue de la casa por su culpa.

Si nadie más lo ayuda, el niño se tiene que proteger a sí mismo contra la destrucción del equilibrio, para él insoportable. Y las estrategias de defensa pueden ser muy distintas. Un niño dinámico y extrovertido entrará en un combate activo. Tomará partido, como fiel aliado, por aquél de sus padres que haya sido despreciado y atacará al agresor con todos los medios de que disponga. Tales niños señalan con sus acciones de terrorismo que el divorcio no significó la paz y que la guerra continúa. Tampoco al niño sensible e introvertido le queda otra salida que tratar de evitar el desgarramiento en la medida de lo posible. Pero no elige el combate abierto, sino la fuga. Busca consuelo en sus ensoñaciones y no busca la seguridad en el vínculo con otras personas, sino en los objetos, que le parecen más confiables que las personas. Los aparatos, con su perfecto funcionamiento técnico, le otorgan, por lo menos, una seguridad objetiva, puesto que son predecibles. Así, muchos hijos de parejas divorciadas acaban teniendo *Gameboys* o *Tamagotchis*, y pueden volverse verdaderamente adictos a esta satisfacción sucedánea, porque la verdadera necesidad básica, la verdadera seguridad, todavía no ha sido satisfecha.

Ésta es la historia de Axel. En la Guerra de las Rosas, prefirió las rosas, nunca combatió con armas brutales. Un niño típico que, aunque vive con su madre, a la que le concede un buen lugar en su corazón, ama en secreto a su padre de una forma muy especial.

HELLINGER *al marido*: ¿Cuántos hijos tienen?
MARIDO: Sólo uno, Axel.

HELLINGER: ¿Cuál es el problema?
MARIDO *a la mujer*: Te cedo la palabra.
A Hellinger: Yo soy imparcial, a mí me invitaron a esto.
HELLINGER : Me gustaría empezar preguntándole a alguien imparcial.
MARIDO: Acabo de llegar y primero tengo que integrarme. Tengo que tomar aire, ver cómo son las cosas en este círculo y cómo me siento yo. Nunca he participado en algo así. Para mí la temática de una constelación sería: ¿qué parte no resuelta han transmitido los hombres de esta familia? Ése sería mi tema, en primer lugar.
HELLINGER: ¿Tienen dificultades con el niño?
MARIDO : No, yo no las tengo.

El niño sonríe orgulloso cuando su padre dice esto.

HELLINGER *a la mujer*: Bueno, ¿qué pasa?
MUJER: Fue mi marido el que solicitó el divorcio, y tengo la sensación de que todavía hay fuertes enredos de su parte. Mi hijo se ha puesto intranquilo desde hace algunas semanas y quisiera hacer algo por nosotros tres, que a todos nos vaya mejor, sobre todo al niño.
HELLINGER : ¿Alguno de los dos tuvo antes una relación estable?
MARIDO : No.
MUJER: Yo tuve un novio, y él tuvo una relación que duró cuatro años.
HELLINGER : ¿Hace cuánto que están casados?
MUJER: Estamos juntos desde hace veintidós años y separados desde hace ocho. Nos casamos hace catorce años.
HELLINGER *a la mujer*: Comienza tú con la constelación.

Figura 1

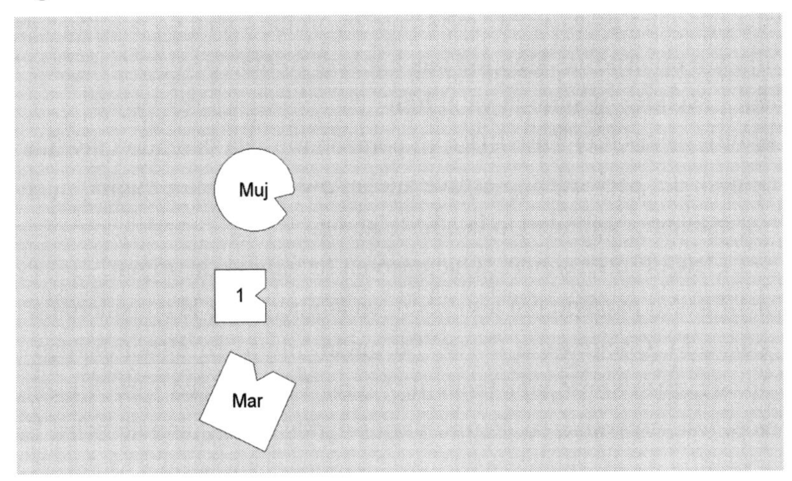

Mar	Marido
Muj	Mujer
1	Hijo único

HELLINGER *al marido*: ¿Cambiarías algo?
MARIDO : No, la dejo así por el momento.
HELLINGER : ¿Tienen nuevas relaciones?
MUJER: Mi esposo tiene una nueva relación.
MARIDO : Sí, pero todavía hay muchas cosas abiertas y sin aclarar.
HELLINGER : ¿Tienen otros hijos con otras personas?
MARIDO : Yo no.
MUJER: No.
HELLINGER *al representante del marido*: ¿Cómo te sientes?
REPRESENTANTE DEL MARIDO : Me siento bastante ajeno. A mi esposa sólo la veo en parte. Al niño lo veo mejor, pero no me siento atraído hacia nadie, ni a mi esposa ni a mi hijo.
HELLINGER : ¿Cómo se siente la esposa?

REPRESENTANTE DE LA MUJER: Me cuesta trabajo respirar, siento una estrechez en el pecho, me siento oprimida y casi no percibo a mi hijo y a mi esposo. Algo me jala hacia el frente.

HELLINGER : ¿Cómo le va al hijo?

REPRESENTANTE DEL HIJO: El corazón me está latiendo muy fuerte, pero era peor cuando estuve adelante y atrás de mi mamá, mientras estaban acomodando la constelación.

HELLINGER *a la mujer*: ¿Qué pasó en tu familia de origen?

MUJER: Mi papá perdió a su padre en la guerra. Se le consideró desaparecido. *Comienza a llorar*. Su madre murió en el bombardeo a Dresde, cuando mi papá tenía diez años. Fue el único sobreviviente en el refugio antiaéreo. Perdió varios dedos de la mano derecha. En la familia de mi mamá murió una hermana menor suya, de sarampión, cuando tenía un año y medio.

HELLINGER *a la mujer*: Coloca también a tu padre.

Figura 2

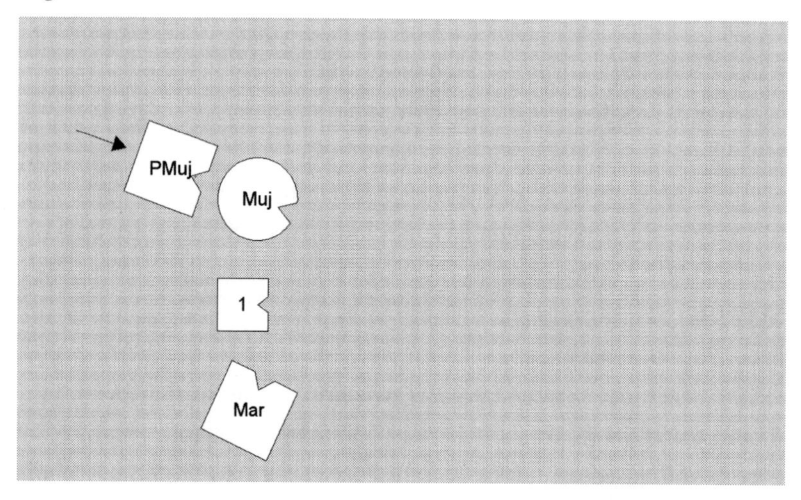

PMuj Padre de la mujer

HELLINGER *a la representante de la mujer*: ¿Cambió algo?

REPRESENTANTE DE LA MUJER: Primero se me puso la carne de gallina, de tanta energía. Y ahora me siento más a gusto. Me siento un poco mejor.

HELLINGER : ¿Cómo se siente el padre?

PADRE DE LA MUJER: Estaba muy emocionado cuando me acerqué a mi hija. Ahora siento un agradable calor.

HELLINGER *al hijo*: ¿Cambió algo para ti?

REPRESENTANTE DEL HIJO: Las palpitaciones se me quitaron. Las rodillas me tiemblan un poco.

REPRESENTANTE DEL MARIDO: Acabo de sentir como un cosquilleo. Fue agradable cuando llegó su papá. Acabo también de ver a mi esposa, con gusto. Todavía no sé si es atracción o simplemente una sensación agradable. Pero se sintió bien que viniera su papá. Entonces la vi, la quise ver.

HELLINGER *voltea a la mujer hacia su padre.*

Figura 3

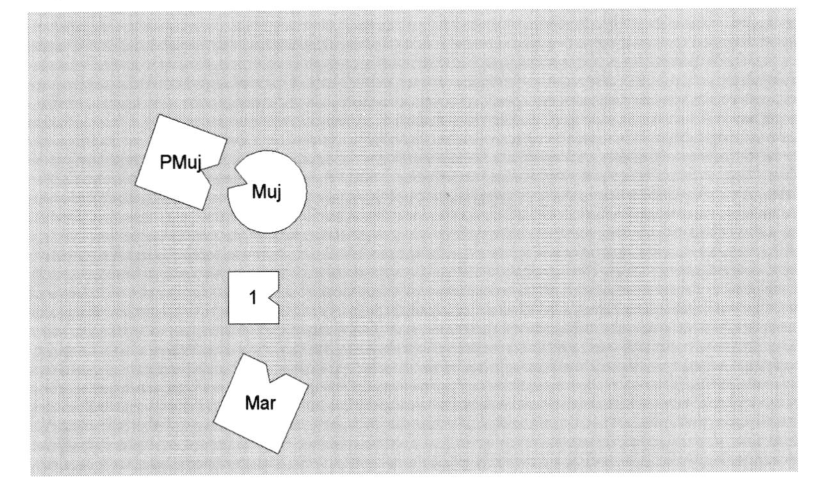

HELLINGER *a la representante de la mujer*: Dile "Papá, siempre voy a estar contigo."
REPRESENTANTE DE LA MUJER: "Papá, siempre voy a estar contigo."
HELLINGER : ¿Es correcta la frase?
REPRESENTANTE DE LA MUJER: No del todo.
HELLINGER : ¿Qué frase estaría bien?

La mujer tiene un intenso contacto visual con el padre, respira profundamente, no responde.

HELLINGER *al padre de la mujer*: ¿Tú cómo te sientes?
PADRE DE LA MUJER: Muy emocionado, mis sentimientos van de aquí para allá.
HELLINGER : Entonces, tengo que poner orden en esto.

HELLINGER elige a una mujer del público como representante de la madre de la mujer y la coloca junto al padre.

Figura 4

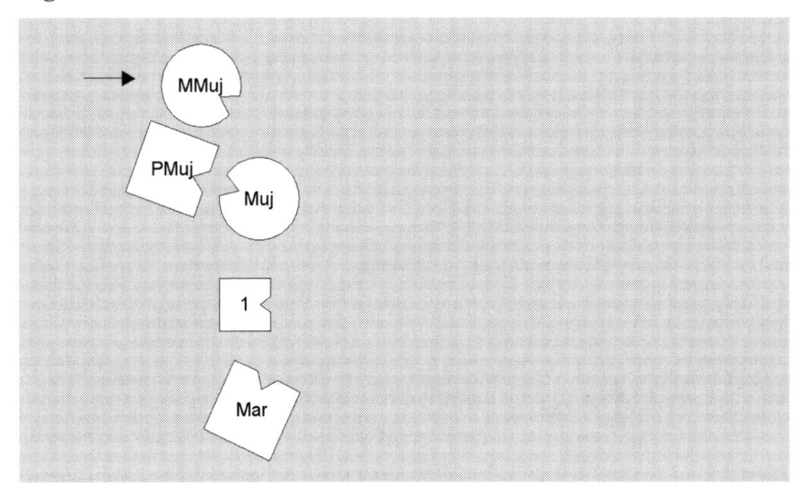

MMuj Madre de la mujer

HELLINGER *a la representante de la mujer*: ¿Cómo te sientes ahora?
REPRESENTANTE DE LA MUJER: Bien, ahora hay más orden. *Ella y sus padres se ríen.*
HELLINGER : Dile a tu madre: "Mamá, te lo dejo a ti."
REPRESENTANTE DE LA MUJER: Mamá, te lo dejo a ti.
HELLINGER : "Yo sólo soy la hija."
REPRESENTANTE DE LA MUJER: Yo sólo soy la hija.
HELLINGER *a los padres de la mujer*: ¿Qué tal se sienten?
PADRE DE LA MUJER: Ahora me siento bien.
MADRE DE LA MUJER: Yo también.
HELLINGER *a la representante de la mujer*: Ahora camina hacia atrás, muy despacio.

La mujer camina despacio hacia atrás, mirando a sus padres.

Figura 5

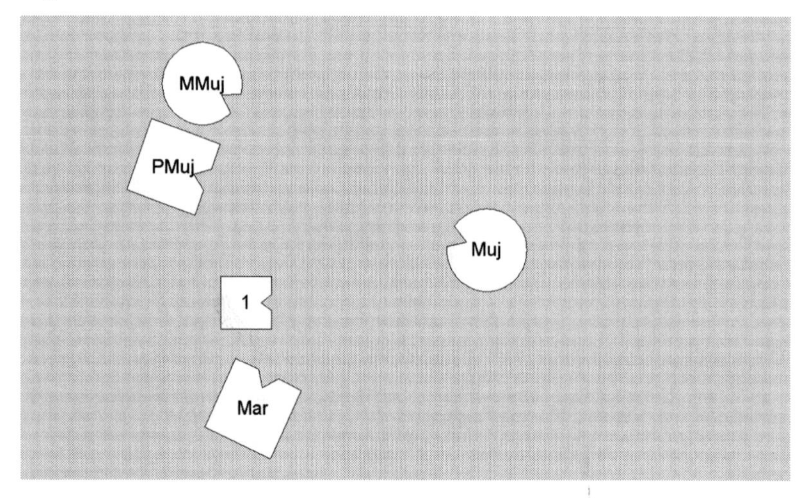

HELLINGER *a la mujer*: Dile a tus padres: "Éste es mi esposo y éste es mi hijo."

REPRESENTANTE DE LA MUJER *señalando con el brazo estirado*: Éste es mi esposo y éste es mi hijo.

HELLINGER : ¿Cómo te sientes?

REPRESENTANTE DE LA MUJER: Siento por primera vez realmente a mi esposo y a mi hijo.

HELLINGER : ¿Qué siente el marido?

REPRESENTANTE DEL MARIDO: Se siente muy bien ser visto. Sí, es muy bueno. Estoy verdaderamente orgulloso.

HELLINGER . ¿Cómo se siente el hijo?

REPRESENTANTE DEL HIJO: Mientras que mamá caminaba hacia atrás se me puso la carne de gallina de la cabeza a los pies. Pero ya me siento bien.

HELLINGER coloca al hombre y a la mujer en una nueva posición.

Figura 6

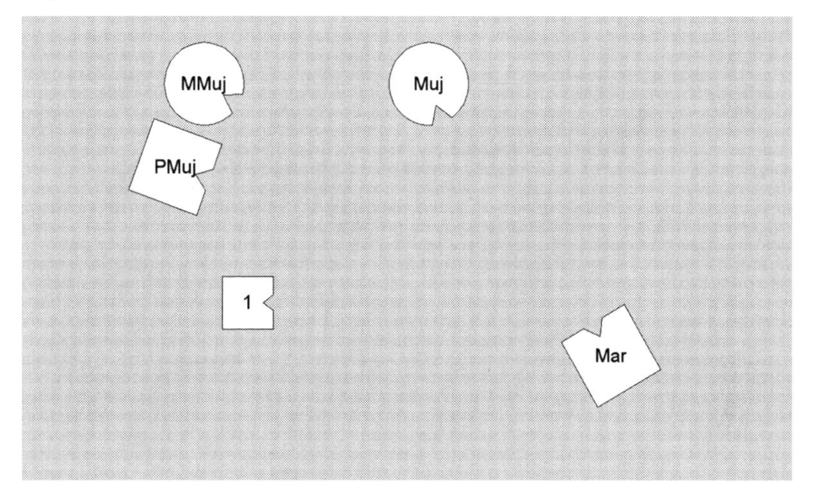

HELLINGER *al representante del marido*: ¿Qué sientes?
REPRESENTANTE DEL MARIDO: Noto que mi mirada se dirige a ella, pero no me atrevo a ir su lado, porque no sé a qué atenerme. Es agradable que se haya alejado de sus padres. Tengo la sensación de que necesito tiempo para tener claridad al respecto. Pero es agradable.
HELLINGER *al marido, que observa*: ¿Qué dices de esta constelación?
MARIDO: Primero tengo que respirar. Es sorprendente lo que ha pasado dentro de mí. Hay dos cosas que me conmovieron profundamente.
Dirigiéndose a la mujer: Primero, lo de tu papá, cómo lo contaste.
A Hellinger: Después, ya en lo personal, por como estoy parado en la constelación me doy cuenta de que hay en mí un profundo anhelo de ser notado. Este enredo hace que surja en mí la noción de que nunca hubo lugar para mí, de que nunca me iban a notar. En muchos campos teníamos muchas cosas en común, pero el ser verdaderamente percibido como persona, eso me ha conmovido profundamente. Ése es quizá el profundo anhelo que quedó.

Hellinger coloca ahora al representante del hijo entre los representantes de los padres.

Figura 7

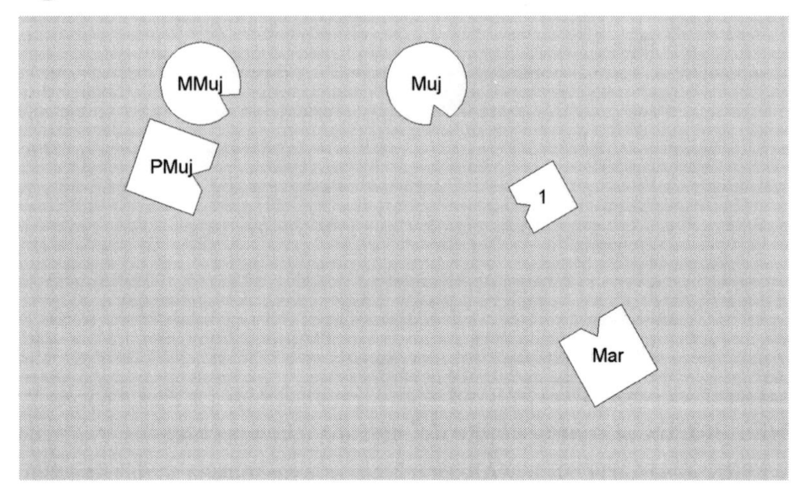

HELLINGER *al representante del hijo*: Prueba, ¿quieres acercarte más a tu mamá o a tu papá?
REPRESENTANTE DEL HIJO *después de probar*: Tengo que estar a la mitad.
HELLINGER : Exacto. La mayoría de los hijos quieren estar a la mitad. Les son fieles a ambos padres.
A los padres y al hijo, que observan: ¿Se colocan en sus lugares?

El hombre, la mujer y su hijo toman sus lugares en la constelación. El niño había estado observando atentamente todo el tiempo.

HELLINGER *a los padres*: Acérquense y tomen a su hijo de la mano.

Los padres toman de la mano al niño, que está entre ellos, y se miran.

Figura 8

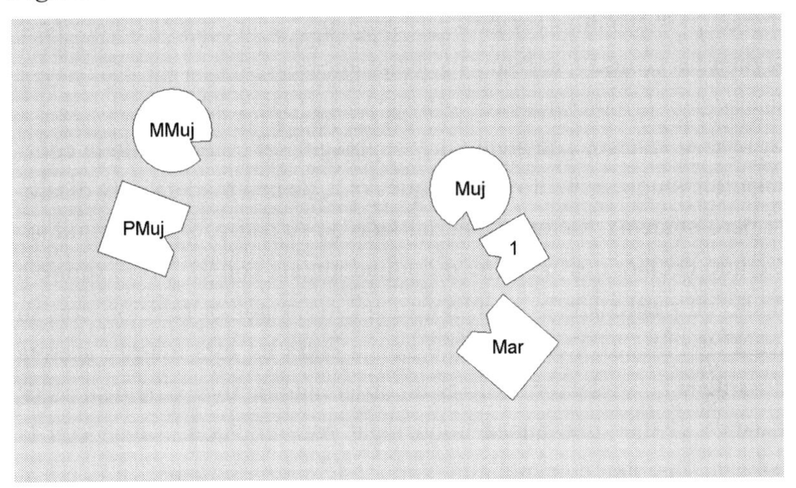

HELLINGER *a la mujer*: Dile a tu hijo: "Aunque estemos separados, respeto y amo en ti a tu padre."

MUJER: Aunque estemos separados, respeto y amo en ti a tu padre.

HELLINGER *al hombre*: Y tú dile lo mismo: "Aunque estemos separados, respeto y amo en ti a tu madre."

MARIDO *con voz conmovida*: Aunque estemos separados, respeto y amo en ti a tu madre.

HELLINGER : "Siempre seré tu padre y tú, mi hijo."

MARIDO : Siempre seré tu padre y tú, mi hijo.

HELLINGER *a la mujer*: Díselo tú también.

MUJER: Siempre seré tu madre y tú, mi hijo.

Los padres y el niño tienen un intenso contacto visual mientras dicen estas palabras y están visiblemente conmovidos.

HELLINGER: Bien, aquí terminamos.

Al público: Quiero decir algo acerca de este tipo de trabajo. En el clímax de la energía, la fuerza y el movimiento interno hay que detenerse. Los padres y el niño están ahora en completa posesión de su conocimiento y de su amor, y ahí es donde uno se detiene. Todo lo demás lo harán ellos mismos. El terapeuta ya no quiere saber cómo siguen las cosas, y se retira inmediatamente.

Si leyó lo anterior con atención y se imaginó el escenario de la constelación, entonces habrá notado que Axel, de una manera muy discreta pero evidente, siempre está del lado de su padre. Sonríe orgulloso cuando declara que no tiene dificultad alguna con él. No le sonríe a nadie en particular, lo hace por sí mismo y por la relación con su papá. Un aliado. Con la madre nunca entra en esta alianza secreta durante la constelación. Sólo es un observador activo. Como su papá. Cuando él dice que nunca hubo lugar para él, Axel asiente con la cabeza. También él siente algo similar. (Su representante en la constelación vaciló entre el padre y la madre, se sintió muy atraído hacia el padre y, sin embargo, le costó trabajo alejarse de su madre. Fue difícil para él decidirse por la mitad, a la misma distancia de los dos.)

Ni siquiera en la noche encuentra Axel un buen lugar. Prefiere dormirse solo en su cama. Este eterno "tener que contar" lo que pasó en el día le molesta. "Eso es todo", dice con resolución y cierra los ojos. Pero mamá sigue sentada en la orilla de la cama y dice: "No, no, falta algo." Sus preguntas le recuerdan a los policías de la televisión, que le presentan al criminal la prueba definitiva de su culpa. Así exactamente trató siempre a papá, cuando se mudó de la recámara matrimonial al cuarto de las visitas: "Ésa no es toda la verdad… ¿Por qué hablaste tanto tiempo por teléfono? … ¿Qué te dijo ella?... ¿Por qué callas?" También papá cerraba los ojos y pretendía dormir. Axel hace lo mismo. Y entonces, mamá se va, por fin.

Lo que queda es una atmósfera densa. Pero también el amor que no puede ser vivido. Cosas pendientes. Y a media madrugada, una fuerza irresistible lo conduce a la recámara de mamá. Toma su almohada y –tap, tap, tap– se desliza en la cama de mamá y se acuesta junto a ella. Pero no tan cerca como quizá ella quisiera. Con su almohada construye una barrera entre los dos. Los refunfuños de mamá ya no le molestan, porque ya no le exigen respuestas. Ella sólo se queja porque la cama individual le resulta estrecha y porque él se comporta como un bebé. Pero en realidad no está enojada. Y Axel guarda silencio junto a ella, igual que hacía papá. A él le gustaba acostarse de lado, la cabeza sobre su brazo, una pierna estirada, de modo que tocara la orilla de la cama. Axel no es tan grande todavía. De vez en cuando, papá decía que de por sí no había lugar para él en esa cama. Tenía razón. El lugar es apenas lo suficientemente grande para Axel, quien incluso piensa que ése es su lugar. El lugar de papá. ¡Qué bebé ni qué nada! Aquí, acostado de lado, con la cabeza sobre su brazo, Axel se siente tan grande como su papá. Sólo sus ronquidos no acaban de resultar convincentes.

Para la madre, la razón para hacer la constelación fue que Axel había tenido una regresión a conductas infantiles. Ya había consultado varios psicólogos al respecto. Cada uno aconsejó algo diferente. Un terapeuta conductual recomendó darle a Axel un botón azul por cada noche que se quedara en su cama. Cuando juntara siete botones, podría hacer algo que le gustara, por ejemplo, invitar a sus amigos a comer helado. El terapeuta erró por mucho. La fidelidad a su papá era considerablemente mayor que las ganas de comer helado y divertirse con sus amigos. Axel ya no aguantaba una sola noche en su propia cama. En las pláticas que se dieron durante las consultas, se puso de manifiesto que la mamá no estaba tan preocupada por los "vuelos nocturnos al nido" (incluso acuñó este simpático término). En realidad, no era tan poco común que un niño de 10 años buscara protección en la cama de los papás, sobre todo siendo tan sensible y fantasioso como Axel. Y como frecuentemente soñaba con monstruos, hasta era bueno que no estuviera solo. Cuando hacía poco había vuelto a roncar de manera tan rara, trató de despertarlo de un sueño evidentemente pesado. "¿Qué estás soñando?" preguntó la mamá, y Axel contestó: "Soñé a papá". "Ay, Dios", suspiró ella. Pero por suerte él precisó su respuesta: "Soñé al papá de Batman. También tiene papá, ¿o no?"

Mucho más preocupada la tenía la fascinación de Axel por *Batman* y *Rambo* y todas esas figuras que simbolizaban la agresión, así como su conducta rebelde. Una y otra vez hacía lo contrario de lo que le pedía. Un psicólogo clínico opinó que se trataba de una etapa del berrinche tardía, que servía para recuperar la temprana etapa infantil del desarrollo de la personalidad. Los niños berrinchudos de entre 2 y 3 años todavía necesitan el calor del nido, en la cama de la madre. Si con esta conducta molestan a la mamá, entonces las dos necesidades básicas –la oral y la anal agresiva– chocan entre sí. En esa medida, todo estaba de lo mejor. La única excepción era el retraso en el desarrollo de la personalidad, pero eso se debía a su situación como hijo único. Como sus padres lo habían consentido mucho, le habían impedido llegar a la etapa de separación. Tampoco había tenido que hacer berrinches, porque al parecer todos los deseos le eran cumplidos aun antes de que los expresara. Por eso era importante recuperar lo perdido y llenar estos huecos en el desarrollo de la personalidad por medio de la terapia.

Estas explicaciones le parecieron de lo más lógicas a la madre de Axel, y esperó que pronto hubiera una mejoría. Pero en el transcurso de la terapia más bien empeoraron las cosas. Sin embargo, el terapeuta no perdía la confianza. Él interpretó la creciente agresión de Axel como una señal normal, que formaba parte del proceso de recuperación. Pero no pudo quitarle a la madre el miedo que sentía, porque Axel utilizaba la agresión cada vez con mayor frecuencia, también en contra de ella, y en las más diversas situaciones, no sólo cuando le ordenaba hacer algo o le imponía alguna prohibición.

No había duda de que la conducta de Axel transmitía un desprecio que, de alguna manera, no correspondía a un niño sino que más bien recordaba la actitud despectiva con la que un macho humilla a su mujer. Axel no la lastimaba con golpes o patadas, ni con gritos o majaderías, sino con serenas observaciones despectivas. "Típico de las mujeres", había siseado venenosamente cuando hacía poco su madre no se había atrevido a revisar el aceite del motor del automóvil y le pidió a un empleado de la gasolinera que lo hiciera. "No voy a recoger los platos. Eso es cosa de mujeres." Era como una puñalada en el estómago. ¿De dónde provenía ese tono? Con toda seguridad no de su padre, tan correcto. Los abuelos hombres ya no vivían. ¿En qué película de video habría visto eso y con qué amigos vería esas películas? ¿Qué sería de este niño cuando se empezara a interesar por las niñas?

En su niñez las cosas eran más bien al revés. El sutil tono despectivo lo usaba su mamá contra su papá. Pobre papá, no se defendía con una sola palabra. Como si no hubiera oído nada. Siempre aguantaba todo. ¿Por qué? ¿Porque tenía un origen más humilde que el de su esposa? ¿Porque su padre había desaparecido en la guerra? ¿Porque su madre había muerto en la guerra y él había sido el único sobreviviente? La vida la pagó con los dedos de la mano derecha, quedaron prensados bajo una losa de hormigón. Cuando ella, Marlies, le pidió una vez: "Por favor, papá, hazme tú hoy las trenzas", inmediatamente se dispuso a hacerlo y convirtió la cómoda de mamá en un salón de belleza. Pero mamá le dijo, en tono práctico: "Por favor, para hacer trenzas necesitas dos manos." Seguramente lo decía con buena intención, pero sus frases eran como una cubetada de agua fría. También cuando después la volteaba a ella, bien peinada y se la enseñaba a papá: "Aquí tienes a tu tesoro." ¿Acaso mamá no notaba cuánto lo lastimaba con sus muchas indirectas, breves pero incisivas? ¿Qué hubiera pasado si se hubiera resistido a que mamá la peinara y hubiera insistido tercamente en que la peinara papá y hubiera gritado: "¡Tú no, mi papá!" ¿Pero cuál hubiera sido el resultado? Papá no hubiera participado en la protesta y hubiera tratado de tranquilizar a mamá diciendo: "Tienes razón, mami, tú lo haces mucho mejor. Haz que mi tesoro quede preciosa."

También era horrible que mamá siempre obligara a papá a usar un guante en la mano amputada. "Ten consideración con las otras personas, querido. Les arruinas el apetito, querido." Querido, querido, no lo llamaba de otra manera. Por Dios, si lo quería tanto como afirmaba, ¿por qué no le permitía que se quitara el guante dentro de la casa? Sabía que para él hubiera sido mucho más práctico. A través de pacientes ejercicios había desarrollado una buena sensibilidad y habilidad en los muñones, pero con el guante no podía hacer nada. ¿Se podía hablar de amor cuando tampoco en la cama soportaba su mano desnuda? Le ordenó a papá que durmiera en el lado derecho de la cama, porque así la mano mutilada le quedaba más lejos.

¿Y cuál era la solución para la pequeña hija? Todas las mañanas se acurrucaba en la cama con papá, naturalmente del lado derecho. Cuando mamá le preguntaba por qué no se acostaba en el huequito que había entre ellos, ella contestaba, evasiva: "De este lado me queda más cerca la puerta." O "En el huequito me da mucho calor." ¿Cómo confesarle a mamá que quiere más a papá? ¡Qué horror!, eso no podía ser cierto. Quería a mamá tanto como a él. De veras. Siempre se lo decía a mamá cuando quería saberlo. También cuando los parientes iban de visita, hacían siempre la misma pregunta. "Marlies, ¿a quién quieres más, a tu mamá o a tu papá?" "A los dos nos quieres igual, ¿verdad, Marlies?", la ayudaba mamá, cuando no decía de inmediato la famosa frase. ¡Esas tontas preguntas! ¡Esas amenazas! "Si me quisieras, no harías tanto ruido en la mesa... Si me quieres aunque sea un poquito, arregla tu cuarto..." Mamá podía arruinarle el amor a uno. Pero la pequeña Marlies la quería de todas maneras... pero quería un poquito más a papá. Pero mamá no debía saberlo, por eso lo mantuvo en secreto. Su querido papá nunca cuestionaba su amor. Nunca la hacía sentir culpable. Nunca le preguntaba: "¿A quién quieres más?" Probablemente, porque ya lo sabía. "A lo mejor a papá le pasa lo mismo que a mí con mamá", pensaba la pequeña Marlies. ¿Ya le habrá dicho: "Si me quieres, no me toques con tu mano desnuda..."? ¿Le dolió que le dijera eso? Él callaba, sonreía, pero siempre había una cierta tristeza en sus ojos. Esa sombra desaparecía cuando Marlies se acurrucaba con él, cuando acariciaba su mano lastimada y recorría las cicatrices a todo lo largo, sobándola como si el accidente acabara de pasar. "Te debe haber dolido terriblemente, papá, ¿verdad? ¿Quién te consoló? Nadie. ¿Te visitó alguien en el hospital militar? Nadie." Por enésima vez Marlies hacía que su papá le contara cómo entonces, cuando tenía 10 años, le dolía la herida, porque no había analgésicos y nadie oía sus lamentos, porque a su alrededor yacían muchos hombres que también gritaban y gemían. No conocía a ninguno de ellos. El pequeño esperaba siempre que llegara su mamá. "¿Por qué no viene? ¿Es mi culpa que nos hayamos separado? ¿Hice algo malo con la mano? ¿Está mamá enojada conmigo?" Siempre, cuando la puerta se abría, pensaba él que iba a ser su mamá. "Le voy a enseñar mi mano y a decirle que yo no tuve la culpa, quítame el dolor, mamá..." Días después un viejo soldado enfermero le dijo que seguramente su mamá estaba muerta, porque nadie sobrevivió al infierno en el refugio antiaéreo. Sólo a él lo sacó vivo de ahí, porque escuchó sus gritos bajo los escombros. "Ahora me tienes a mí, papito. Yo estoy contigo. Yo acaricio tu mano. Pero que mamá no vea. Es nuestro secreto..."

Fue su idea hacer una constelación familiar. Ella se encargó de organizar el complicado viaje: habló con el jefe de su esposo para que, por motivos familiares, le autorizara vacaciones no pagadas, le pagó a su marido los costos del taller y lo disculpó con su nueva novia, con la que vivía desde que se había entregado la solicitud de divorcio. Estaba convencida de que la razón para el fracaso de su matrimonio y también la reciente intranquilidad de su hijo se debía a enredos no resueltos en el sistema familiar de su marido. En su familia todo estaba bien.

Y entonces, ese sabelotodo de Hellinger invirtió la situación. Y a pesar de que lo hizo –¿o será precisamente porque lo hizo?–, los representantes sintieron con una rara precisión lo que estaba pasando en su familia. Y lo que seguía pasando. Nunca hubiera creído que el dolor la fuera a invadir de tal manera al pensar en su padre y en la forma en que él perdió a su madre en el bombardeo. Sí, es cierto que se convirtió en la más fiel aliada de su pobre papá, que se esforzaba por darle todo el amor que no le pudo dar su madre y no le quiso dar su esposa. Sí, su esposo tiene razón al notar en la constelación por qué nunca pudo tener un buen lugar junto a ella. Nunca le perteneció del todo, sino a su padre y a su hijo. Trató de ser una madre para su esposo, igual que lo había sido para su padre. Poco a poco fue comprendiendo que el hecho de ser una madre para el marido no es compatible con el erotismo entre marido y mujer. El esposo que es tratado como hijo, a veces consentido, a veces regañado, se siente degradado, infantilizado, castrado y no respetado como hombre. Pero ella tampoco estaba libre para el matrimonio. Como novia secreta de su padre nunca pudo ser completamente niña. Pero tampoco pudo ser su amante. El padre respetaba rigurosamente el límite del incesto y su amor por él no le permitió transgredir ese límite. Fue como una delicada orquídea bajo un capelo de cristal, que no era ni niña ni mujer. Y la experiencia le enseñó de manera certera: En el triángulo familiar no hay armonía, sólo una alianza secreta de dos en contra del tercero, que, sin embargo, los controla a los dos. Una tensión permanente.

Atrapada en el enredo de su propia familia, Marlies se equivocó. Ella pensó que así como una vez había cerrado una alianza secreta con su padre en contra de su madre, ahora tenía una alianza secreta con su hijo en contra de su esposo. Pero la constelación mostró que las cosas eran diferentes. Axel estaba, principalmente, del lado de su padre. Como en un parlamento en el que dos partidos débiles tuvieran que unirse para estar en equilibrio frente a un partido fuerte, Axel se pasó al bando de su padre. No era el niño pequeño insaciable dentro de él sino la sustitución de su padre la que lo conducía a la cama matrimonial, al lugar de su padre. No se trataba de una regresión a una etapa anterior del desarrollo infantil de la personalidad, sino de fidelidad en un plano adulto:

- Cuando Axel ocupa el lugar en la cama de su padre para que ningún otro hombre lo ocupe.
- Cuando preocupa una y otra vez a su madre y concentra toda su atención, para que no tenga libertad para atender a nadie más.
- Cuando trata de empequeñecer a su madre con palabras despectivas. Lo hace por su padre, aunque no lo esté imitando. No, su padre nunca se expresaría como macho. Él, en su correcta manera, agacharía la cabeza y se iría. Su hijo, por el contrario, demuestra cómo debe luchar un hombre por su dignidad para no perder su lugar junto a su mujer. Lo hace por su padre.

Esto no se dijo en la constelación, pero bajo esta perspectiva, la conducta de Axel resultaba totalmente lógica. Como hijo fiel no podría hacer un mayor sacrificio por sus padres que renunciar a ser niño y vivir para los adultos.

Las palabras "Siempre seré tu padre y tú, mi hijo. Respeto y amo en ti a tu madre." y "Siempre seré tu madre y tú, mi hijo. Respeto y amo en ti a tu padre." ofrecieron la *solución definitiva*. Le confirmaron al niño que su sacrificio no sería aceptado, porque los padres asumirían su responsabilidad como padres y le permitirían seguir siendo niño:

- Un niño que no tenía que apoyar a los otros, sino ser apoyado.
- Un niño que no tenía que estar al acecho, sino que podía confiar en lo que se le daba.

- Un niño que podía tomarlo todo y no tenía que dar nada para los adultos.
- Un niño que podía amar a sus dos padres.

Inmediatamente después de la constelación, Axel abandonó sus "vuelos nocturnos al nido", sin que se le tuviera que exhortar a ello o tratar con psicoterapia.

Para él, los días se volvieron más interesantes. Hasta entonces, llevarle la correspondencia a mamá había sido una cosa bastante aburrida. Con frecuencia eran sólo folletos que tiraba a la basura. Las cartas del banco o de alguna institución eran inmediatamente reconocibles por la expresión indiferente o molesta en el rostro de mamá. Y así Axel inventó un juego de adivinanzas. Los sobres de Hacienda los reconocía él inmediatamente. Pero a esto se añadió una aventura totalmente nueva: ahora, casi cada tercer día había una carta de papá. Para mamá. No para Axel. De vez en cuando, después de heber leído la carta, mamá le decía que papá lo había mandado saludar. Pero casi siempre sólo sonreía y no decía una sola palabra. Una sonrisa similar apareció en su cara cuando, hace no mucho, al despedirse, papá la abrazó. De alguna manera, pareció que la abrazó por un tiempo demasiado largo. Fue raro, pero bonito.

POR QUÉ YO NO PODÍA AMAR REALMENTE A LOS HOMBRES

HELLINGER *a la mujer, que está sentada con su hijo junto a él*: ¿Vienen los dos nada más?

MUJER: Sí.

HELLINGER: ¿Eres casada?

MUJER: No, vivo sola con mis tres hijos.

HELLINGER *señala al niño*: ¿Qué número de hijo es?

MUJER: Hansjörg es el segundo.

HELLINGER: ¿Y dónde están los otros?

MUJER: En total tengo tres hijos, los dos primeros son de mi primer esposo, y el tercero es de otro hombre. La hija mayor se quedó sola en casa, la menor está con su padre.

HELLINGER *señala al niño*: ¿Y dónde está su padre?

MUJER: No quiso venir.

HELLINGER: ¿Están casados?

MUJER: Estuvimos casados y nos divorciamos.

HELLINGER: ¿Por qué?

MUJER: Estaba yo embarazada por tercera vez, y entonces apareció otra mujer. Eso me provocó un aborto. Después de eso yo me quise divorciar.

HELLINGER: ¿Cómo puede eso provocar un aborto?

MUJER: Era mi mejor amiga. Yo sospechaba lo que estaba pasando, pero ellos lo negaban. Una mañana los sorprendí en la cama y me alteré muchísimo. No comí nada durante tres días y después de eso comenzaron las contracciones.
HELLINGER: ¿En qué mes estabas?
MUJER: En el cuarto.
HELLINGER: Me acordé de un chiste. Lo leí cuando estaba aprendiendo inglés. Un granjero escocés mira con su mujer a un cerdo muy gordo. La mujer dice: "Podríamos matar mañana al cerdo." Él pregunta: "¿Por qué?" Ella contesta: "Mañana son nuestras bodas de plata." El granjero dice entonces: "¿Y por qué habríamos de matar al pobre animal por algo que pasó hace 25 años?"
MUJER *ríe insegura*: No entendí bien el chiste.
HELLINGER: Es un chiste muy cruel.
MUJER: Estoy muy alterada.
HELLINGER: Fui muy macabro. ¿Cómo está el niño?
MUJER: Más o menos, digamos que a la mitad.
HELLINGER: O sea, como cualquier niño normal.
MUJER: Sí.
HELLINGER: ¿Su padre se volvió a casar?
MUJER: No, ahora vive con sus papás.
HELLINGER: ¿Con sus papás?
MUJER *riendo*: Sí, con sus papás.
HELLINGER: Bueno, entonces vamos a constelar el sistema actual. Te necesitamos a ti, a tu esposo, a los tres hijos de ese matrimonio, al otro hombre y al cuarto hijo.
MUJER *seria*: ¿Te refieres también al tercero?
HELLINGER: Al tercero y al cuarto. ¿Entendido?
MUJER: No del todo.
HELLINGER: Empieza.

La mujer escoge representantes para todos los arriba mencionados. Al final vuelve a preguntar si de verdad debe constelar también al tercer niño, abortado. Cuando Hellinger afirma, escoge a un hombre para que lo represente.

Figura 1

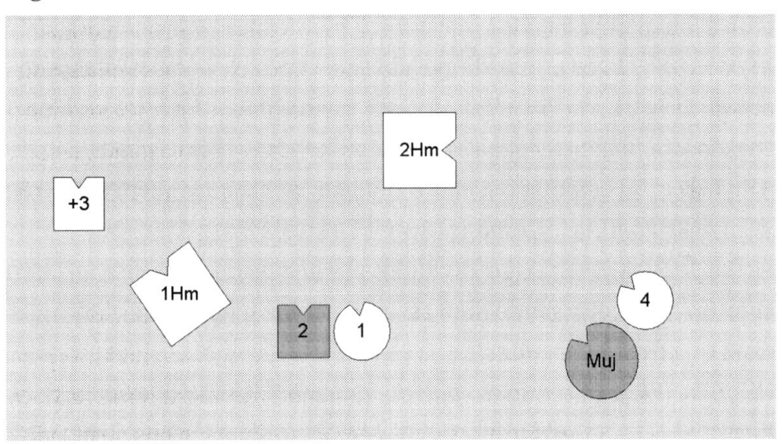

Muj	**Mujer**
1Hm	Primer hombre, padre de 1-3, ex esposo de la mujer
1	Primera hija
2	**Segundo hijo (Hansjörg)**
+3	Tercer hijo, abortado en el cuarto mes
2Hm	Segundo hombre, padre de 4, no está casado con la mujer
4	Cuarta hija

HELLINGER *señala al segundo hombre*: Entonces, tu hija menor es de él. ¿Por qué no te casaste con él?
MUJER: Tenía dificultades con mis otros hijos.
HELLINGER: Eso es normal.

MUJER: Sencillamente no lo pudimos resolver juntos. Ahora tiene una nueva esposa.
HELLINGER: ¿Tiene hijos con ella?
MUJER: No.
HELLINGER: Cuando un hombre y una mujer están casados y después se comienza una nueva relación, entonces uno de los hijos sustituirá a la pareja anterior.
Al público: ¿Quién está sustituyendo aquí al primer hombre, al esposo?
Señala a la cuarta hija: Ella lo está sustituyendo. Es muy peligroso cuando una niña tiene que sustituir a un hombre. ¡Pobre niña!
A la mujer: La colocaste en el mismo lugar en el que primero estuvo él.
Al primer hombre: ¿Cómo te sientes?
PRIMER HOMBRE: Algo dividido. *Señala hacia el frente, al niño muerto*. Hacia allá siento algo así como culpa y hacia atrás hay agresión, una fuerte agresión.
HELLINGER *a la representante de la mujer*: ¿Cómo te sientes?
REPRESENTANTE DE LA MUJER: Me siento sola. Casi no siento relación con nadie. Un poco con mi cuarta hija, pero en realidad, tampoco.
HELLINGER *a la primera hija*: ¿Cómo te sientes?
PRIMERA HIJA: Me siento muy independiente.
HELLINGER: Sin padres.
PRIMERA HIJA *afirmando*: Tengo que hacerlo todo sola, pero no es tan malo.
HELLINGER *al segundo hijo*: ¿Cómo te sientes?
SEGUNDO HIJO: Necesito a mi papá.
HELLINGER *al segundo hombre*: ¿Cómo te sientes?
SEGUNDO HOMBRE: Me siento mal. Estoy temblando y sudando y no sé a dónde pertenezco o quién me pertenece a mí.
HELLINGER *a la cuarta hija*: ¿Cómo te sientes?
CUARTA HIJA: Todo esto es demasiado para mí.

Hellinger conduce a la cuarta hija hacia su padre y la coloca a su lado izquierdo. La representante sonríe, aliviada.

Figura 2

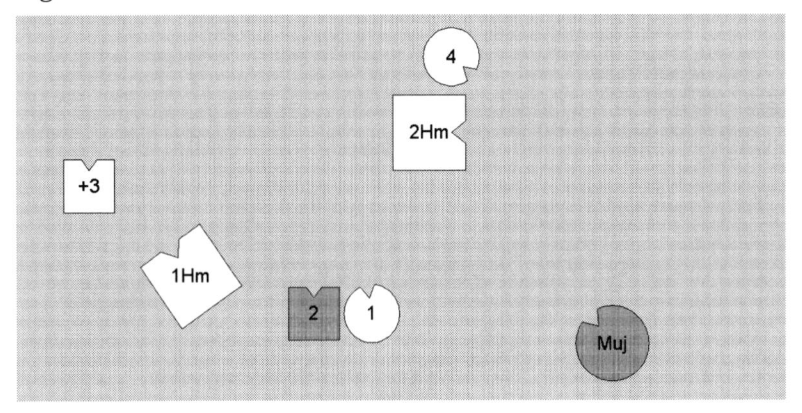

HELLINGER *a la cuarta hija*: ¿Y ahora cómo te sientes en ese lugar?
CUARTA HIJA *riendo*: Mejor.
HELLINGER: Ése es el único lugar correcto.
A la mujer: Naturalmente, tiene que ir con su padre. Alguna vez escribí un pequeño aforismo. Dice: "Un poco de pecado favorece la virtud."

La mujer ríe.

HELLINGER: ¿Qué hubiera pasado si le hubieras permitido a tu esposo pecar un poco?

La mujer traga saliva y se encoge de hombros.

HELLINGER *al tercer hijo, muerto*: ¿Cómo te sientes?
TERCER HIJO †: No pertenezco aquí. Siento como si me hubieran tirado a la basura.

Hellinger coloca al tercer hijo con la espalda hacia su padre y hace que se recargue en él. El padre lo toma suavemente de los hombros.

Figura 3

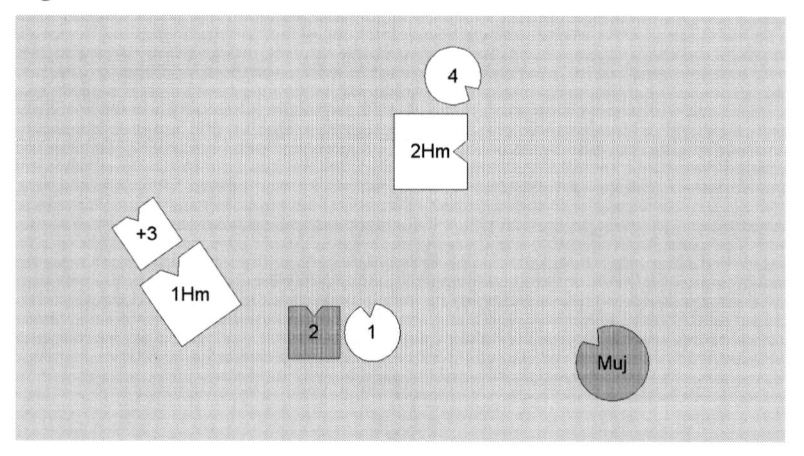

HELLINGER *después de esperar un poco, al tercer hijo*: ¿Cómo te sientes ahora?
TERCER HIJO †: Mucho mejor.
HELLINGER *al padre del niño muerto*: ¿Y tú, qué tal?
PRIMER HOMBRE: Siento un amor absoluto por el niño. Sólo hacia atrás tengo una sensación muy incómoda, rabia. Algo tengo todavía con mi esposa. Siento como si hubiera matado al niño para castigarme a mí.
HELLINGER: Exacto. Sólo que me parece que no tienes derecho a sentir esa rabia. *Al niño muerto*: Ahora date la vuelta y ponte junto a tu padre.

Figura 4

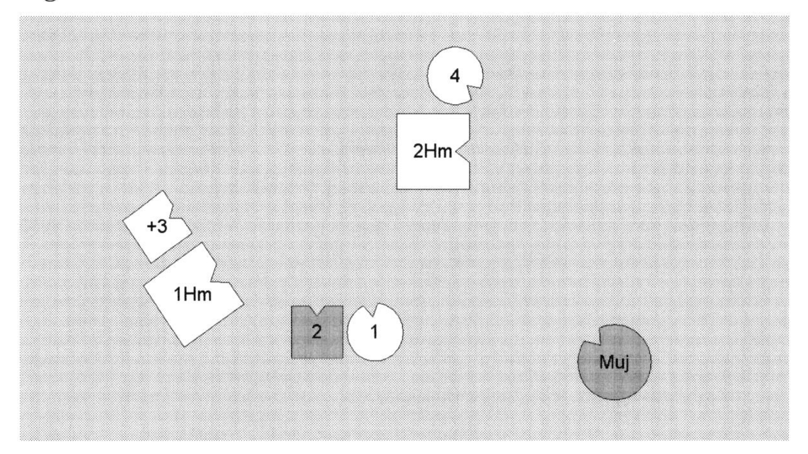

HELLINGER *al primer hombre*: Dile "Yo quise tenerte."
PRIMER HOMBRE: Yo quise tenerte.
HELLINGER: "Ahora te recibo como mi hijo."
PRIMER HOMBRE: Ahora te recibo como mi hijo.
HELLINGER: "Tienes un lugar en mi corazón."
PRIMER HOMBRE: Tienes un lugar en mi corazón.
TERCER HIJO †: Es muy bonito oír esto. Me hace bien.
PRIMER HOMBRE: Algo se ha equilibrado ahora, algo que antes había quedado abierto. Antes nunca pude decir esto.
HELLINGER *a la representante de la mujer*: ¿Ahora cómo te sientes?
REPRESENTANTE DE LA MUJER: Me dolió el corazón. Es un dolor que viene desde muy adentro.

Hellinger coloca a los dos primeros hijos a la derecha de su padre.

Figura 5

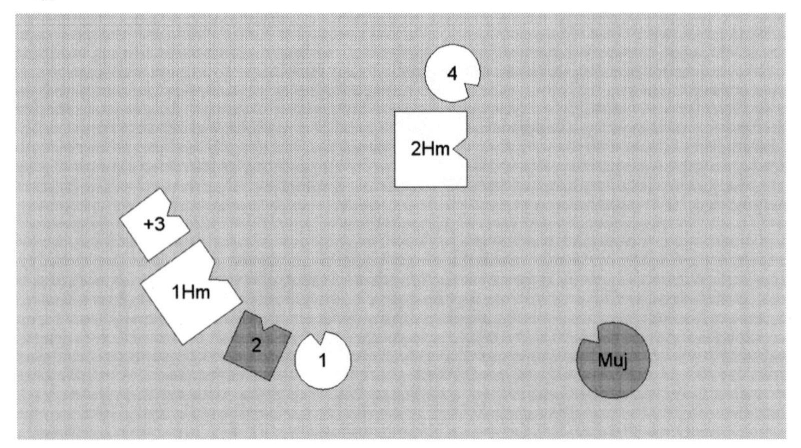

HELLINGER *a la primera hija*: ¿Cómo te sientes?
PRIMERA HIJA: Es una sensación totalmente nueva, me siento aliviada.
SEGUNDO HIJO: Bien.
HELLINGER *al segundo hombre*: ¿Cómo te sientes?
SEGUNDO HOMBRE: Extraño a mi mujer.
HELLINGER: ¡Vaya!
SEGUNDO HOMBRE: Con mi hija me siento bien.
HELLINGER *a la representante de la mujer*: ¿Cómo te sientes?
REPRESENTANTE DE LA MUJER: Me alivió el hecho de que los niños estén con su padre.

La mujer ve al segundo hombre, encoge los hombros, desvalida, y sacude la cabeza. Hellinger la conduce hacia él y la coloca a su derecha.

Figura 6

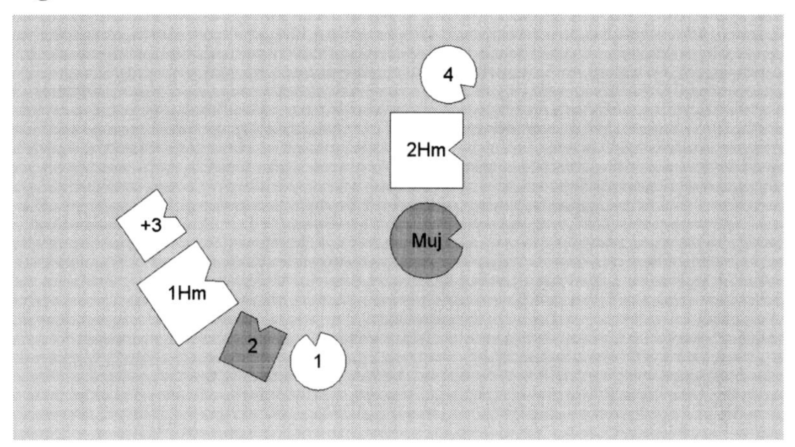

REPRESENTANTE DE LA MUJER *cuando está junto al segundo hombre*: Esto no se siente tan bien.
HELLINGER: Espera un poco. ¿Conoces mi historia del esquimal?
REPRESENTANTE DE LA MUJER *riendo*: Sí, en el verano tuvo que acostumbrarse primero al calor.
SEGUNDO HOMBRE: Yo me siento bien así.
HELLINGER *a la cuarta hija*: ¿Tú cómo te sientes?
CUARTA HIJA *mira escéptica y contesta, dudosa*: Más o menos.

Hellinger coloca a los padres frente a ella, a la mujer la coloca a la izquierda del hombre.

Figura 7

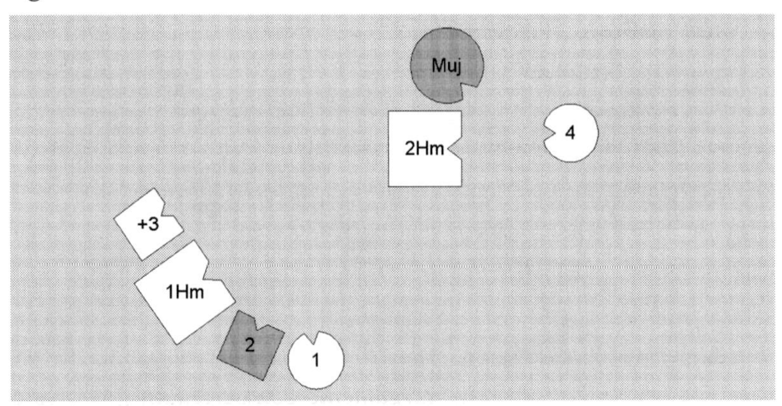

REPRESENTANTE DE LA MUJER *suspirando*: Esto es mejor.
CUARTA HIJA *sonríe*: Así está mejor.
HELLINGER *a la primera hija*: ¿Cómo te sientes?
PRIMERA HIJA: Mi mamá y mi hermana menor están ahora demasiado lejos. Ya no las veo.

Hellinger coloca al primer hombre a la derecha de sus hijos.

Figura 8

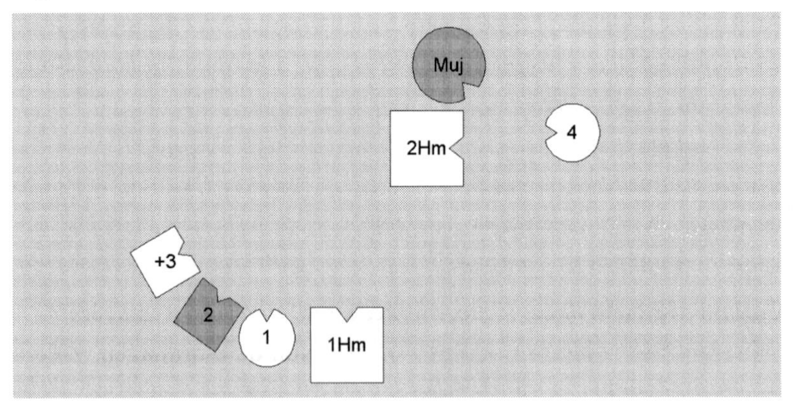

HELLINGER: ¿Qué tal se siente esto?

PRIMER HOMBRE: Así está bien.

TERCER HIJO †: Bien.

HELLINGER *a la mujer, que ha estado observando la constelación*: Ahora colócate en tu lugar.

HELLINGER Abre los ojos y mira lo que hay a tu alrededor.

MUJER *señalando al segundo hombre*: Es como si él me obstruyera el camino hacia mis otros hijos.

HELLINGER: Tú perdiste tu oportunidad. Los niños tienen que estar con su padre. ¿Te queda claro?

MUJER *mirando a Hellinger largamente con seriedad*: ¿Éste es el orden, ahora?

HELLINGER: Sí, éste es el orden en el que todos se pueden sentir bien. Tú tienes ahora una nueva familia, y los otros hijos deben estar con su padre. Además, existe el peligro de que el primer hombre quiera seguir al niño muerto. Si también a este niño se lo confías a su padre, entonces tendrá su lugar y habrá paz.

MUJER *encogiéndose de hombros*: Con la cabeza aún no lo entiendo.

HELLINGER: ¿Y con el corazón?

MUJER: En principio, es algo así como un alivio.

HELLINGER: Exactamente. Un nuevo sistema siempre tiene prioridad frente a un sistema anterior. Éste es un nuevo sistema y tiene prioridad frente al otro. Pero tienes que asumir las consecuencias. Los hijos mayores deben estar con su padre.

MUJER: ¿Significa eso que también deben vivir con él?

HELLINGER: Claro, ¿qué otra cosa? Aquí no estamos buscando soluciones simbólicas. Se trata de la vida real. Aquí terminamos.

HELLINGER *a la mujer*: Ahora tienes ante ti una nueva imagen. Pero no puedes actuar inmediatamente en función de esa imagen. Tienes que esperar hasta juntar nuevas fuerzas, y después podrás hacer lo indicado. Si actuaras inmediatamente, destruirías todo. Un nuevo conocimiento debe desarrollarse con lentitud para que se pueda consumar internamente. De otro modo estarías actuando con la cabeza, y esa acción no saldría de la profundidad del corazón.

Al público: Éste es un principio muy importante cuando se hace este tipo de trabajo. ¿Hay preguntas al respecto?

PARTICIPANTE: ¿Qué pasaría ahora si el padre no pudiera hacerse cargo de los niños?

HELLINGER: Un padre debe poder. La pregunta es importante y frecuente. Las mujeres suelen decir que el hombre no quiere. Ningún hombre querrá a menos que se le respete. En cuanto es respetado, quiere siempre o casi siempre.

JIRINA PREKOP: Casi nunca tenemos dudas cuando los hijos de un primer matrimonio se quedan con la madre. Pero, extrañamente, sí las tenemos con el padre. Como si, por ejemplo, el padre no pudiera cuidar a un hijo varón mejor o por lo menos igual de bien que la madre.

HELLINGER: Ése es un típico prejuicio femenino contra los hombres. Una vez, una famosa psicóloga infantil, muy buena, estuvo conmigo en un curso. Esto pasó hace veinte años, ella ya murió. Por primera vez, le había encargado los hijos a su esposo. El menor, un niño, tenía cuatro años. Por la tarde, ella habló a la casa para ver si todo estaba bien. Su hijo menor contestó el teléfono y le dijo: "Mamá, interrumpes. Estamos jugando con papá" y colgó. Ella era una mujer inteligente y aprendió de esta experiencia.

EL REPRESENTANTE DEL NIÑO MUERTO: Usted le dijo al padre que no tenía derecho a tenerle rabia a su esposa. ¿Por qué no?

HELLINGER: Él no era totalmente inocente en este asunto. Con frecuencia, la rabia es una defensa contra el reconocimiento de la responsabilidad y de la culpa. Ése era el trasfondo en este caso.

El tartamudeo de Hansjörg había sido el único motivo evidente por el cual la madre se había inscrito para hacer una constelación familiar. El niño era inteligente, de modo que no debería tener problema alguno para obtener las mejores notas en la escuela. El primer año de primaria lo terminó muy bien, pero la tartamudez estaba afectando su imagen, pensaba ella. No era para asombrarse, entonces, que se hubiera vuelto agresivo y peleonero: en las discusiones no lograba nada con argumentos lógicos debido a su tartamudeo. Y peor aún, la tartamudez era su talón de Aquiles, que lo hacía todavía más vulnerable, especialmente en las disputas con Beatriz, su media hermana menor. Cuando ella, con refinamiento femenino, le lanzaba una sarta de ataques verbales, él, mucho más listo que ella, no tenía oportunidad alguna.

En la tartamudez no veía la madre un problema anímico tan grande como para querer constelar por eso a la familia. Ahora bien, ¿cómo podría decir eso que le costaba tanto trabajo expresar? Precisamente este "no-poder-expresarse" le parecía una dificultad general en su familia. Por ahí debía estar el problema.

"No amas suficientemente a los hombres, Verónica", le dijo Bert Hellinger después de la constelación. ¿Será cierto? "¿Oí bien?", pregunta por si acaso. "Oíste bien. Respetas demasiado poco a los hombres", contesta pacientemente, pero de una forma tan terminante, que no admite cuestionamientos ni discusiones.

¿Tendrá razón? ¿Cómo podría Verónica respetar a Detlef, el padre de Hanna y Hansjörg, si la engañó con su mejor amiga, y precisamente en la época en que estaba esperando a su tercer bebé? Le hubiera encantado darle ese hijo. Por amor. Pero él no lo había querido. Ni siquiera su deseo de que abortara lo había expresado él mismo. ¡Cobarde! "Mandó a sus padres para que negociaran conmigo para que yo no tuviera al niño." Nunca olvidaría esa tarde de domingo en casa de ellos. "Mientras comíamos pastel con crema batida, los dos viejos me expresaron su deseo de que matara al niño."

Y él, que lo había engendrado, desapareció en ese momento. Había dejado en algún lado las llaves del carro y las estaba buscando, le dijo el muy cobarde. Pero así son los hombres. En realidad, sólo quieren una cosa. ¿Cómo respetar a esos mujeriegos, esos machos, esos maridos infieles? De un padre así, mejor alejarse, decidió el tercer niño en el vientre materno y se fue por su propia voluntad.

¿Y el segundo hombre? Él tampoco sabía cuáles eran sus obligaciones como hombre, lo que realmente quería, dónde estaba y a quién le debía lealtad. Engendró un bebé con ella mientras todavía estaba casado con su primera esposa. Pero después no se casó con Verónica, sino con otra mujer. Sin embargo, Verónica se sentía atraída por él. Los dos estaban en la misma frecuencia anímica, los dos tenían el mismo deseo ardiente de seguridad. En el corazón de él, Verónica veía un oscuro lago rebosante de lágrimas, que quería secar con su amor. Pero se dio cuenta de que, a pesar de todo su amor, no lo estaba logrando. El lago era muy profundo, no tenía fondo. La madre de él había padecido terribles depresiones y murió de una sobredosis de tabletas para dormir cuando él tenía 14 años. En realidad, ella debió sustituir a su madre. ¿Pero dónde quedaba entonces su propia necesidad de apoyo? ¿Quién le daría a ella seguridad? En la constelación se mostró la realidad, poco satisfactoria. En ella, Verónica aterrizó del lado derecho del hombre, donde ella era responsable de dar seguridad, y él estaba a su izquierda, como si quisiera que lo protegiera. A un hombre así no lo podía respetar como hombre, aunque estuvieran en la misma frecuencia.

"No respetas lo suficiente a los hombres", esa frase resuena una y otra vez en sus oídos y Verónica no puede dejar de escucharla. Tiene frente a sus ojos la imagen de la constelación de su familia y cómo los constelados tuvieron sensaciones tan cercanas a la realidad. La imagen abre cada vez más pequeñas puertas secretas.

¿Podía ser que tampoco respetara a su hijo, ese pequeño hombrecito? ¿Qué estaba pasando cuando él empezó a tartamudear?

Hansjörg apenas tenía 3 años. Era maduro para su edad y hablaba mucho. Siempre preguntaba por qué sucedía todo. Y no sólo para mantener ocupada a mamá, sino porque realmente quería, tenía que saber las cosas. Tenía que saber a como diera lugar. El pequeño gran Yo no tolera demoras. Pero mamá no lo escuchaba. Le estaba gritando a papá. ¿Por qué él no le decía nada? ¿Por qué precisamente ahora se quedaba callado, si siempre tenía algo que decir? ¡Hansjörg, levanta ese leño! ¡Hansjörg, ven aquí inmediatamente! ¡Hansjörg!, ¿qué te acabo de decir? ¡Repítelo! Y ahora papá, tan grande, estaba en silencio. Sólo mamá hablaba y hablaba. Hansjörg sentía que él tendría que hablar por papá, ya que él no lo hacía. Tendría que rebelarse contra mamá, rebelarse por papá, debería decir las muchas palabras que papá callaba. No tienes derecho, mamá, porque… Papá es bueno, porque… Pero, ¡oh, oh!... le faltaban las palabras… le faltaba el aire… Mamá, quisiera tanto ir contigo, pero me tengo que alejar de ti por papá. De acá para allá, de allá para acá. Cómo se aceleraba su respiración mientras inhalaba y exhalaba. ¡Qué horror, no puedo decir una sola palabra! En lugar de eso, hablo con mis puños. Golpeo con ellos el muslo de mamá y hago que se enoje. Mamá me mira con compasión. La compasión es lo peor en todo esto.

¡Mi… mi… mi… mierda!... Y en ese mismo momento, mamá se toca el vientre, de sus labios se escapa un gemido y por sus piernas escurre sangre que forma un charco a sus pies. ¿Fue mi culpa? ¿Fui muy malo contigo? Mamá se desploma, papá llama por teléfono: "¡Por favor, vengan pronto! ¡Pronto! Mi mujer está embarazada y sangrando, creo que está perdiendo al bebé." Papá ya no veía a Hansjörg, su fiel aliado. No lo veía y no notó cuán culpable se sentía. Hansjörg quería hablarle a papá, pero no podía. La palabra "papá" no salía de sus labios: "Pa… pa… pa… papá."

"No amas suficientemente a los hombres…" Bert Hellinger tenía razón. "No amé lo suficiente a mi pequeño hijo. No pudo soportar toda la crueldad del adulterio y del aborto, y lo está pagando con su tartamudez. Y como si esto no hubiera sido suficiente, también le impuse la pérdida de su propia madre. Cuando llegó mi tercer bebé, mi hija menor, y creció en mi vientre sin ningún peligro de aborto como prueba viviente del amor y cuando nació también sin problemas cobijada por ese mismo amor, le di prioridad frente a todas las demás personas." Hellinger reconoció bien esta situación, porque la mujer colocó a su hija menor a su lado. Junto a ella, en el lugar que le debería corresponder a un hombre. "Pobre niña, que tiene que sustituir al marido anterior", advirtió, serio y estricto.

Tenía razón. "Siempre he abusado de Beatriz y lo sigo haciendo. Los dos mayores perdieron su lugar junto a mí. Ahora los dos sólo se tienen uno al otro. Como Hansel y Gretel en el bosque oscuro. Y en mí ven a una bruja cuando destilo veneno contra su padre, debido a la herida que cargo. A ellos no les interesa que él sea el causante de esa herida. Cuando lo menciono, son todavía más hirientes, más negativos. Hansjörg tartamudea más y prefiere callarse. Hanna calla de por sí y se traga todo, pero en sus ojos se nota que lo que más le gustaría sería echar a la bruja al horno ardiendo." ¿Acaso Hanna sufría tanto porque durante años tuvo que hacer la misma sustitución que ahora le corresponde a Beatriz, y que también la abrumó? Sí, así fue. Su esposo con frecuencia le reprochaba que su hija fuera para ella más importante que él. ¿Quizá por eso buscó el amor en otro lado y no quiso tener más hijos con ella?

La imagen de la constelación sigue trabajando en ella de manera constante desde hace ya dos años. Tiene el efecto de un rayo láser. Penetra capa por capa hasta llegar al foco del incendio. Y así lo quiere Verónica. La advertencia no podía ser desoída, no podía ser olvidada. Preguntó a sus parientes, investigó en álbumes familiares y en árboles genealógicos, acudió con una terapeuta de contención y con ella estudió a su familia de origen.

¿Hasta dónde se remontaba su actitud despectiva frente a los hombres? La estrecha relación entre madre e hija le resultaba muy conocida. La imagen tenía la fuerza de un sueño recurrente del cual es imposible despertar. Ella, la mayor, y su hermana y su hermano menor con su madre. Uno de sus primeros recuerdos: tiene seis o siete años, no más. Su madre está arrodillada a sus pies y le suplica con los ojos hinchados de tanto llorar. El delantal de Verónica está empapado con las lágrimas de mamá. Mamá sostiene sus deditos en las manos y Verónica siente cómo su madre está rígida y fría de miedo. "Verónica, por favor, ve con papá y pídele que me vuelva a hablar." "Ve tú, mamá", le pide. "No, no. No puedo, le tengo tanto miedo." Mamá tiembla y Verónica sabe que no puede ni quiere ignorar las súplicas de su madre. Tiene que ayudarla, porque mamá sola no puede.

Otra imagen: Verónica va a buscar a su padre, porque mamá se lo pidió. Hace dos días que no llega a casa, sin haber avisado. En la noche su cama se queda vacía. Lo busca en todos los graneros y en todos los talleres. Va a la hostería. Va con los vecinos. ¡Y mira! Aquí está papá, sentado a la mesa de la cocina platicando alegremente con la gorda señora Wenck, que siempre se ríe tan fuerte. Los dos están contentos, relajados, nunca lo había visto así. También el ríe fuertemente. ¡Qué raro! Tanta alegría en un cuarto oscuro. Las persianas están bajadas en las dos ventanas, a pesar de que todavía es de día. Hay una botella sobre la mesa y un cenicero lleno de colillas. La llegada de Verónica pone fin a sus risas. "¿Se te olvidó cerrar?", le pregunta la señora Wenck a papá. La cosa está cada vez más rara. ¿Qué tiene que hacer papá con la llave de la señora Wenck? Y papá aprieta a Verónica entre sus rodillas y le dice tranquilamente: "Mi niña querida, nunca le vayas a decir a mamá, me oyes, nunca, que me viste aquí. Éste será nuestro secreto. ¡Prométemelo!" Verónica lo promete con gusto, porque sospecha que si mamá se llegara a enterar habría una catástrofe. Ahora Verónica ha sido iniciada en los secretos de las personas grandes y ella misma se ha vuelto grande. Por supuesto, no le dice nada a su madre. Después, ella misma le contará que no ignoraba todo lo que estaba pasando, sabía que su esposo había tenido muchas mujeres ya estando casado con ella y que a algunas de ellas incluso las había embarazado; por ejemplo, en Ucrania, durante la guerra, había tenido un hijo. Pero nunca le había reprochado nada, porque nunca tuvo valor para hacerlo. Siempre le tuvo miedo; además, la atormentaba el terror de que su esposo la abandonara.

Y otra imagen: Verónica tiene diecisiete años. Por las tardes regresa a casa en autobús. Todavía no baja del último escalón cuando escucha los gritos de su madre. Igual que hace tantos años, siente el cuerpo convulso de mamá y sus lágrimas cayéndole sobre el pecho. "¡Está muerto, se mató!", grita mamá llena de pánico. No es la madre la que consuela a la hija, ahora huérfana, sino la hija la que consuela a la madre. También fue Verónica la que se encargó de lavar la sangre en el estudio de papá, donde se suicidó con su pistola. El padre no dejó ninguna carta de despedida. Hoy, después de sus experiencias con el planteamiento sistémico, Verónica supone que algún enredo en la familia de origen de su padre lo orilló al suicidio. Pero entonces buscaba ansiosa cualquier pista que le pudiera ofrecer alguna explicación para el terrible suicidio de papá. En el pueblo se dijo que había empezado a tener problemas de potencia sexual y que ya no podía tener tantas mujeres como antes, lo mismo dijeron los parientes. La vida ya no era divertida. Además, se sumó su jubilación. Era demasiado presumido para renunciar a su posición de jefe de la empresa. La mamá de Verónica prefería esta última interpretación. En todo caso, todas estas explicaciones contenían un fuerte elemento de desprecio: un mujeriego fracasado, un tenorio castrado, un macho degradado.

Entonces, de ahí nacía la desconfianza hacia los hombres amados y por eso Verónica no podía amarlos totalmente. Ahora, Verónica se explicaba también la susceptibilidad y vulnerabilidad con la que reaccionó a la infidelidad de su marido. ¿Pero de dónde provenía ese coraje acumulado contra los hombres que Verónica desahogaba con una hiriente mordacidad? Al hacerlo, tenía la sensación de no ser ella misma y de estarse observando desde fuera de su cuerpo. Con ayuda de su terapeuta, que continuó lo que Bert Hellinger había iniciado, Verónica comprendió que estaba asumiendo los sentimientos de su madre: los sentimientos que nunca se atrevió a expresarle a su esposo. Bert Hellinger habla en estos casos de un doble desplazamiento. Por un lado, los sentimientos maternos se desplazan hacia la hija; por otro, no es el padre el receptor de estos sentimientos, sino el marido de Verónica. El pobre marido, que tenía que soportar la rabia dirigida al suegro que nunca conoció.

Capa por capa, la rabia fue desmontada y revisada. Entonces, era por su madre que Verónica estaba expresando esos sentimientos. Era a su madre a quien cuidaba y a quien se encargaba de resolverle los problemas. De ella, su madre esperaba protección y consuelo. Ella fue una madre para su madre. Una hija parentificada, como se dice en la jerga profesional. Verónica lo hizo por amor, por amor sacrificó a la niña dentro de ella. Porque ni siquiera su padre la consideraba una niña. Tenía un gran respeto por ella, también respetaba su intimidad y nunca la acarició, a pesar de que sentía una inclinación especial por ella, más que por sus dos hermanos menores, a los que podía acariciar sin problemas. ¿Percibía en ella a la adulta –por así decirlo, a la suegra, es decir, a quien estaba representando a la madre de su esposa– y, al mismo tiempo, el tabú del incesto?

En realidad, Verónica era huérfana de ambos padres. Los perdió a los dos: su madre nunca fue una madre para ella, por su carácter infantil, y al padre lo rechazó ella misma.

Surgieron nuevas preguntas: ¿Por qué Verónica tuvo que hacerle de madre a su madre? ¿Qué pasó con ella, que nunca pudo convertirse en adulta? ¿Y tenía eso que ver con el hecho de que Verónica sólo pudiera entregarse totalmente a una persona que le exigiera desempeñar ese mismo papel de madre, fuera su hijo menor de turno o su segunda pareja?

Verónica quiere aprovechar la oportunidad para hacer una segunda constelación familiar sistémica. Quiere distanciarse a como dé lugar de las inculpaciones de su padre, pero también quiere entender su enredo sistémico y respetar su decisión de suicidarse. También siente un gran anhelo por encontrar a su medio hermano y a su media hermana en Bulgaria.

Con sus investigaciones no sigue una meta concreta. Sólo se trata de encontrar más comprensión, más entendimiento, más armonía, más amor. Igual que la amada le pregunta a su amado "¿Me quieres? ¿Por qué me quieres?" y en lugar de una respuesta recibe un amoroso abrazo. Lo mismo le pasa a Verónica. Su razón le exige informaciones más precisas. Pero antes de que la razón pueda contestar estas preguntas planteadas por la cabeza, su corazón, dispuesto al amor, le está dando la respuesta redentora. Su corazón se siente cada vez más libre, más grande, más desenfadado, más conciliador. Aun cuando las investigaciones no produjeran informaciones concretas, éstas ya estaban fructificando en su corazón.

Entre tanto, Verónica ya ha participado en dos talleres de terapia de contención. Con el conocimiento que le proporcionó la constelación que hizo con Bert Hellinger, se confrontó en un fuerte abrazo con cada uno de sus tres hijos, para darle a cada uno el lugar que le correspondía. Así Beatriz fue destronada y se le otorgó su tercer lugar. En contra de todos los temores, Beatriz tomó muy bien el cambio de lugar. Inmediatamente empezó a disfrutar el hecho de tener dos hermanos mayores. También para Hannah resultó liberador expresar la frustración acumulada que le había ocasionado perder su primer lugar, poder decirle a su madre cuánto la extrañó y cuánto le dolía oírla hablar con desprecio de su padre. Sentimientos similares afloraron en la contención de Hansjörg. En realidad, el niño nunca fue el tema principal, a pesar de que él fue la causa de que todo el proceso terapéutico se echara a andar. En cualquier caso, tartamudeaba mucho menos y sus agresiones se habían normalizado. Los dos niños mayores veían frecuentemente a su padre. Él se ocupaba de ellos con gran amor y responsabilidad y también estaba empezando a respetar a Verónica.

"Los niños seguramente se alegrarían si hubiera una reunión familiar", digo de paso cuando le pregunto por los efectos que tuvo el taller sistémico. "¿Dónde están ahora tus hijos?" "Los tres están en casa", contesta ella. "¿Y tu primer esposo?" "Está precisamente con los niños, en el jardín." "Ah."

QUE UN VIEJO AMOR
NI SE OLVIDA NI SE DEJA...

HELLINGER *a una pareja que trae a su bebé en una carreola*: ¿A ustedes qué les pasa?
MUJER: Pasa que siento a mi familia de origen como una carga. A mis padres y a mis tres hermanos les va bastante mal. A mí también me fue mal mucho tiempo. Tuve un padecimiento *borderline* y también Morbus Crohn, que es una inflamación intestinal crónica. Desde hace cuatro años me siento bien. Hice una psicoterapia, pero todavía me siento muy atada a mi familia de origen.
HELLINGER: Entonces, se trata más de ti y de tu familia de origen. ¿Hay dificultades en la relación con tu esposo?
MUJER: No.
HELLINGER *al hombre*: ¿Tú quieres decir algo?
MARIDO: Para mí, nuestra relación está atravesada por un conflicto continuo que aparece de repente y luego vuelve a desaparecer. Tenemos mucha cercanía e intimidad hasta que se vuelve a avivar el conflicto.
HELLINGER: ¿De qué tipo?
MARIDO: Tenemos fuertes peleas.
HELLINGER: Vamos a constelar primero sólo a ti, a tu esposa y al niño. *A la mujer*: Empieza tú.

Figura 1a

Mar	Marido
Muj	Mujer
1	Hijo único

HELLINGER *al representante del marido*: ¿Cómo te sientes?
REPRESENTANTE DEL MARIDO: Bien, muy bien.
REPRESENTANTE DE LA MUJER: El niño está demasiado cerca de mí. Me siento muy insegura.
REPRESENTANTE DEL HIJO: Yo siento algo parecido. También me siento inseguro y alterado.
HELLINGER *al marido*: ¿Cómo harías tú la constelación?

Figura 1b

HELLINGER *al público*: Hizo aún más radical la misma constelación. *Al representante del marido*: ¿Cómo te sientes?
REPRESENTANTE DEL MARIDO: Me siento oprimido.
REPRESENTANTE DE LA MUJER: Me siento totalmente coartada.
REPRESENTANTE DEL HIJO: Estoy nervioso, más nervioso que antes.
HELLINGER *a la pareja*: Esta constelación muestra que el esposo y el hijo impiden que la madre se vaya. En la primera constelación era el hijo el que se lo impedía. Esto quiere decir que la mujer está en peligro. *A la mujer*: ¿Qué pasó en tu familia de origen?
MUJER: La hermana que sigue después de mí tiene también una alteración *borderline*, mi otra hermana tuvo cáncer en la matriz, mi hermano menor tuvo un accidente muy grave, mi padre tuvo un ataque de asfixia. Padece de asma desde su niñez. Desde que me acuerdo, está pasando siempre alguna desgracia. La familia siempre parece estar a punto de explotar.
HELLINGER: Entonces, están el padre, la madre y ¿cuántos hijos?
MUJER: Cuatro. Yo soy la mayor.
HELLINGER: ¿Alguno de tus padres tuvo antes una relación estable?
MUJER: No, no una relación estable. Pero mi madre nos platicaba de vez en cuando de otro hombre con el que se hubiera querido casar, aunque nunca tuvo una relación de pareja con él.
HELLINGER: Constela a tu familia de origen.

Mientras que la constelación de la familia actual queda como se le había colocado, la mujer constela a su familia de origen.

Figura 2

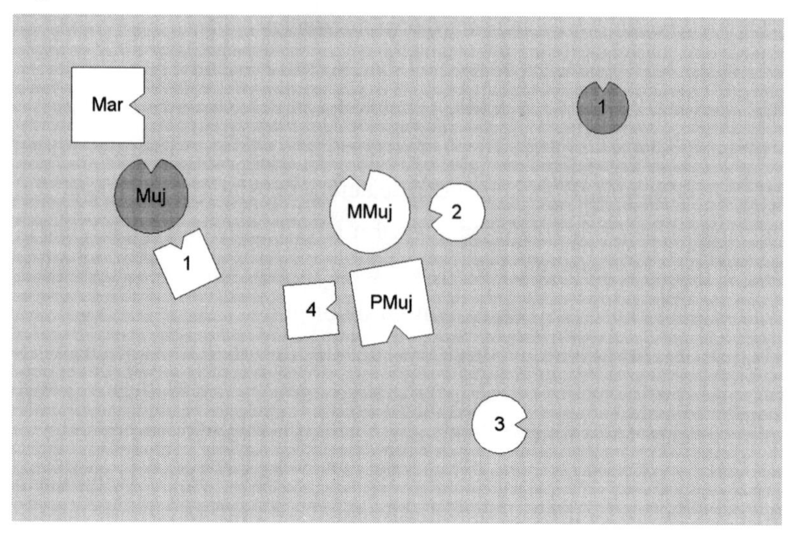

PMuj	Padre de la mujer
MMuj	Madre de la mujer
1	**Primera hija (= mujer)**
2	Segunda hija
3	Tercera hija
4	Cuarto hijo

HELLINGER: Ésta es una constelación rara. Voy a poner a alguien más.

Hellinger elige a un representante para el otro pretendiente de la madre y lo coloca frente a ella. Cuando lo ve, la madre ríe. También él le sonríe.

Figura 3

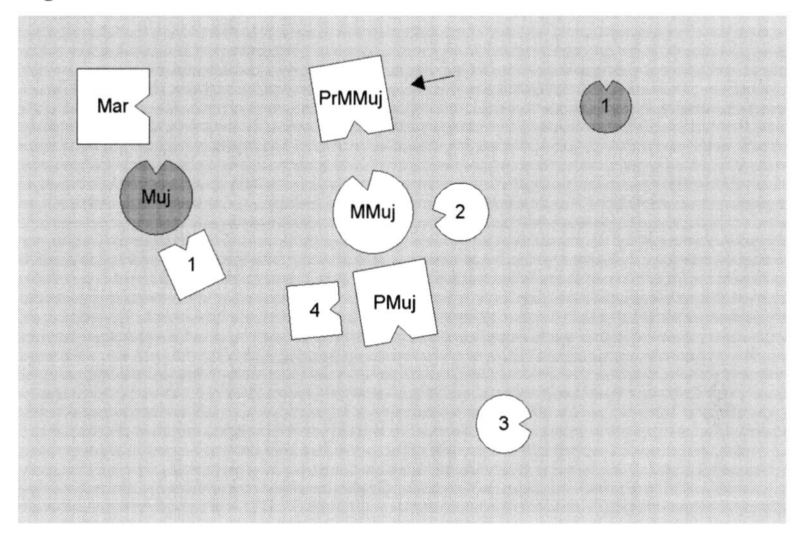

PrMMuj Pretendiente de la madre de la mujer

HELLINGER A LA MUJER: ¿Ves cómo se sonríen estos dos?
Al pretendiente de la madre de la mujer: ¿Cómo te sientes ahí?
PRETENDIENTE DE LA MADRE DE LA MUJER: Me siento un poco fuera de lugar. Me gustaría llevármela e irme de aquí con ella.
MADRE DE LA MUJER: Sí, vámonos inmediatamente de aquí. Fuera de este grupo.
HELLINGER *a los dos*: Váyanse.

La madre de la mujer se dirige hacia su pretendiente, juntos se dan la vuelta y se van. Después, voltean a ver a la familia.

Figura 4

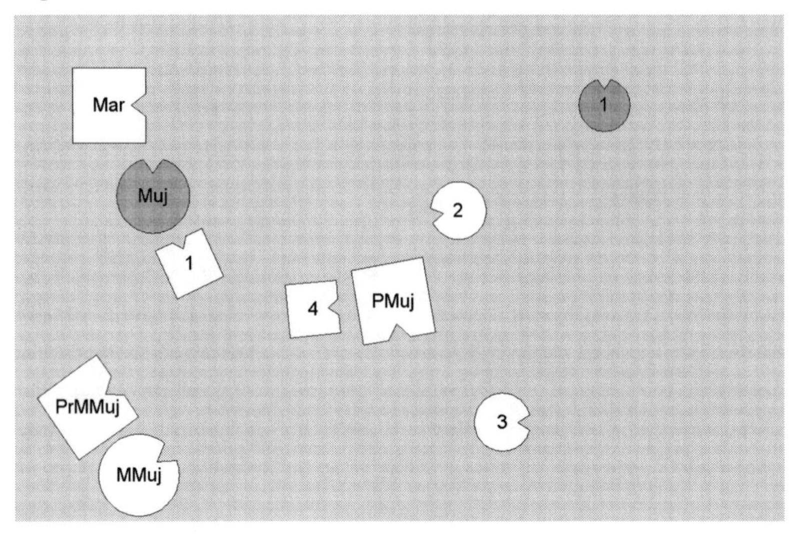

HELLINGER: ¿Cómo se siente el padre?
PADRE DE LA MUJER: Me siento amenazado. Con excepción de mi primera y tercera hijas, que tengo a la vista, me siento amenazado.
HELLINGER *a la hija mayor*: ¿Cómo te sientes?
PRIMERA HIJA (REPRESENTANTE DE LA MUJER): Me siento increíblemente bien. Los otros no están ni me interesan para nada. Estoy totalmente sola, pero muy satisfecha interiormente. Nada me sacude, y aunque tengo una sensación de vacío, no extraño nada.
HELLINGER: Entonces sal de la habitación y cierra la puerta tras de ti.

Figura 5

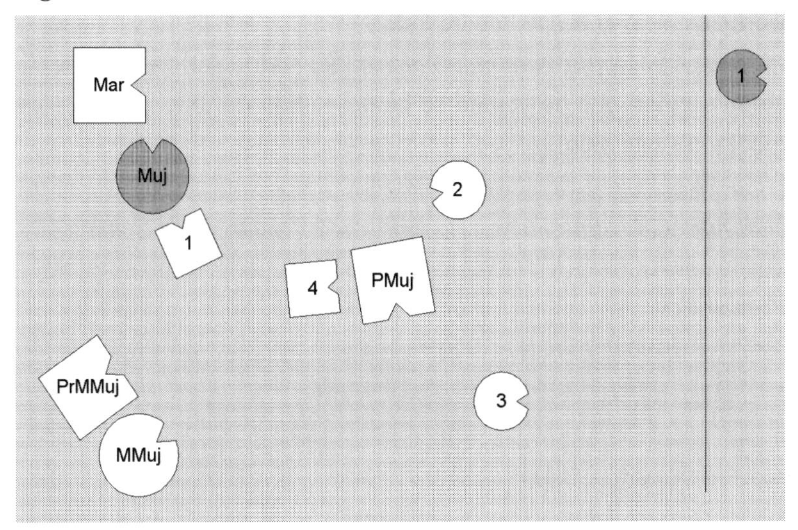

HELLINGER *a la segunda hija*: ¿Cómo te sientes?
SEGUNDA HIJA: Me hace falta mi mamá. Me gustaría que mi papá se volteara.
CUARTO HIJO: Cuando mamá todavía estaba aquí, me sentía como si estuviera sobre un volcán a punto de hacer erupción. Después, cuando llegó el otro hombre, me sentí aliviado. Ahora que mamá se fue, me siento como después de una catástrofe. Todavía no sé cómo me siento.
HELLINGER *a la tercera hija*: ¿Cómo te sientes?
TERCERA HIJA: Bien. No pertenezco ahí para nada.

Hellinger pide a la primera hija que vuelva a entrar.

HELLINGER *a la primera hija, la representante de la mujer*: ¿Cómo te sentiste afuera?
PRIMERA HIJA: Bien. No extrañé nada y me sentí bien.
HELLINGER *al público*: Así como habló al principio, así hablan

quienes están en riesgo de suicidarse. Se sienten bien, porque interiormente se han despedido de todo.

PRIMERA HIJA *afirma con la cabeza*: Sí, podría ser. Pero se siente como alguien que de verdad se ha despedido de todo y de verdad dice: todo está bien.

Hellinger coloca al padre a un lado y a todos sus hijos frente a él.

Figura 6

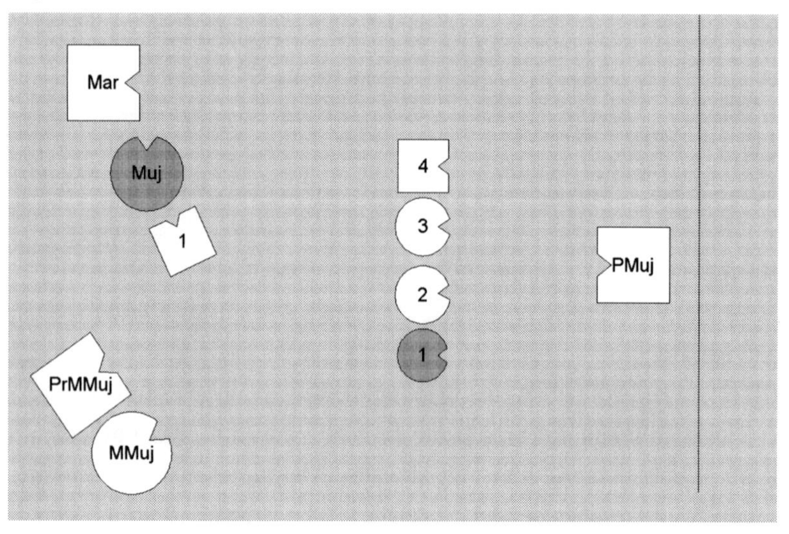

HELLINGER *a la mujer*: ¿Qué le pasó a tu hermana menor?

MUJER: Tuvo hace poco cáncer de la matriz, se la tuvieron que extirpar. La segunda hermana también tuvo un trastorno *borderline*. Ha intentado varias veces suicidarse.

HELLINGER: ¿Tú ya has pensado en suicidarte?

MUJER: Sí.

HELLINGER *al padre de la mujer*: ¿Cómo te sientes ahora?

PADRE DE LA MUJER: Me siento un poco mejor, pero me siento solo.

PRIMERA HIJA: Todavía siento que nada de esto me importa. Éste no es mi problema, nada me toca. Estoy sola conmigo misma.
SEGUNDA HIJA: Yo me siento más o menos bien.
TERCERA HIJA: A mí me pasa lo mismo. Me siento sola, pero bien, como si no perteneciera aquí.
CUARTO HIJO: Me siento seguro en la fila con mis hermanas.
PRIMERA HIJA: Primero, antes de que me constelaran, sentí tristeza y cuando alejaron a mis padres, hubo un cambio en los sentimientos. Pero cuando salí de la habitación sentí lo que acabo de describir. Y cuando mis papás estaban cerca todavía, sentí tristeza.

Hellinger coloca ahora a la madre a la izquierda del padre. A su novio lo coloca aparte, a la derecha del padre. Los hijos dan un paso hacia atrás.

Figura 7

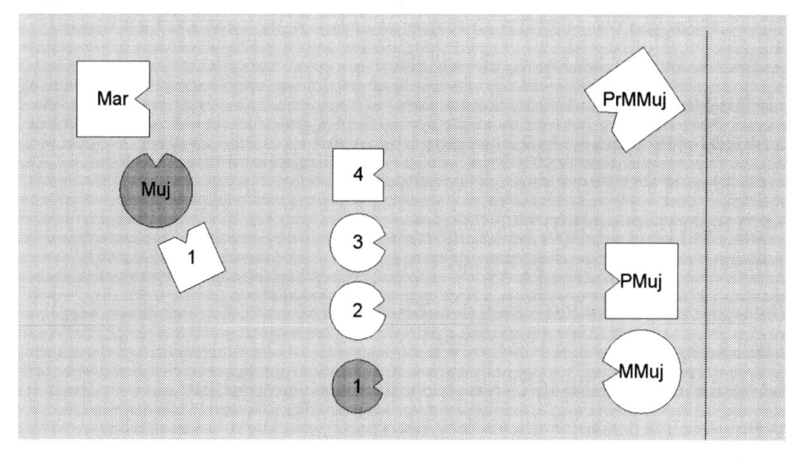

HELLINGER *a la madre de la mujer*: ¿Cómo te sientes?
MADRE DE LA MUJER: Ajena, indiferente.

Hellinger hace que la mujer ocupe su lugar en el sistema de origen. Hace que la madre se coloque frente al padre.

Figura 8

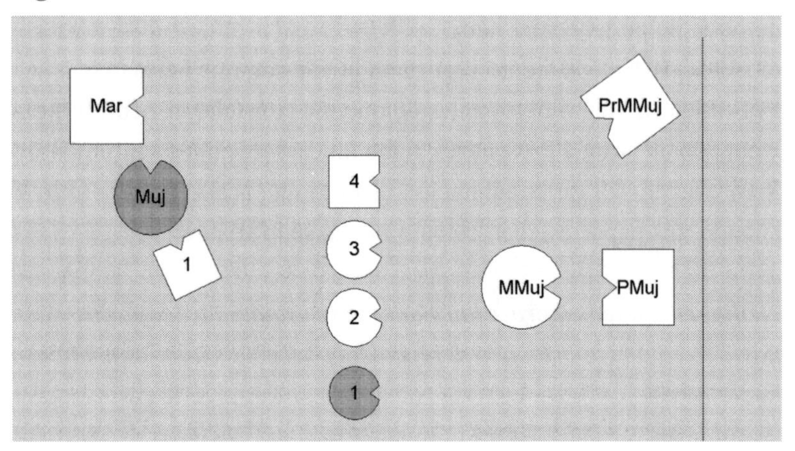

HELLINGER *a la madre de la mujer*: Dile a tu esposo: "Te engañé."
MADRE DE LA MUJER: Te engañé.
HELLINGER: "Y lo siento mucho."
MADRE DE LA MUJER: Lo siento mucho.
HELLINGER: ¿Lo dijiste de corazón?
MADRE DE LA MUJER: No tanto.
PADRE DE LA MUJER: Yo no sentí que fuera de corazón.
HELLINGER *a la madre de la mujer*: Dile: "No merecías a alguien como yo."
MADRE DE LA MUJER: No merecías a alguien como yo.
HELLINGER: ¿Qué tal se sintió eso?
MADRE DE LA MUJER: Más honesto.
HELLINGER *a la madre de la mujer*: Regresa frente a tus hijos.

Figura 9

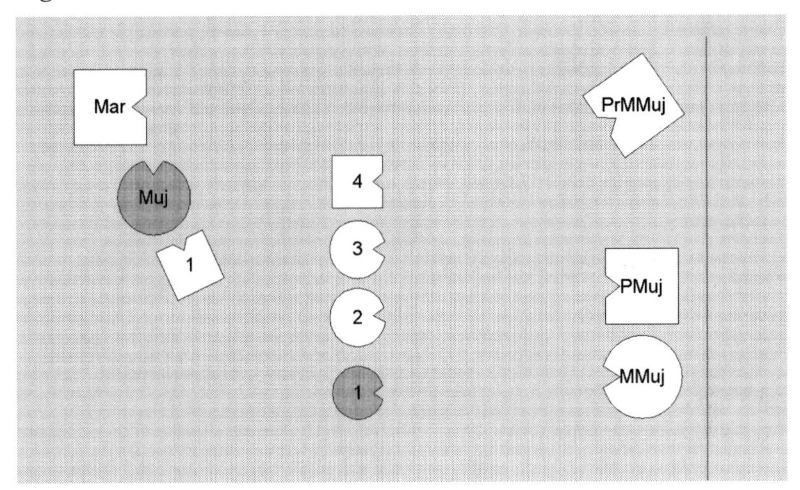

HELLINGER: Diles: “Quiero irme.”
MADRE DE LA MUJER: Quiero irme.
HELLINGER: “Los dejo con su padre.”
MADRE DE LA MUJER: Los dejo con su padre.
HELLINGER: “Ése es su lugar.”
MADRE DE LA MUJER: Ése es su lugar.
HELLINGER. “Aunque yo me vaya.”
MADRE DE LA MUJER: Aunque yo me vaya.
HELLINGER *a la mujer*: ¿Cómo te sientes con esto?
MUJER (PRIMERA HIJA) *llorando*: Estoy muy triste.

Hellinger hace que la madre regrese con su novio, los coloca uno al lado del otro, y hace que den un paso para atrás.

Figura 10

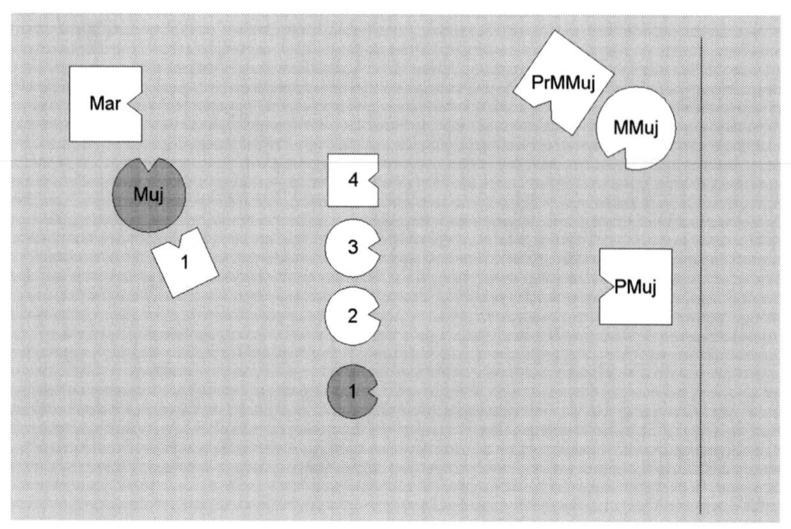

HELLINGER *a la segunda hija*: ¿Cómo te sientes tú con esto?
SEGUNDA HIJA: Creo que todavía la necesitamos. ¡Que no se vaya!
TERCERA HIJA: Cuando dijo la primera frase a papá, algo así como una descarga eléctrica me atravesó todo el cuerpo. Fue la primera vez que sentí algo. Ahora me siento bien otra vez.
CUARTO HIJO: Me indignó la forma en que se burló de papá y pensé, vete, pero vete pronto. Estoy contento de que se haya ido.
HELLINGER *a la mujer*: Dile a tu padre: "Papá, me quedo contigo."
MUJER (PRIMERA HIJA) *llorando*: Papá, me quedo contigo.
HELLINGER: "Aunque mamá se vaya, yo me quedo contigo." Míralo a los ojos al decirlo.
MUJER (PRIMERA HIJA): Aunque mamá se vaya, yo me quedo contigo.
HELLINGER: Ponte junto a él.

Hellinger coloca a todos los hijos en un semicírculo junto al padre.

Figura 11

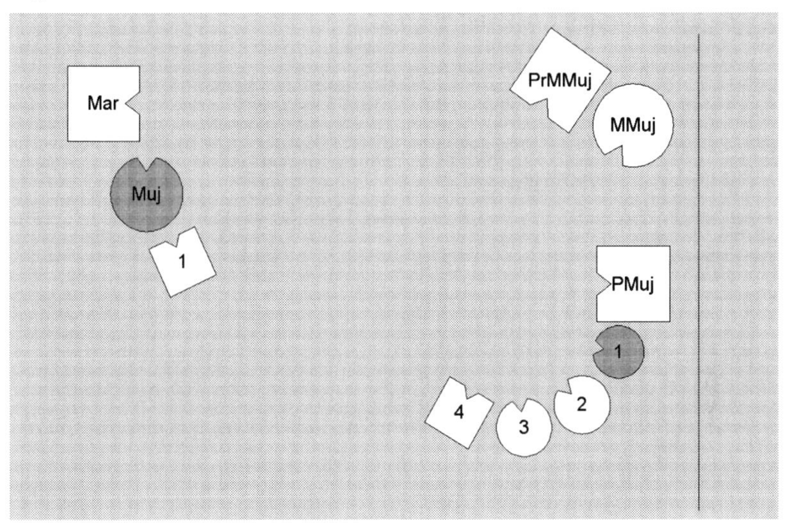

HELLINGER: ¿Cómo se siente el padre con esto?

PADRE DE LA MUJER: Me corre frío por la espalda, como si apenas ahora tuviera relación con lo que está pasando.

SEGUNDA HIJA: Me siento bien.

TERCERA HIJA: Yo también.

CUARTO HIJO: Está bien.

HELLINGER *a la mujer*: Vuelve a verlo a los ojos y dile: "Aunque mamá se vaya, yo me quedo."

MUJER (PRIMERA HIJA) *muy conmovida*: Aunque mamá se vaya, yo me quedo.

HELLINGER: "Junto a ti tengo un lugar seguro."

MUJER (PRIMERA HIJA): Junto a ti tengo un lugar seguro.

HELLINGER: "Y mírame con ojos amorosos si me quedo con mi esposo y con mi hijo."

MUJER (PRIMERA HIJA): Y mírame con ojos amorosos si me quedo con mi esposo y con mi hijo.

HELLINGER *al padre*: Pásale el brazo por el hombro.
A la mujer: Recarga tu cabeza en él.

El padre abraza a la mujer, que tiene a su hijo en brazos. Ella recarga la cabeza en él y llora fuertemente. El niño, que antes había estado llorando, se calma totalmente.

HELLINGER *a la mujer*: ¿Cómo te sientes ahora?
MUJER (PRIMERA HIJA) *todavía recargada en su padre*: Me siento muy aliviada, me siento en casa.

Ahora Hellinger coloca a la mujer y a su esposo en la constelación del sistema actual. Al representante de su hijo lo coloca frente a ellos.

Figura 12

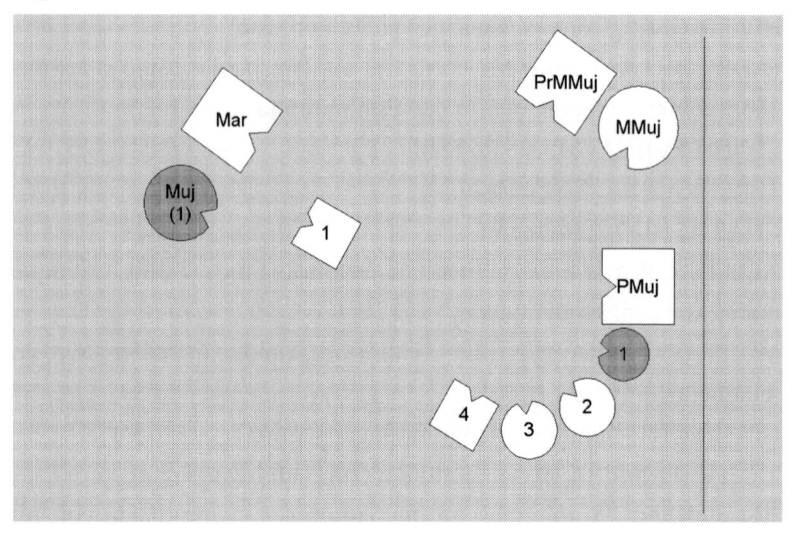

HELLINGER: ¿Cómo se sienten?
MARIDO: Bien.

REPRESENTANTE DEL HIJO: Bien.
HELLINGER: Ahora pondré a su padre atrás de ella.

Figura 13

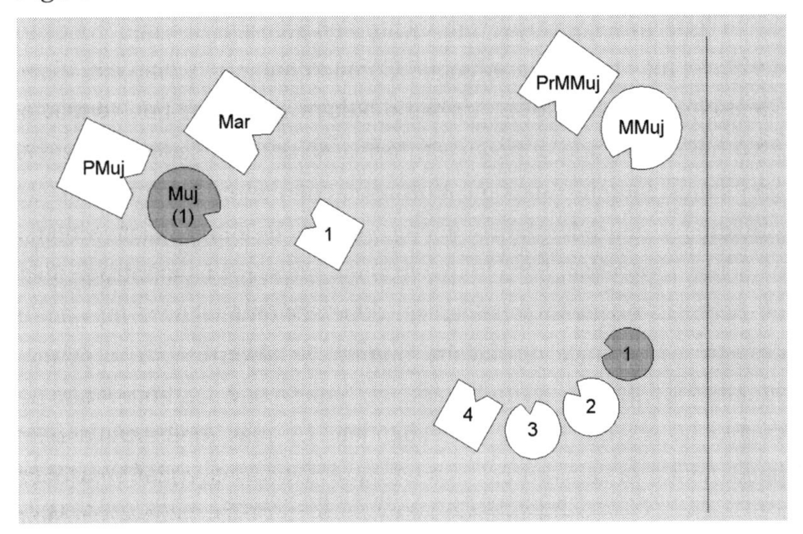

Cuando el padre se coloca atrás de la mujer, el hombre se incorpora y respira profundamente.

MARIDO: Esto me da fuerzas.
MUJER (PRIMERA HIJA): Me siento bien y apoyada.
HELLINGER: Creo que ya acabamos. ¿Quedó todo claro? Les deseo que les vaya muy bien. *A la mujer*: Y procura que tu marido te dé contención.

Se recarga en su esposo y los dos se abrazan fuertemente.

"La gran preocupación que siento por mi hijo me hizo decidir, junto con mi esposo, que nuestra familia fuera constelada", escribió Ingrid en su solicitud para el seminario. "Mi hijo nació apenas hace unas semanas, en realidad, todavía estamos en la fase del puerperio. Pero siento cómo todo se tambalea, es como si estuviera a punto de comenzar un terremoto. Esta tensión constante y el estar a la expectativa ante una catástrofe inminente son sensaciones que conozco desde mi más temprana infancia. Como si hubiera nacido con ellas. Siento que hay enredos en mi familia de origen y que mis hermanos y yo hemos pagado el precio en forma de enfermedades crónicas y accidentes. Durante años me atormenté con depresiones, intentos de suicidios y neurodermatitis, incluso se me ha diagnosticado como paciente *borderline*. Pero lo que más me preocupa es nuestro pequeño bebé. El pequeño Jonathan no debe ser otra víctima más de la desastrosa dinámica de nuestra familia. Si el terremoto se desata, Jonathan no deberá sucumbir ante él. Quiero que sea libre y que no cargue lastres que no le corresponden. Es más, quizá todavía se pueda evitar la catástrofe."

Durante la constelación, el pequeño Jonathan le da la razón a su madre con su comportamiento. Mientras que están vibrando las tensiones dentro del sistema familiar, él reacciona como un delicado sismógrafo. Su inquietud crece como las amplitudes máximas del aparato. Se retuerce en brazos de su madre, se estira, se aleja de la cabeza de su madre y grita y llora de manera desgarradora. Como si un rascacielos se estuviera derrumbando encima de él. El pequeño siente la verdad en su corazón mejor de lo que la reconocería un psicoterapeuta entrenado. Todavía forma parte de un campo de fuerza superior, del que poco a poco se desprenderá para entrar a otro campo menor. Siente las energías que vibran hacia él e intuye a sus ancestros atrapados en el enredo sistémico, hacia los que quiere y tiene que dirigirse. Y todo esto llena de miedo su pequeño corazón. Pero también siente cómo las vibraciones se nivelan, armonizan y calman. Cuando en la constelación surge una imagen de solución, el pequeño Jonathan se queda plácidamente dormido en brazos de su madre. ¿No es sorprendente la sabiduría con la que los pequeños llegan a este mundo?

Retrocedamos una generación:

Entre más crecía dentro de su vientre el bebé (que después se llamaría Ingrid), más crecía el miedo de Ranghild frente a la terminante decisión que había tomado respecto de su vida futura. El bebé preparó el camino para que Ranghild se casara con el hombre que lo engendró. Hasta antes del embarazo, se había involucrado con él de una manera bastante irracional, como quien juega a la ruleta rusa. No porque estuviera enamorada de él, sino porque quería darle una lección a Markus, su nunca olvidado primer amor. Utilizó todas sus artes de seducción para hacerle perder la cabeza al primer hombre que la pretendió. Pero fue sólo el dolor provocado por su amor desdichado el que la impulsó a esa loca aventura: "Mira, soy digna de que me amen. ¿Lo ves, finalmente? ¡Ay, cómo hubiera deseado que éste fuera tu hijo, con qué entrega lo hubiera llevado en mi vientre, lo hubiera mecido y acariciado como si hubieras sido tú!" Con estos pensamientos saludó a Markus cuando se encontraron, casualmente, después de ir a misa. Cada uno de los valiosísimos encuentros que tuvieron fue sólo producto de la casualidad. Las veces que habían quedado de verse, él nunca llegó. Nunca contestó las cartas de Ranghild. A pesar de que Markus también se sentía fuertemente atraído por ella, nunca actuó en consecuencia. "Bueno, finalmente encontraste al hombre que te mereces, Ranghild." ¿Era de nuevo su típico sarcasmo, con el que trataba de protegerse, o lo decía en serio? En su mirada, que acarició suavemente la curva de su vientre y se quedó prendida a sus ojos, Ranghild vio amor. Pero quizá era sólo una especie de amor universal, el amor que le profesa un pastor a su rebaño. Como sea, sostuvo su mano un poco más de lo necesario. Y ella sintió el fuego inextinguible de su amor por él. Pero no se lo podía decir. Menos aún, con el niño de otro hombre en su vientre. Pero Markus tampoco había aceptado su amor cuando se lo ofreció siendo virgen. Una vez, en una fiesta con motivo del aniversario de la preparatoria en la que ambos estudiaron –él era cuatro años mayor– bailaron un apasionado tango. Fogosa, Ranghild se estrechó contra su cuerpo, acarició su cuello, hasta que se dio cuenta que él seguía su juego de seducción; entonces, le susurró al oído, en algo que había sido más un beso que un susurro: "Tú eres el único al que yo podría amar…" Él no se soltó del abrazo, al contrario, la estrechó más fuertemente contra su cuerpo, para que ella notara cómo correspondía a su amor. Pero suavemente le murmuró, con los labios pegados al lóbulo de su oreja: "Ay, querida, tú te mereces a alguien mejor. No me idealices. Tarde o temprano te decepcionaría amargamente." Sus encuentros casuales transcurrieron siempre siguiendo el mismo patrón, con o sin tango, en el entierro de un profesor que les dio clase a ambos o en una sesión del partido político al que ambos pertenecían. Y cuando Ranghild se enteró de que Markus había partido a Sudamérica, como misionero, en compañía de una mujer con la que ya había vivido algún tiempo en Colonia, renunció definitivamente a él. Por lo menos, eso creyó su razón, pero su corazón sabía que lo seguía amando y que lo seguiría amando hasta el día de su muerte y quizás aun después. Era evidente que no había sido un complejo de inferioridad lo que le había impedido a Markus corresponder el amor de Ranghild. Simplemente había jugado con ella y después se había casado con alguien mejor que ella. Como había oído, los dos hacía tiempo que intentaban en vano tener un bebé. ¿Cómo se sentiría Markus si no se cumpliera su deseo de llenar la casa parroquial de niños? Y ahí nacieron las ansias de venganza de la despreciada. Enamoró al primer pretendiente que se atravesó en su camino para mostrarle a Markus la maravillosa madre que ella hubiera sido para sus hijos varones.

Pero no tuvo un hijo, sino una hija. Para colmo, ni siquiera era bonita. De todos modos, Ranghild sintió un cierto agradecimiento. El parto no tuvo complicaciones, la madre primeriza casi no sufrió dolores y la niña bebió ávidamente su leche, de ambos pechos. Ranghild se sentía fortalecida en su maternidad. La pequeña Ingrid parecía no querer nada más que el pecho, y le encantaba quedarse dormida chupeteando el pezón de su madre. "¡Deberías ver, Markus, aunque fuera una vez, estos pechos tan llenos de leche! Ni comparación con tu mujer, que al parecer no tiene pecho, sino una tabla." Por las noches, la pequeña Ingrid pedía el pecho con mucha más frecuencia, por lo que resultaba más problemática que de día. A pesar de que seguramente no tenía hambre, despertaba cada vez más frecuentemente en su habitación y lloraba hasta que se le daba el pecho. Para ahorrarse el estar yendo y viniendo del cuarto de Ingrid a su recámara, Ranghild se llevó a la pequeña gritona a la cama matrimonial. Al papá esto no le gustó en lo absoluto. La noche le resultaba demasiado intranquila y la mujer amada le pertenecía cada vez más a la niña que a él. Su imagen de una familia feliz se desbarataba como un castillo de arena en la lluvia. Desde el principio había sentido que no había conquistado totalmente el corazón de Ranghild y había esperado que su hija los uniera e hiciera crecer su mutuo amor. Abrazados estrechamente, los dos verían a la niña al pie de su camita. Recargado en la espalda de Ranghild, miraría sobre su hombro cómo amamantaba a su hija. Pero a Ranghild no le gustaba tenerlo a su espalda, pues no se sentía libre. Y cuando la pequeña Ingrid ocupó el huequito entre los dos en la cama, el joven padre sintió que era algo inexorable: como el foso de un castillo cuyo puente levadizo ha sido recogido. Podía ver a la hermosa reina desde la puerta, pero sólo los iniciados podían pasar a sus aposentos. Y la única iniciada era la niña y eso sólo porque le estaba dando el pecho. Tú, su esposo, sólo podías acercártele cuando ella quería tener otro niño. Sólo entonces te necesitaba la abeja reina.

Ranghild estrechaba a la niña contra su corazón, pero no tenía el corazón puesto en ella. Markus seguía ocupando el lugar más grande. En realidad, estaba amamantando para él. Le demostraba el instinto maternal que él dejó ir.

La pequeña Ingrid se colgaba tercamente de los dos oscuros círculos. Podía contar con que siempre permanecerían iguales. Siempre serían igual de redondos, con cada succión fluiría la leche, siempre igual de dulce, y una blanca gota de leche quedaría pendiendo del pezón. Ingrid podía contar más con los pezones que con los ojos de su madre, que casi siempre estaban viendo al vacío. Y cuando miraban a Ingrid, su expresión era impredecible. A veces, los ojos resplandecían de gusto ante la fruición con que la niña tomaba la leche, a veces externaban furia, cuando el llanto de Ingrid había interrumpido su sueño.

Cuando Ingrid, 20 años después, es internada en una clínica de enfermedades psicosomáticas, debido a sus depresiones e intentos de suicidio, el diagnóstico es: trastornos de personalidad borderline. *Algunos psiquiatras hablan sencillamente de "trastornos tempranos". Lo que esto significa es que se presentan bloqueos en el desarrollo de la personalidad. Normalmente, a lo largo de los tres primeros años de vida del niño se desarrollan, de forma progresiva y en un orden específico, la percepción, la curiosidad, la capacidad para actuar, la confianza en los demás y la confianza en sí mismo. Todo esto es parte del vínculo simbiótico con la madre. El niño empieza a experimentar su propia eficacia cuando empieza a asir objetos, a sentarse por sí mismo, a gatear y a incorporarse. Cuando se van estableciendo sencillos esquemas de acciones, el niño comienza a darse cuenta de que su madre no es parte integral de él mismo, sino una persona independiente de él. El niño actúa y la madre reacciona. A veces, la madre aparece como "buena", pues se alegra cuando su hijo le pone algo en la mano estirada. Entonces, el niño sabe que es buena. Pero a veces, grita enojada "¡No!" cuando el niño jala el mantel con todo y vajilla y comida. Entonces, el niño sentirá que su madre y él también son "malos". En ello estriba una oportunidad para el niño de adquirir nuevas seguridades. Entre más clara, más estable y más predecible sea la madre en determinadas situaciones, más seguridad tendrá el niño en sus propias acciones. De todas las personas de referencia que le proporcionan al niño estas seguridades elementales, la más importante es la madre. El niño aprende a distinguir a su madre, que le es tan familiar, de los extraños y, por tanto, a confiar en ella de manera cada vez más consciente. Esta importante fase de experimentación, en lo sucesivo llamada de separación e individuación, se extiende del sexto al décimo octavo mes de vida.*

Ingrid todavía no tenía ni un año cuando su madre se volvió a embarazar. Por un lado, Ranghild se alegró, quizá ahora llegara el anhelado varoncito. Pero por otro, el embarazo le impidió regresar a su trabajo en la escuela. Quería demostrarse a sí misma que no sólo era una buena madre, que amamantaba a su hija y la cargaba a la espalda, en un rebozo, sino que también era capaz de lograr su realización profesional. Markus siempre se expresó despectivamente de las amas de casa. Nunca quiso como compañera a una mujer que fuera sólo madre de familia. Su esposa era cuidadora de ancianos. Por lo visto, no fue capaz de tener una mejor preparación. Ranghild era maestra de primaria, en cuerpo y alma. Eso siempre le gustó a Markus. Ella logró las dos cosas, tanto dar a luz como dar clases en la escuela y, por si fuera poco, realizar su trabajo político en la presidencia municipal. Ingrid a veces se quedaba con su abuela, a veces con la vecina. Debido al nuevo embarazo de su madre, de por sí ya había sido destetada.

En sus primeros meses de vida, un niño todavía no es capaz de comprender contextos y relaciones completas, sino únicamente fragmen-

tos individuales del todo. Requiere de la repetición, siempre igual, en la que siempre puede confiar, para obtener seguridad. Entre más amplio sea el repertorio de estos esquemas individuales, más libertad tendrá para desarrollar su curiosidad.

Ahora, habían desaparecido de la vida de Ingrid los dos pechos de su madre, que hasta ese momento habían sido sus puntos de apoyo más importantes. Las blusas de mamá estaban siempre abotonadas. Casi nunca estaba cerca de ella. Ingrid trataba de conquistar nuevos lugares seguros con mamá y lo lograba. Una y otra vez lograba sentarse en su regazo y mientras le acariciaba el lóbulo de una de sus orejas con una mano se chupaba el pulgar de la otra. Ahora, el lóbulo de la oreja de mamá era lo más seguro. Logró establecer una especie de "conexión" a partir de sus propios recursos, puesto que le era negado el vínculo total del amor materno.

Con una tenacidad desesperada, Ingrid se aferraba a las únicas partes inalterables de su madre.

La seguridad va más allá de la certeza obtenida a través de las experiencias individuales. Para que esta necesidad básica pueda ser satisfecha, el niño debe poder sentir una y otra vez el vínculo simbiótico con la madre. El mejor lugar para afianzar este vínculo es en los brazos de mamá, que consuela al niño mientras que él expresa llorando todas sus aflicciones. Esto le da al pequeño la seguridad de que es amado totalmente. De esta manera, se llena de nuevo de gusto por su madre y por sí mismo, lo cual le dará valor para emprender diversas expediciones en el mundo exterior.

Pero, desgraciadamente, Ingrid no vivió esta experiencia. Mamá había tenido un nuevo bebé –¡otra vez una niña!– y por su culpa estaba muy ocupada. Tuvo que ausentarse de nuevo por un tiempo de la escuela. Cada vez estaba más nerviosa y reaccionaba de manera cada vez más impredecible a las tentativas de Ingrid por acercarse a ella. A veces se enojaba de manera totalmente inesperada, por ejemplo, cuando Ingrid le ponía un libro de cuentos sobre el regazo. Pero otras veces era la mamá buena, como cuando Ingrid se acercaba a ella mientras estaba amamantando a la recién nacida. Estas reacciones positivas se daban siempre que los hechos correspondían al ideal que tenía Ranghild de sí misma como madre y a la imagen que estaba destinada a Markus: Ranghild, rodeada de niños; por un lado, la pequeña bebiendo de sus pechos llenos de leche y, por otro, su hija mayor jugando con ella. Pero para Ingrid éste no un era un juego inofensivo, sin importancia. Tenía que ir ganando experiencia por lo menos con partes individuales de la madre, puesto que ésta no estaba a su disposición como persona completa. Al acariciar el lóbulo de mamá o retorcer entre sus dedos uno de sus mechones, Ingrid podía estar segura, por lo menos durante un tiempo, de que tenía en sus manos a mamá y al mundo. Éste era un sentimiento de omnipotencia que, sin embargo, desaparecía una y otra vez.

El vivir la propia omnipotencia es una experiencia importante para todo niño en la fase de separación e individuación. No obstante, la omnipotencia y la impotencia deben estar equilibradas, para que el niño aprenda poco a poco a reconocer el justo medio y sepa qué puede y qué no puede o no debe hacer. Por ejemplo, si un niño pequeño le exige a su madre que cante la misma canción una y otra vez, la madre no deberá cumplir siempre esta exigencia, porque entonces sería usada sólo como un tocadiscos y será devaluada como madre. Esto tendría como consecuencia una pérdida de seguridad para el niño. Normalmente, el niño soporta bien los intensos sentimientos a que se ve sometido entre la omnipotencia y la impotencia, siempre que pueda contar con la aceptación absoluta de mamá.

La neurodermatitis ayudaba a la pequeña Ingrid. Cuando trataba de librarse de la comezón rascándose fuertemente, sabía que llegarían mamá o papá o la abuela y harían algo con ella. La abuela la sentaba en su regazo, le sostenía las manos desde atrás y prendía la televisión, no importaba la hora que fuera. Papá la cargaba y le cantaba mientras la paseaba por la recámara. Y mamá le ponía gruesos guantes y a veces la regañaba y se enojaba, pero otras veces lloraba y la consolaba con muchas palabras bonitas y le ofrecía el lóbulo de su oreja para que se tranquilizara. Este dolor autodestructivo también tenía su lado bueno, porque Ingrid podía contar con ciertas reacciones de las personas que la rodeaban y que también satisfacían su sensación de placer.

Un niño pequeño todavía no tiene una sensación clara de su propio cuerpo. La percepción consciente de las partes individuales del cuerpo surge cuando el niño las utiliza para acciones concretas. Cuando habla, percibe su boca, cuando construye o dibuja, percibe sus manos, y cuando anda en triciclo, percibe sus rodillas y las plantas de sus pies. Los sentimientos fuertes son percibidos por todo el cuerpo y por el alma como una unidad. Cuando el niño grita de coraje, tiembla su cuerpo entero, y cuando grita de alegría, su cuerpo participa saltando. Pero cuando una lesión duele, el niño percibirá sólo esa parte de su cuerpo, como si el resto no existiera.

Ingrid percibía únicamente la dolorosa lesión cuando las yemas de sus dedos tocaban su cuello o sus brazos, atacados por la neurodermatitis. El resto de su cuerpo no lo sentía en esos momentos. Parecía, incluso, que era inmune al dolor. Cuando se caía al caminar o al trepar, ni siquiera lloraba. Sólo sus muchos moretones daban testimonio de sus aventuras.

Entre los ocho y los veinticinco meses de vida el niño tiene las primeras experiencias con la separación y la individuación.[7] *Todavía no puede percibir contextos completos, sino sólo fragmentos de la realidad. Empieza a hacer una distinción cognitiva entre el "sí" y el "no", entre la "mamá buena" y la "mamá mala", entre el "niño bueno" y el "niño malo", conoce la discrepancia entre omnipotencia e impotencia. Estas experiencias básicas se dan todavía, condicionadas por las etapas de madurez, en el vínculo simbiótico con la madre. La conciencia del yo es todavía muy vaga y todavía no es transmisible mediante el lenguaje. Para que pueda comenzar esta etapa superior de la personalidad en la que el niño se percibe como un Yo individual, separado del Tú, deben haberse consolidado estas experiencias contradictorias. No obstante, todavía forma parte de este proceso un aumento de las diferencias, que son experiencias emocionalmente muy intensas. El niño se expande en su entorno con su voluntad incipiente y lucha también contra este mismo entorno. Quiere hacer lo mismo que hacen mamá o papá y se pone furioso cuando no lo logra o cuando se le prohíbe. En tales enfrentamientos se vive a sí mismo como una entidad independiente, y la otra persona representa, igualmente, otra entidad separada. Estas vivencias son a veces muy dolorosas y el niño sólo las puede soportar sin sufrir daños, si se siente amado incondicionalmente, incluso aunque haya hecho enojar terriblemente a su madre. Sólo así puede aprender que le está permitido ser él mismo, y sólo así puede ganar confianza en sí mismo y un sentido de su propio valor. Esta etapa ocurre entre el décimo octavo mes y el tercer año de vida. Popularmente se le conoce como etapa del berrinche, en la psicología del desarrollo se habla*

7. Cf. Mahler, Margaret S., *On Human Symbiosis and the Vicissitudes of Individuation,* vol. 1, *Infantile Psychosis*, International Universities Press, Inc., 1968 y Kreisman, Jerold J., Hal Straus, *I Hate You - Don't Leave Me. Understanding the Borderline Personality*, Price Stern Loan, Inc., Los Ángeles, 1989.

de la fase de reacercamiento y consolidación. Es la época en la que ocurre el nacimiento psíquico del individuo humano.

No sólo porque su neurodermatitis le ocasionaba tantas molestias, sino sobre todo porque mamá se había vuelto cada vez más irritable y su conducta menos predecible, Ingrid no se atrevía ya a enfrentar reto alguno. Renunció a la resistencia y se adaptó cada vez más a las exigencias y las prohibiciones. De por sí, no había nadie que pudiera hacer eco a su protesta. Papá hacía todo lo posible para que Ingrid no se exaltara y para que no hiciera enojar a mamá. Para él era importante mantener la paz familiar. Con la abuela era con quien Ingrid se sentía más protegida, pero tampoco a ella le gustaba el escándalo. Debido a su educación, la abuela no toleraba que se le opusiera resistencia. En cuanto Ingrid empezaba a patalear y a gritar "¡No!", la abuela le respondía claramente con una nalgada y la hacía permanecer en su habitación hasta que prometiera volver a ser obediente.

Conforme pasaba el tiempo, se reducía su valor para imponerse y afirmarse a sí misma. Antes de que Ingrid entrara al jardín de niños, mamá dio a luz a un tercer bebé. "¡Otra vez una niña, esto no puede ser!" Y Ranghild se comportó como si la niña no existiera. A ella no la amamantó y su actividad docente la interrumpió únicamente los tres meses posteriores al parto. La abuela estaba sobrecargada de trabajo con las tres niñas. Y en la casa el aire era cada vez más denso, tanto que el pobre papá casi no podía respirar. Sus ataques asmáticos se hicieron más frecuentes. "Papá, yo te ayudo con los trastos. Yo ya soy grande. Yo limpio los zapatos. Yo te cargo el portafolios, papá." Ingrid tenía la impresión de ser más grande que mamá. "Mira, mamá, así se hacen las cosas..." ¡Otra vez destellos de omnipotencia! ¡Pero qué desgracia, mamá no miraba! No le daba gusto. Como si no hubiera oído nada, la regañaba con voz irritada: "¡Otra vez se te olvidó bajarle al excusado, cochina!" ¡Qué mala es mamá! E Ingrid se rascaba y se rascaba hasta sacarse sangre. En el jardín de niños y después en la escuela, sufría por su piel tan fea. A poca gente le resultaba simpática. ¿A quién le gusta estar viendo una cara deprimida? A los doce años, Ingrid enfermó de Morbus Crohn. Afortu-nadamente, esta enfermedad intestinal fue reconocida a tiempo y curada en una clínica en la que le recetaron gran cantidad de medicinas. Sin embargo, la fuente que provocaba todas las enfermedades seguía activa: la agresividad que no era expresada al exterior se manifestaba interiormente en forma de una aguda depresión. Pero la depresión de Ingrid no era igual a otras. Sólo después de su segundo intento de suicidio un médico psicosomático reconoció el "trastorno temprano" específico. En su reporte al médico que le remitió a Ingrid escribió:

"Un trastorno de la personalidad borderline, *que puede aumentar hasta llegar al grado de psicosis, surge cuando no se da el desprendimiento de la simbiosis con la madre. Las personas que no logran completar el nacimiento psíquico están bloqueadas en la temprana fase de separación e individuación. En lugar de separarse de la madre y desarrollar su propia individuación, las experiencias de la fase de separación e individuación son conservadas de manera duradera y repetidas continuamente. Esto se manifiesta de forma típica en los síntomas de Ingrid: está en una búsqueda continua del cariño materno. Pero a la madre la busca también en los hombres o en el equipo médico completo. Esto lo hace, por un lado, asimilándose de manera simbiótica pero, por otro, sospechando que la persona de referencia tiene malas intenciones respecto de ella. La 'mamá buena' y la 'mamá mala' son su tema constante. No puede mostrar confianza en ninguna relación íntima. Ambos intentos de suicidio tuvieron la misma causa: un amor desdichado. En ambos casos, Ingrid asustó a los hombres debido a sus exigencias infantiles, con las que se estaba haciendo dependiente de ellos. Se sintie-*

ron rebasados por el miedo que tenía Ingrid de perder ese vínculo. Durante su estancia en el hospital, Ingrid logró dividir a todo el equipo médico en dos bandos. En cuanto empezó su tratamiento, Ingrid se aferró a una psicóloga y a un psicoterapeuta. Pero como inmediatamente empezó a sospechar de ellos en forma individual y siempre expresaba sus quejas de uno con el otro, no sólo para poner a prueba la relación salvadora sino, sobre todo, para consolidarla, generó una gran tensión entre ambos. Al quejarse con uno acerca del otro, se servía de la más pequeña observación que hubieran hecho el uno sobre el otro y la inflaba de tal manera debido a su miedo que alcanzaba dimensiones monstruosas. Además, pedía a cada uno desesperadamente que no dijera nada al otro. Y como se trataba de problemas que involucraban los ámbitos de competencia profesional, los dos afectados empezaron a recurrir a sus aliados en el equipo. Sólo una conversación abierta en una reunión del equipo logró sacar la verdad a la luz: Ingrid K. fue quien, sin proponérselo, había sembrado la discordia. Entre los psicoterapeutas, el hecho de que el paciente se convierta en tema frecuente de conversación de las reuniones del equipo médico es considerado como un elemento no formal, pero sí seguro, según lo muestra la experiencia, para diagnosticar un trastorno borderline.

Ingrid se maneja a sí misma a partir de un esquema maniqueo fragmentado similar. O se siente culpable, inferior, indigna de ser amada, sencillamente mala, o se siente inocente, abnegada, sencillamente buena. No obstante, Ingrid suele tender a los aspectos negativos, porque los aspectos positivos, debido a su desconfianza, casi siempre se transforman en elementos negativos, según el esquema 'Soy inocente, pero todos me atribuyen la culpa.' Por eso, Ingrid tiende a sufrir depresiones, a huir de la vida, a diferencia de otros pacientes borderline, *que suelen vivir más bien el lado agresivo. En tanto que no haya encontrado en ella misma el justo medio entre lo negativo y lo positivo, le faltará el equilibrio, la conciencia segura. Sus sentimientos preponderantes de impotencia son agitados de tanto en tanto por brotes de omnipotencia. Sobre todo después de sus intentos de suicidio se siente Ingrid omnipotente. Las dos veces intentó ahogarse, sin aviso alguno y sin testigos, una vez en el río Danubio y la otra en el mar. En ambos casos personas que pasaron casualmente la salvaron en contra de sus deseos. En ambas ocasiones su omnipotencia se puso de manifiesto en sus fantasías. Veía su sepelio: todos sus seres cercanos rodeaban su ataúd y se atormentaban con los más terribles cargos de conciencia. Mamá se derrumbaba llorando y se preguntaba '¿Por qué fui tan mala con ella?' También papá lloraba; finalmente, aunque demasiado tarde, comprendía cuánto lo había amado Ingrid y cuánto había necesitado de su protección. 'Oh, Ingrid', lloraría su compañero, 'te lastimé y ahora nunca, nunca, voy a poder resarcirte de ese daño...' Igualmente poderosa se sintió Ingrid cuando se derrumbó y quiso huir de la clínica. Una psicoterapeuta que estaba exclusivamente al cuidado de Ingrid se sentía burlada por ella. Tenía la impresión de que Ingrid le quería demostrar, con sus eternas dudas: 'no me tomas en serio, yo sé mejor que tú lo que necesito y cómo debe transcurrir la terapia'.*

La distorsionada percepción corporal, que comenzó en la infancia de Ingrid y ha continuado en su edad adulta, se expresa particularmente en fuertes vivencias afectivas. Cuando durante una terapia se le permitió expresar su agresión gritando, maldiciendo, golpeando un cojín, se puso pálida. Como si se hubiera desangrado y quedado totalmente sin fuerzas, se quejó de que no sentía los brazos y las piernas. Cuando, con la conducción de un terapeuta, con los ojos cerrados y acostada en una colchoneta, emprendió un viaje a su infancia, perdió toda orientación en el tiempo y en el espacio. No podía distinguir si se trataba de recuerdos o de la realidad, no sentía ya su cuerpo ni reaccionaba al contacto de otras personas, como si su alma la hubiera abandonado.

El contacto sexual normal la dejaba impasible. 'Podría ponerme a leer durante la relación sexual, daría lo mismo', dijo. Sólo el dolor, el dolor agudo mezclado con placer tocaba el umbral de su percepción. Cuando escuchó la palabra masoquismo se asustó terriblemente. Pero también en la cotidianidad su percepción corporal era peculiar. Así por ejemplo, con frecuencia sus percepciones de la temperatura no coincidían en lo absoluto con las condiciones externas. En habitaciones calientes padecía tanto frío, que tenía que ponerse un grueso abrigo y, por el contrario, cuando afuera helaba, salía al patio con una delgada blusa y no sentía frío. Había épocas en las que se rascaba la piel, a pesar de que la neurodermatitis había desaparecido hacía años. Se estaba castigando, explicaba ella su autoagresión, era el paso previo al suicidio."

Hasta aquí el reporte del psicoterapeuta.

Ingrid tuvo suerte de encontrar a este terapeuta. Durante sus repetidas estancias en la clínica, el terapeuta logró, mediante el análisis transaccional, que Ingrid fuera consciente de la forma en que surgió su trastorno. A veces, estaba a su disposición noche y día y la abrazaba cuando se derrumbaba, para ofrecerle un vínculo seguro, un cimiento importante para que pudiera construir su personalidad. Ingrid se volvió más realista, más segura de sí misma, más optimista. Conoció a un hombre simpático con el que sé casó y del que pronto esperó un bebé.

Con el embarazo aparecieron rastros de la antigua depresión. Como un oscuro velo, atada a fuertes dudas: "¿Me amas, Michael, o sólo estás fingiendo?" Para los dos era evidente que necesitaban ayuda para no poner en peligro su matrimonio. Acudieron a una terapeuta de contención. Cuando Michael sostenía en sus brazos a Ingrid sobre la colchoneta, para confrontarse emocionalmente con ella, estaba seguro de que ella repetiría sus súplicas de que le fuera fiel y le dedicara más tiempo. Y estaba listo para recibirlas y, a su vez, para decirle cuánto lo lastimaban sus dudas. Porque Michael estaba convencido de que hacía lo más que podía. Pero de manera sorpresiva, Ingrid expresó cosas totalmente diferentes: "Ya no aguanto más. Me voy a ir... me voy a ir... me voy a ir lejos de ti..." Y cuando vio lágrimas de desesperación en los ojos de él, Ingrid trató de calmarlo: "Ay, Michael, no tengo nada contra ti. No es tu culpa. Estoy tan terriblemente triste, desde que era niña. ¡Tengo tanto miedo! Es mejor no vivir" ¡De nuevo los pensamientos suicidas! Al final de esta confrontación, que no podía llevar a ninguna solución, los dos se prometieron, por recomendación de la terapeuta, ir al taller de constelaciones familiares con Bert Hellinger. Dadas sus muchas y frustrantes experiencias terapéuticas, Ingrid no creyó que esto fuera a ser de mucha ayuda. Sólo por amor a su hijo no nacido intentó esta última oportunidad.

En un principio, no podía creer que el primer amor de su madre tuviera tanta importancia. ¡Pero si casi nunca hablaba de este Markus! Pero, por otro lado, era cierto que nunca estuvo emocionalmente presente del todo. ¿Entonces fue a causa de su amor secreto? Pobre papá, que nunca había alcanzado el corazón de su esposa, a quien tanto quiso y a quien todavía seguía queriendo. Ingrid también comprendió que, con la partida de su madre, había sido arrastrada por el torbellino de la despedida definitiva. Si mamá se va, me voy yo también. La imagen de solución era perfectamente convincente.

Poco después de haber hecho su constelación, Ingrid escribió en su informe: "Ya durante la constelación me sentí muy aliviada. Finalmente fue evidente lo que estaba pesando tanto sobre la familia. Sentí un gran amor por mi padre y me fue dolorosamente claro cuánto había amado a mis padres en los años de mi enfermedad. En la constelación de la imagen de solución sentí mucha fuerza y alegría. Sentir a mi padre atrás de mí me fortaleció mucho. También inmediatamente después del taller me sentí fuertemente atraída hacia él. Sentí mucho amor por él, en tanto que me distancié más de mi madre."

Ocho meses después de la constelación, Ingrid informaba: "Mi relación con mi padre y con mi madre es mejor que nunca. La serie de enfermedades ha terminado. Ya no me siento responsable del bienestar de mis hermanos. La imagen de solución me sigue dando fuerzas, y también mi esposo se siente fortalecido. Sentir a mi padre atrás de mí me permite ser como soy y me da fuerzas para cuidar a mi familia."

Después de año y medio, Ingrid le escribió a su terapeuta de contención: "Hoy se fortaleció mi separación de mi familia de origen en beneficio de una clara consolidación de mi familia actual. Los tres somos felices juntos. Naturalmente, de vez en cuando surgen tensiones. Pero dentro de nuestra pequeña familia somos lo suficientemente fuertes como para vencer los conflictos por nosotros mismos. Y cuando la tensión resulta demasiado dolorosa y nos faltan las palabras, entonces hacemos lo que tú nos indicaste: mi esposo y yo nos damos contención para llorar y gritar el dolor y no nos separamos sino hasta que el amor pueda volver a fluir. Naturalmente, también contenemos a nuestro pequeño Jonathan cuando lo necesita. Lo más agradable y sorprendente es que, a sus escasos dos años de edad, parece ya poder sentir y expresar su necesidad de contención. Cuando ya no sabe qué hacer con su enojo acumulado, corre a mis brazos o a los de su papá y grita '¡Contención!" y saca entonces su rabia en el lugar adecuado. Un día que oyó llorar a un niño en el supermercado, dijo 'Niño llora, ¡contención!'"

FAMILIA ASESINA

HELLINGER *a la mujer*: ¿Cuál es tu tema?
MUJER: Vivo desde hace tres años con mi hijo, estoy separada de mi esposo. Vine aquí para saber porqué no puedo controlar mi violencia interna.
HELLINGER: ¿Golpeas a veces al niño?
MUJER: Es más que eso. Comenzó...
HELLINGER *interrumpe*: No, no quiero saberlo. ¿Cómo es tu relación con tu esposo?

La mujer calla y resulta evidente que le cuesta encontrar las palabras.

HELLINGER: ¿Qué pasó en tu familia de origen?
MUJER: Tras la muerte de mi madre, me enteré que entre mi media hermana y yo hubo también un hermano muerto, murió después de nacer. A veces, cuando veo estas constelaciones familiares, pienso que tiene que haber algo más, que tal vez tuve un gemelo o que algún hermano murió al nacer. Pero no sé si sea verdad. Me siento interiormente desgarrada y no encuentro mi lugar.
HELLINGER: ¿De quién es hija tu media hermana?
MUJER: Mi mamá tuvo un primer hombre con el que no se casó. Mi

media hermana se crió con mi abuela. Después mi mamá tuvo otro hombre, de él es el hermano muerto. Después vino mi papá. Él murió cuando yo tenía un año nueve meses, en un accidente automovilístico.
HELLINGER: ¿Cómo ocurrió el accidente?
MUJER: Después del trabajo, mi papá regresó a casa en un camión de la compañía en la que trabajaba. Entonces, el vehículo se patinó en la carretera y le prensó las piernas y el cerebelo. Así murió.

Entre tanto, ha entrado el hijo de la mujer y se sienta junto a su madre.

HELLINGER: ¿Cómo es que tu madre no se casó con el primer hombre?
MUJER: No sé. Mi mamá me dijo que él había muerto en la guerra, pero en algún momento hice cuentas y supe que eso no podía ser verdad. Mi hermana le toma a mal a mi mamá que nuca haya hablado de ello y que no le haya dicho dónde lo podía encontrar. Sólo existe una foto de él, me la enseñó mi hermana después de la muerte de mamá.
HELLINGER: ¿Quién es agresivo en el sistema?
MUJER: ¿En el sistema? ¿En la familia de origen?
HELLINGER: ¿Quién tendría que serlo?
MUJER: Siempre me pareció que mi madre era agresiva, por lo menos conmigo.
HELLINGER: ¿Quién tendría que ser agresivo? ¿Quién tendría motivo para serlo?
MUJER: Mi hermana resiente que yo me haya criado con mi madre.
HELLINGER: Este primer hombre tendría motivo para estar enojado. Entonces, haz ahora tu constelación, en orden, ya has visto cómo se hace.
HELLINGER *mientras que la mujer escoge a quienes representarán a su familia*: ¿El hermano muerto fue del segundo hombre? ¿Es seguro que sí existió ese niño?
MUJER: Sí, mi hermana me lo dijo.
HELLINGER: ¿Cómo murió?

MUJER: No lo sé, sólo sé que fue inmediatamente después de nacer.
HELLINGER: ¿Lo mataron?
MUJER: Eso no lo sé.
HELLINGER: ¿Qué te dice tu intuición, tú qué sientes?
MUJER: Mi hermana dijo que, aparentemente, mamá tampoco quería que ella viviera. Mi tía dijo que eso no era cierto. Ella es hermana de mi mamá y la única que aún vive. Pero no dice ni pío al respecto.
HELLINGER: A ver, ¿cómo está eso de que tu mamá no quería que tu hermana viviera?
MUJER: Mi hermana me contó que mi mamá quería que la tiraran a la basura.
HELLINGER: Ésta es una familia asesina.

Figura 1

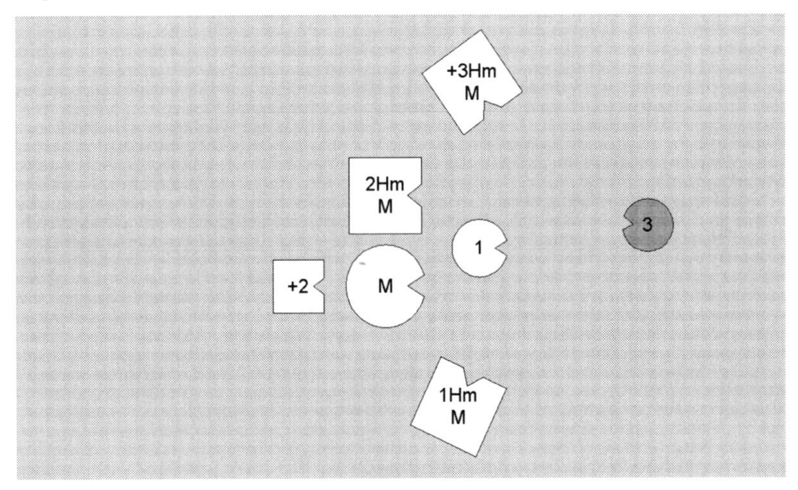

1HmM	Primer hombre de la madre, padre de 1
2HmM	Segundo hombre de la madre, padre de 2
+3HmM	Tercer hombre de la madre, padre de 3, murió en un accidente

M	Madre
1	Primera hija
+2	Segundo hijo, murió inmediatamente después de nacer
3	**Tercera hija (= la mujer)**

HELLINGER *al hermano muerto de la mujer*: ¿Cómo te sientes?
SEGUNDO HIJO †: Es muy difícil estar aquí, tengo escalofríos.
HELLINGER: Debes venir para acá.

Hellinger lo lleva con la tercera hija, la representante de la mujer.

Figura 2

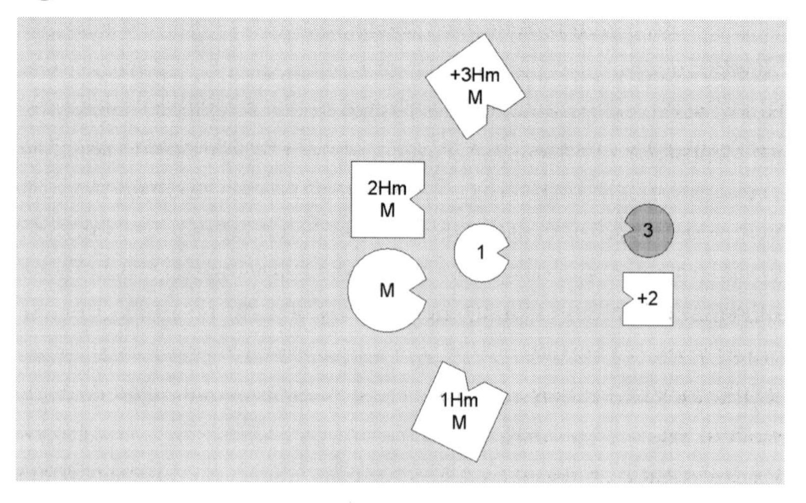

HELLINGER: ¿Cómo te sientes ahora?
SEGUNDO HIJO †: Mejor, hay espacio. Ya me estoy calentando.
HELLINGER *a la mujer*: Todos miran –me voy a atrever a decirlo– al niño asesinado. Y tú estás junto a él. ¿Tiene eso sentido para ti?
MUJER *llorando*: Sí.
HELLINGER: ¿Cómo se siente la madre?

MADRE *con la cabeza gacha*: No puedo ver hacia allá, no me interesa nada.
HELLINGER: Tienes que salir de aquí.

Figura 3

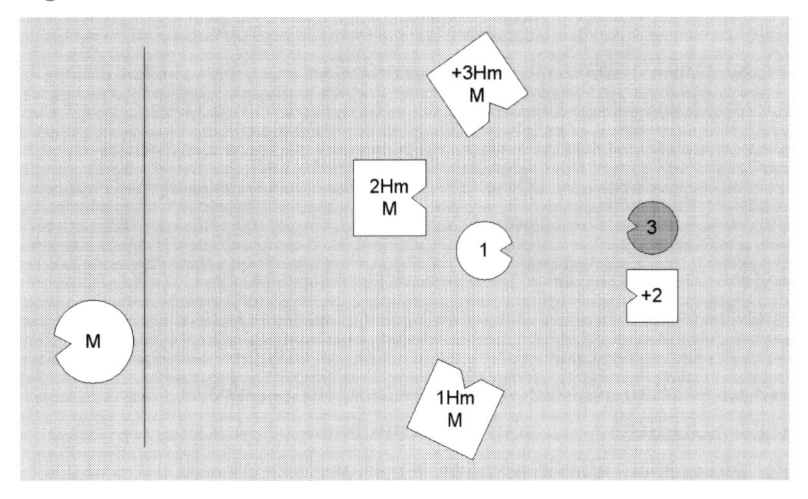

Cuando la madre va hacia la puerta y sale cerrándola, la mujer rompe en fuertes sollozos.

HELLINGER *hacia el segundo hijo:* Te voy a poner ahora en un lugar seguro.

Hellinger lo lleva con su padre y hace que se apoye con la espalda en él. También a los otros hijos los lleva con sus respectivos padres y hace que se recarguen, de espaldas, en ellos. Los padres sostienen de los hombros a sus hijos.

Figura 4

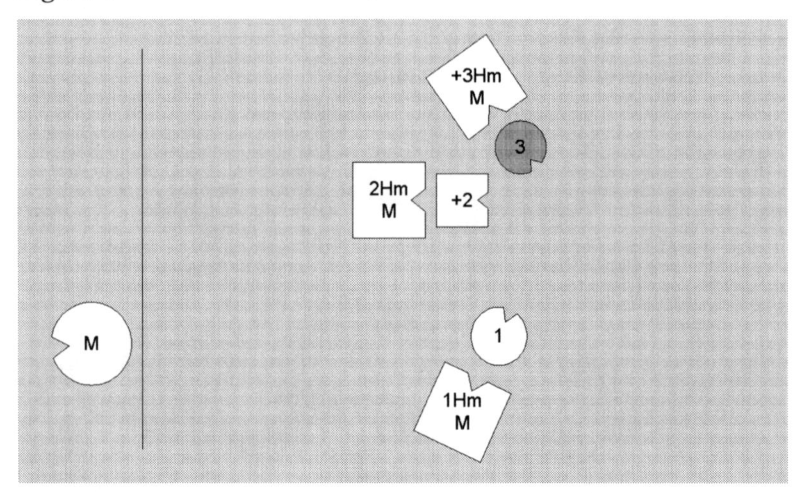

HELLINGER *al segundo hijo*: ¿Cómo te sientes ahora?

SEGUNDO HIJO †: Sí, aquí me siento bien.

PRIMERA HIJA: Puedo respirar. ¡Gracias a Dios!

PRIMER HOMBRE DE LA MADRE: Por mucho tiempo no había entendido bien quién era mi hijo, ahora lo sé con claridad. El único hombre del que sabía algo era el tercero.

SEGUNDO HOMBRE DE LA MADRE: Yo me siento muy bien.

TERCER HOMBRE DE LA MADRE † (PADRE DE LA MUJER): Finalmente me siento bien.

TERCERA HIJA (REPRESENTANTE DE LA MUJER): Yo también me siento bien ahora.

HELLINGER *a la mujer*: ¿Cómo te sientes? Empezaste a temblar.

La mujer se pone a un lado de Hellinger, quien le pasa un brazo sobre los hombros y permite que ella también lo abrace.

HELLINGER *a alguien del público*: Haz pasar a la madre.

Hellinger sostiene a la mujer, que llora, mientras la madre entra a la habitación.

Figura 5

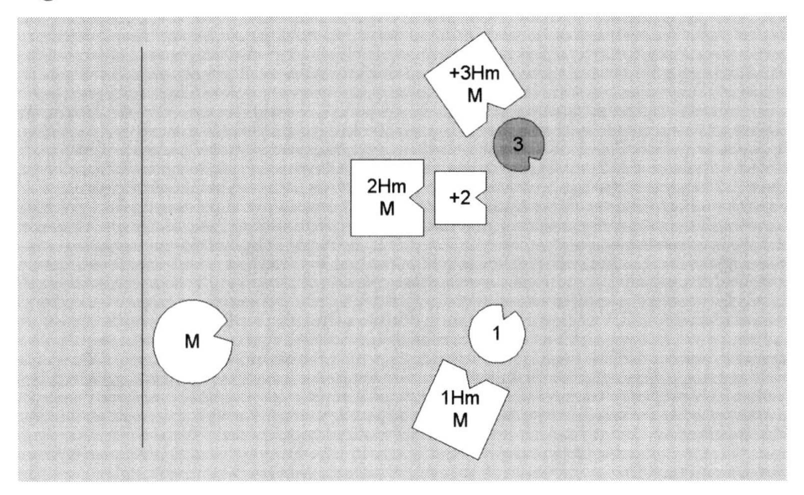

HELLINGER *a la madre*: Quédate en la puerta. ¿Cómo te sentiste?
MADRE: Muy bien.
HELLINGER *a la mujer*: Dile "Mamá, te exijo que te vayas."
MUJER: Mamá, te exijo que te vayas.
HELLINGER: "La culpa es tuya."
MUJER *sollozando fuertemente*: "La culpa es tuya."
HELLINGER: Díselo tranquilamente, sin emoción.
MUJER: La culpa es tuya.
HELLINGER. "La culpa es sólo tuya."
MUJER: La culpa es sólo tuya.

Hellinger abraza a la mujer y permite que exprese su dolor a través del llanto, hasta que vuelve a respirar con tranquilidad.

HELLINGER *a la mujer, después de un momento*: Uno se siente mejor después de que el dolor ha fluido.
A las personas en la constelación: Ahora júntense todos.

Figura 6

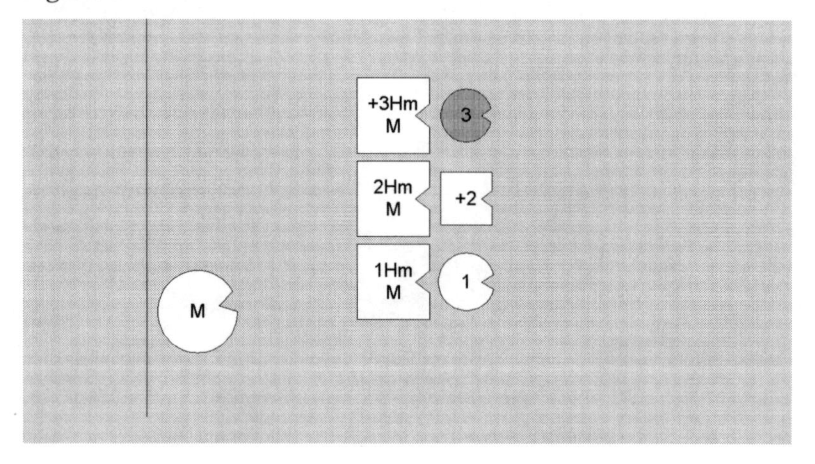

HELLINGER: Exacto. Ésa es la solución.
Al público: Donde hay un asesinato –y basándonos en las reacciones de los representantes todo parece indicar que lo hubo–, el asesino debe ser excluido. Si permanece en el sistema, alguien más asumirá en su lugar las dos cosas: crimen y expiación.
A la mujer: ¿Te queda claro? Tienes que dejar ir a tu madre.

La mujer asiente y respira profundamente.

HELLINGER: Y ahora ve a tu lugar, a donde realmente perteneces.

Hellinger conduce a la mujer con su padre y ella se recarga en él. Después la coloca frente a él. Ella se acerca mucho a su padre, quien le pone las manos sobre los hombros.

Figura 7

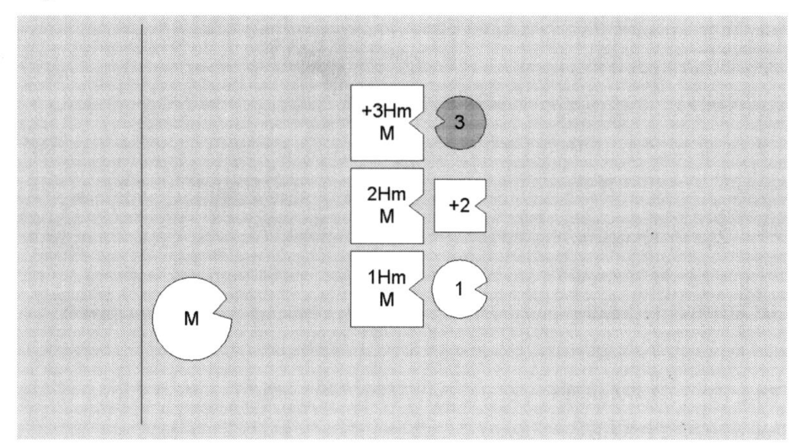

HELLINGER *a la mujer*: Dile "Querido papá, ¡si tan sólo hubieras estado!"

La mujer solloza fuertemente mientras lo abraza. Después de un momento, respira profundamente y con tranquilidad y mira a su padre.

MUJER: Querido papá, ¡si tan sólo hubieras estado!

Hellinger la coloca con la espalda hacia su padre, quien la sostiene de los hombros. Después Hellinger elige a un representante para el marido de la mujer y lo coloca frente al grupo. Al hijo de la mujer, que ha seguido todo el desarrollo, lo coloca dando la espalda al representante de su padre.

Figura 8

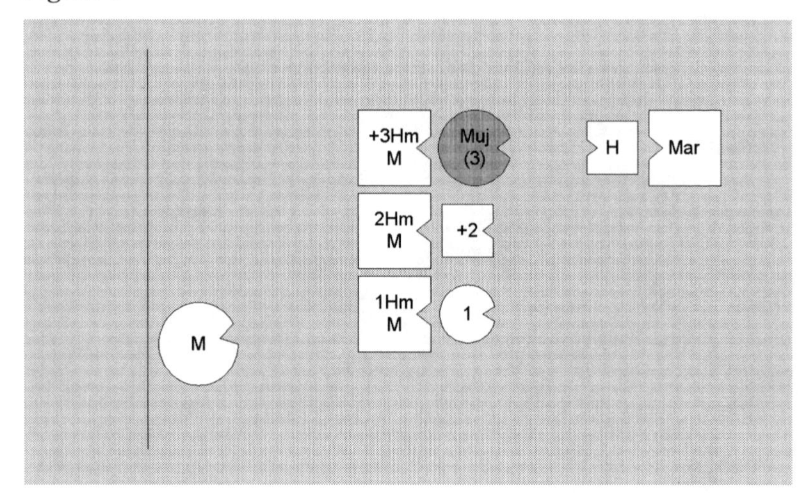

Mar	Marido
Muj	Mujer
H	Hijo

HELLINGER: ¿Quieres decirle algo a tu marido?
MUJER *en voz baja*: Que lo siento mucho.
HELLINGER: Entonces díselo, pero de manera tranquila y sencilla.
MUJER *a su esposo*: Siento mucho lo que te hice.
HELLINGER: "Te confío a nuestro hijo."
MUJER: Te confío a nuestro Niklas.
HELLINGER: "Contigo está en buenas manos."
MUJER: Contigo está en buenas manos.
HELLINGER: Y yo sigo siendo su madre.
MUJER: Y yo sigo siendo su madre.
HELLINGER: Ahora mira al niño y dile "Te confío a tu padre con amor."
MUJER: Te confío a tu padre con amor.
HELLINGER: "Ése es un buen lugar para ti."

MUJER: Ése es un buen lugar para ti.
HELLINGER: "Y yo siempre seguiré siendo tu mamá."
MUJER: Y yo siempre seguiré siendo tu mamá.
HELLINGER: "Podrás confiar en mí."
MUJER: Podrás confiar en mí.

Ahora Hellinger conduce al niño con su madre.

HELLINGER *a la mujer*: Abrázalo muy suavemente.

La mujer abraza al niño y acaricia su cabeza suavemente.

HELLINGER *después de un rato*: Bien, eso fue todo.

Inmediatamente después de la constelación, Florence pudo constatar con alegría que sus pensamientos homicidas habían desaparecido. Nunca regresaron. Desde entonces tampoco ha vuelto a golpear a su hijo Niklas. En general, su relación con él se volvió más relajada, más tranquila. Esto seguramente también tuvo que ver con el hecho de que ahora le podía confiar más a Niklas a su padre. Hasta hoy Florence no ha presentado ninguna crisis que requiriera de un tratamiento psicoterapéutico.

Si pudiera recuperar el dinero que gastó en psicoterapias durante los doce años anteriores a la constelación familiar, Florence se podría comprar una casa en Mallorca. El impulso homicida era insoportable. Y lo más terrible era que tenía que mantenerlo en el más riguroso secreto. No se lo podía confesar a nadie. Todos hubieran pensado que estaba loca y que era peligrosa. No hubiera podido admitir que tan sólo de ver algún artículo en el periódico acerca de algún loco homicida que hubiera exterminado a su propia familia, sentía: "Alguna vez tu foto va a salir también en el periódico:

Inexplicablemente, Florence D., quien hasta ese momento había llevado una vida acomodada y era dueña de una florería, mató a su hijo de seis años y a su ex marido de varias puñaladas…" ¿Qué amiga se atrevería a contratarla como niñera? ¿Qué hombre querría acostarse con ella, si supiera que desde su infancia jugaba con pensamientos asesinos? Si lo supiera el pediatra con el que llevaba a Niklas, quizá la denunciaría o, por lo menos, se encargaría de que le quitaran la patria potestad. Si el padre de Niklas supiera que tenía que luchar con el pensamiento de no matar a Niklas a golpes o de no asfixiarlo con una almohada mientras estaba dormido, inmediatamente se lo arrebataría y no le permitiría estar a solas con él. Tampoco podía solicitar ir a una psicoterapia autorizada por el seguro médico, porque habría tenido que mencionar la razón real. Probablemente habría arriesgado que la internaran en una clínica psiquiátrica. Por eso, ningún psicoterapeuta la había podido ayudar realmente. Algunos terapeutas le restaban importancia a sus pensamientos homicidas, otros experimentaban con ella, pero los resultados sólo se reflejaban en sus cuentas bancarias. El estado de Florence no cambiaba.

Pudo dejar salir por medios terapéuticos su coraje acumulado. Pudo golpear una almohada con un grueso látigo, como si ésta fuera su madre. Un terapeuta había hecho que gritara a voz en cuello todo el odio contenido hasta entonces, mientras que él la abrazaba, y estuvo ronca durante varios días. En el psicoanálisis se interpretaron sus sueños. "Usted se encuentra encerrada en un submarino. Golpea como loca contra todo lo que está a su alrededor, contra las paredes, le falta el aire, está sangrando. Es un asunto de vida o muerte, tiene que salir de ahí a como dé lugar." El psicoanalista concluyó que se trataba de un trauma ocasionado durante el parto. Esta amenaza a su vida la habría sufrido Florence en su salida del útero, al haber quedado atorada. No obstante, su existencia también habría puesto en peligro la vida de su madre. Una pelea a muerte llena de culpa y rechazo que se mantenía hasta el día de hoy y que era transferida a casi todas las relaciones afectivas cercanas. Por años el terapeuta trató de que Florence hiciera conscientes sus miedos y sus deseos de muerte, para que pudiera vencerlos. Pero todo fue en vano.

Florence realmente mató. Tenía tres abortos en su conciencia. Esta historia salió a la luz cuando Florence buscó a un orientador educacional, porque ya no podía controlar los actos de violencia. Su hijo la había atacado impetuosamente con demasiada frecuencia ya. ¿Herencia? ¿O un mal ejemplo, acaso, porque ella también lo había golpeado algunas veces? ¿Un pequeño tirano? El orientador educacional tenía preparación como terapeuta familiar y sabía algo de las relaciones sistémicas, por lo cual quería ver qué lugar ocupaba Niklas en su familia. Le pidió a Florence que se sirviera de diversos objetos para representar a su familia actual. "Pero, por favor, también todos los niños que alguna vez hayan pasado por su vientre, y todos sus padres", precisó su petición el orientador, quien tenía buena intuición. Florence tomó para cada uno de sus hijos abortados una gran pelota de gimnasia y las colocó en hilera. "¿Por qué abortó al primer niño?", preguntó el orientador. "Tenía apenas 18 años y mi amante era casado. Para mis padres hubiera sido un golpe terrible el que yo hubiera sido madre soltera. Especialmente para mi madre. Yo era todo su orgullo, quizás me hubiera matado. Siempre fue muy estricta conmigo. Que yo la mataba a ella antes de que ella me matara a mí había sido una de mis fantasías desde pequeña. Siendo niña pensé que por ello tendría que ir al infierno. Y el aborto me llevó ahí. Lo sentí como un gran pecado. Como haber asesinado a una vida no nacida. Fue terrible para mí." "¿Cómo fue el segundo embarazo?" "Entonces tenía 20 años. El hombre con el que andaba se hubiera casado conmigo, aunque quizá no de muy buena gana. Pero yo no quise, porque no hubiera terminado mi carrera. En esa época había conseguido un lugar estupendo para estudiar arquitectura del paisaje. Por eso, el niño se tuvo que ir." "¿Y el tercer embarazo?" "En realidad no sé por qué lo hice. Entonces ya estaba casada. Nada más porque sí." Como embotada... una asesina en serie... Ahí estaban las tres grandes pelotas como tres enormes pecados. Al final de la hilera, Florence colocó una angulosa silla como Niklas y, enfrente de él, otra silla angulosa para representarse a sí misma. Los tres muertos quedaban a espaldas de Niklas, como si él fuera a luchar por ellos contra su asesina.

Al ver este "campo de batalla", Florence rompió en lágrimas, lágrimas de vergüenza y arrepentimiento. El orientador educacional le dio el espacio necesario para que se desahogara. Y puesto que había aprendido mucho de Bert Hellinger en un taller sobre constelaciones familiares, le recomendó a Florence darle conscientemente un lugar en su corazón a cada uno de los niños abortados plantando para cada uno de ellos un arbolito que llevara un nombre y fuera cuidado por ella.

Florence siguió el consejo. El sitio de conmemoración permanente lo construyó en su florería. Tres siemprevivas que llevaban por nombre Joshue, David y Sarah. Mis hijos que no pudieron vivir, explicaba ella a todo cliente que preguntara por el significado del lugar conmemorativo. Incluso regresó otra vez a la iglesia, después de muchos años de haberse retirado de ella, para confesarse, lo cual le proporcionó un cierto alivio. Pero el impulso asesino no desapareció. Como una potente ola, reventaba siempre de nueva cuenta contra la orilla, arrastrando a su paso todos los soleados castillos de arena y conchas hacia las profundidades del océano.

Corrió un peligro real cuando cayó en manos de un oscuro sanador, un auténtico charlatán, quien le aconsejó hacer una terapia de contención. Este hombre, que alardeaba de estar capacitado para todas las terapias, por tanto también para la terapia de contención, destapó irresponsablemente la olla de presión del odio y la agresión que Florence había mantenido sellada hasta ese momento. Por primera vez, se atrevió a expresarle a su hijo el odio que sentía por él cuando luchaba contra ella. Fue un shock para ella conocer las dimensiones de su agresión. Si el sanador no hubiera estado vigilando, probablemente habría matado a Niklas. Así de peligroso era en ella el impulso homicida. A partir de ese momento ya no se atrevía a abrazar a su hijo por lapsos prolongados. Y si le era imposible evitar una confrontación con él, se aseguraba de que después del recíproco griterío pudiera desaparecer tras una puerta azotada con violencia, para poder mitigar su coraje viendo la televisión. Por fortuna, Niklas no permitía que su madre lo amedrentara. La furiosa contraagresión en este valiente niño era, por mucho, más fuerte que su tendencia a la temerosa huida. "¡No me vas a volver a hacer esto!", le decía a su madre. Posteriormente, auténticos terapeutas de contención le confirmaron a Florence que, dadas las circunstancias, la terapia de contención estaba contraindicada para ella.

Un orientador profesional responsable opinó que un impulso interno que parece tener efecto más allá de la propia identidad del Yo y que elude los mecanismos de control de la propia personalidad casi siempre está condicionado por un enredo sistémico. Cuando uno siente que se es ajeno a sí mismo, por así decirlo, que está parado junto a sí mismo, despierta la sospecha de que alguien del propio clan debe ser representado. Alguien a quien no se le dio su lugar en el clan. Bert Hellinger habla sobre la necesidad de revivir un destino ajeno: "La conciencia de la red familiar, como ya dijimos, se ocupa de los excluidos, de los que no son apreciados justamente, de los olvidados, de los no valorados y de los muertos. Si, por las razones que sean, se excluye a una persona que forma parte y tiene que formar parte del sistema, si se le niega el derecho a la pertenencia porque otros la menosprecian o no quieren reconocer que esta persona hizo sitio para otros, posteriores, o se niegan a apreciar lo que pueden deberle, entonces la conciencia de la red familiar se busca a un posgénito inocente que imita a aquella persona a través de la *identificación*. No lo elige, no se da cuenta y no puede defenderse, ya que esta imitación ocurre bajo la presión del sentido de compensación. Es decir, reviva una suerte ajena, la del excluido, representando de nuevo esta suerte con toda la culpa, la inocencia y la desgracia, con todos los sentimientos y con todo lo que le es propio. [...] La identificación es como una compulsión iterativa a nivel sistémico que vuelve a poner en escena y repite argumentos del pasado, pero sin darles solución, un intento posterior de nuevamente hacer justicia a una persona excluida. Un posterior se inmiscuye en los asuntos de un anterior y, aunque quiera salvarlo por amor, al mismo tiempo se trata de una arrogación. Un pospuesto no puede, más tarde, poner en orden un asunto en lugar de un antepuesto. Es imposible que se logre, ya que, de lo contrario y bajo la presión del sentido ciego de compensación, el mal no encontraría término."[8]

En la constelación se mostró al lado de quién se encontraba Florence, para quién estaba haciendo la compensación. Estaba al lado de su medio hermano, muerto en circunstancias dramáticas, muy probablemente asesinado. A él es a quien ella recordaba. Florence amaba en secreto a este medio hermano. Pero también revestía una importancia cardinal su enredo con la autora del crimen, con la madre que ambos compartían. Mientras que Florence respondiera afirmativamente a su madre a pesar de todos los argumentos en contra, mientras que se considerara a sí misma el orgullo de su madre, la única de sus hijos a quien verdaderamente amó, tendría que aceptar en su lugar ambos hechos: el crimen y la expiación. Por eso Florence se sintió toda su vida, al mismo tiempo, víctima y culpable. Nunca fue libre, porque estaba atrapada en estas dos tendencias opuestas que se compensaban mutuamente; como una mosca en una telaraña, que tiembla y se agita, que pone todas sus fuerzas para

8. Véase G. Weber (ed.), *Felicidad dual*, pp. 172-173.

liberarse de la mortal red, pero no lo logra y se pierde de una manera terrible, porque este tejido es más fuerte que ella. Esta víctima requiere de una ayuda superior. Sin un terapeuta que reconociera estos enredos sistémicos y que introdujera orden al sistema, Florence nunca habría alcanzado su liberación. La solución decisiva consistió en que la hija se desligara de la madre culpable y, por tanto, también de su culpa. "Mamá, te exijo que te vayas. La culpa es sólo tuya. Te permito irte."

Al final de la constelación, se le pregunta a Bert Hellinger en qué medida esta solución se puede considerar como definitiva. Él responde: "Un asesino siempre tiene que ser excluido del sistema. Si no, esto tendrá consecuencias atroces por generaciones enteras. Voy a contar un ejemplo, el más terrible que he conocido: Un jurista en peligro extremo de suicidarse acudió a mí y se enteró, gracias al sistema familiar, de lo siguiente: su bisabuela se casó, se embarazó de su marido y tuvo al niño. Después, conoció a otro hombre, se separó del primero y se embarazó del segundo. Después conoció a un tercer hombre, se embarazó de él y el segundo hombre murió, a los 27 años, el 31 de diciembre. Y existe la sospecha de que fue asesinado por la bisabuela y por su tercer hombre. Posteriormente, el hijo de ese segundo hombre no recibió la herencia que le correspondía, sino que otro hijo heredó la propiedad del hombre muerto. Desde entonces, por lo menos tres hombres de la familia se habían suicidado a los 27 años el 31 de diciembre. Uno de los primos del hombre que fue a verme acababa de cumplir 27 años, y el 31 de diciembre se acercaba. Como el hombre estaba consciente de ello, fue a ver a su primo, quien ya había comprado una pistola. Yo trabajé con él y alejé a la bisabuela. De este modo, las consecuencias de sus actos le fueron restituidas. Sólo después de esto puede haber paz en un sistema así. Eso es lo que pasa con los asesinos, deben ser sacados de la familia y las consecuencias de sus culpas les deben ser atribuidas a ellos. Si se es suave con los criminales, parientes inocentes tomarán su lugar. El asesino ha perdido todos sus derechos, no se debe tener ya contacto alguno con él."

¡CUREN A MI HIJA!

El horror que se oculta tras la palabra discapacidad siempre hacía que María sintiera un nudo en la garganta. Todavía no era capaz de pronunciarla, a pesar de que en los 10 años de vida de Lena cada vez más terapeutas profesionales y aun los mismos vecinos hablaban de la discapacidad de la niña. Incluso la casa-hogar en la que Lena vivía entre semana y en la que asistía a una escuela especial, debido a sus muy graves problemas de aprendizaje, era oficialmente una institución para discapacitados. En la solicitud para asistir a al taller, María respondió a la pregunta sobre la problemática que se deseaba tratar escribiendo una breve y confusa relación de los diagnósticos hechos a Lena, como "trastornos de conducta extremos, trastornos de la percepción, bloqueo afectivo y cognitivo del desarrollo de la personalidad, síndrome psíquico orgánico-cerebral". Tales diagnósticos todavía no provocaban la alerta máxima del miedo. Todavía se podía pretender que no se trataba de algo definitivo: ese bloqueo tan terrible aún podría desaparecer si se le descubriera y se le eliminara con terapia...

HELLINGER: ¿Qué van a tratar?
MUJER: El tema principal es nuestra hija Lena. Es muy rara y de un

trato tan difícil que el año pasado el médico dijo que debíamos internarla en una institución especializada.

HELLINGER: ¿Cuál es la rareza?

MUJER: Es un espectro muy amplio. Comenzó con retrasos en su desarrollo. Es prácticamente imposible educarla y no reacciona conmigo como estaba yo acostumbrada a que lo hicieran mis otros hijos.

HELLINGER: ¿Qué numero de hija es?

MUJER: La tercera.

HELLINGER: ¿Pasó algo en su nacimiento?

MUJER: Fue por cesárea, igual que los otros. Hemos buscado mucho las posibles causas. Hay algunas cosas que podrían considerarse. Por ejemplo, durante el embarazo tuve contracciones desde el quinto mes. Durante el nacimiento en sí no pasó nada. Tuvo ictericia de recién nacida y una lesión cardíaca. La tuvimos que internar inmediatamente en el hospital pediátrico. Desde el principio hubo suficientes sobresaltos, se hablaba de una operación de corazón. Después, en contra de la voluntad de los médicos me la volví a llevar conmigo, porque tuve que guardar cama por más tiempo. Ellos querían que se quedara en el hospital pediátrico, por la ictericia. Cuando a las dos nos dieron de alta siguieron los problemas en casa, porque no podía tragar bien, hasta que nos dimos cuenta que era por el chupón de la mamila. Después, vino el siguiente sobresalto, porque la enfermera había dicho que si no aumentaba de peso tendríamos que volver a internarla en el hospital. Y no estaba aumentando de peso, hasta que descubrimos que era la báscula la que no funcionaba. Meros incidentes tontos, pero a mí me parecieron señales de que algo no andaba bien con la niña. Yo tenía miedo de que pudiera morir o de que algo le pasara, sin que hubiera una causa concreta para ello.

HELLINGER: ¿Cuántos años tiene ahora?

MUJER: Diez años.

HELLINGER: ¿Cuántos hijos tienes en total?

MUJER: Tres. Antes de Lena tuve un aborto espontáneo.
HELLINGER: ¿En qué mes?
MUJER: Exactamente a las doce semanas.
HELLINGER: ¿Hubo algún niño que hubiera nacido muerto?
MUJER: ¿Mío? No.
HELLINGER: ¿Tu esposo o tú tuvieron alguna relación anterior estable?
MUJER: No, nos conocimos muy jóvenes.
HELLINGER: Vamos a constelar ahora el sistema actual, es decir, tú, tu esposo y tus tres hijos.

Figura 1a

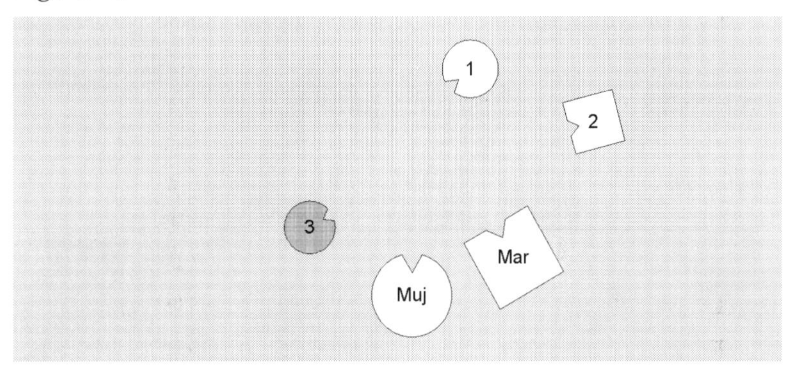

Mar	Marido
Muj	Mujer
1	Primera hija
2	Segundo hijo
3	**Tercera hija (Lena)**

HELLINGER: ¿Cómo se siente el esposo?
REPRESENTANTE DEL MARIDO: Me quiero ir. Ellos no me interesan.
REPRESENTANTE DE LA MUJER: Yo tampoco me siento bien. Me gustaría colocarme entre mi hijo y mi primera hija.

HELLINGER: ¿Cómo se siente la primera hija?
PRIMERA HIJA: Veo todo desde lejos y no me preocupa lo que pasa.
HELLINGER: ¿Cómo se siente el hijo?
SEGUNDO HIJO: Estoy muy alterado. El corazón me late muy fuertemente, pero por lo demás no me interesa mucho lo que pasa, estoy vuelto hacía mí mismo.
HELLINGER: ¿Cómo se siente la menor?
TERCERA HIJA (REPRESENTANTE DE LENA): Me siento como electrificada. Tengo taquicardia y siento las piernas como inquietas.
HELLINGER *al público*: Esto es lo que siente la verdadera Lena.

Lena camina sin parar de aquí para allá, intranquila.

HELLINGER *al marido*: ¿Tú cómo harías la constelación?

Figura 1b

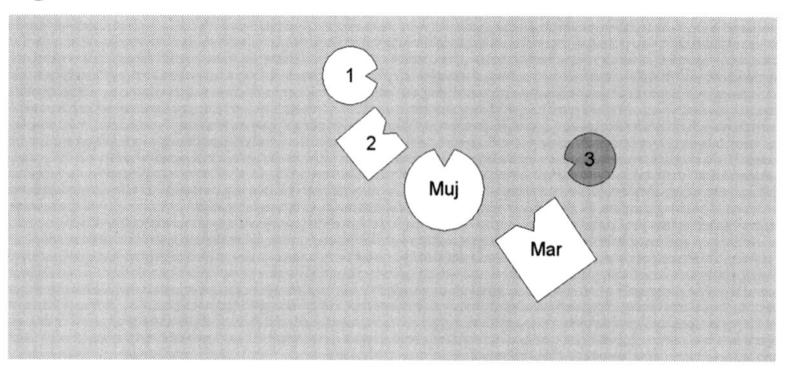

HELLINGER *a los representantes*: ¿Cambió algo?
REPRESENTANTE DEL MARIDO: Me siento todavía más alterado y me quiero ir.
REPRESENTANTE DE LA MUJER: No me siento a gusto aquí. Todavía me quiero ir.

PRIMERA HIJA: Así me siento mejor, porque todos están juntos.

SEGUNDO HIJO: Me siento más seguro, tengo una relación muy estrecha con mi hermana mayor.

TERCERA HIJA (REPRESENTANTE DE LENA): Me siento igual, sólo que ahora además estoy muy triste.

HELLINGER *al marido*: ¿Qué pasó en tu familia de origen?

MARIDO: Mi mamá tuvo una hija que nació muerta y mis otros dos hermanos también murieron.

HELLINGER: ¿Tú qué número de hermano eres?

MARIDO: Soy el tercero.

HELLINGER: ¿Qué fue lo que pasó?

MARIDO: Mi hermana mayor nació muerta. El hermano que le sigue se quemó con café y murió después de tétanos. Mi hermana menor se cayó en una cubeta y se ahogó.

HELLINGER: Eso es tremendo. Vamos a constelar ahora a los tres muertos, la hermana mayor, el hermano que sigue y la hermana menor. *Al público*: Por lo que hemos visto hasta ahora, podemos partir de que la alteración en Lena tiene también causas sistémicas. Ella siente todo esto con gran precisión y tiene una función específica dentro de esa dinámica.

Figura 2

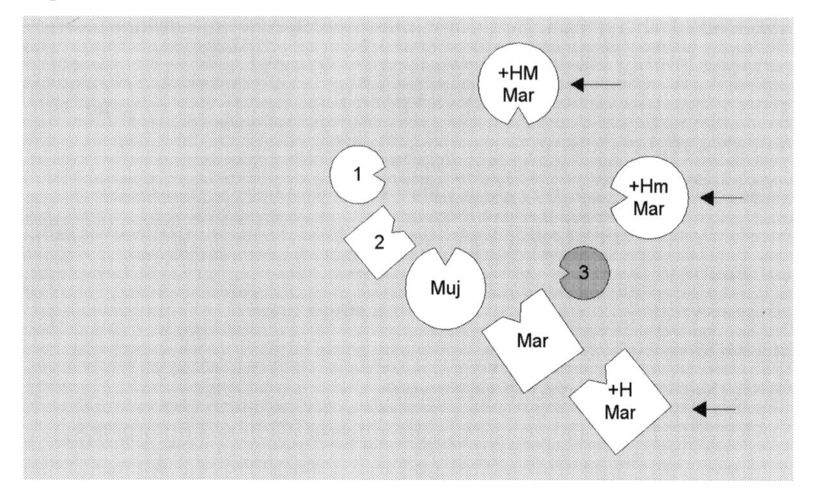

+HMMar	Hermana mayor del marido, nació muerta
+HMar	Hermano del marido, murió de tétanos
+HmMar	Hermana menor del marido, murió ahogada

HELLINGER *al representante del marido*: ¿Qué cambió?
REPRESENTANTE DEL MARIDO: Quiero ir con ellos. No me puedo desprender de la mirada de mi hermana mayor y quiero caer junto a mi hermano. *Se deja caer en dirección al hermano.*
HELLINGER *a la tercera hija*: ¿Y tú cómo te sientes?
TERCERA HIJA (REPRESENTANTE DE LENA): Estoy más tranquila y empecé a calentarme. Pero del lado izquierdo aún me siento inquieta.
HELLINGER *al público*: El padre quiere ir con sus hermanos muertos. *Al marido*: ¿Has tenido algún intento de suicidio?
MARIDO: No.
HELLINGER: ¿Has pensado en ello?
MARIDO: No. Bueno, quizá cuando estaba en la pubertad, pero nunca más desde esa época.

HELLINGER *al público*: Esta imagen nos dice algo más acerca de lo que está pasando aquí. Él quiere salir. Voy a hacer un experimento. *Al representante del marido*: Sal de la habitación y cierra la puerta tras de ti.

Figura 3

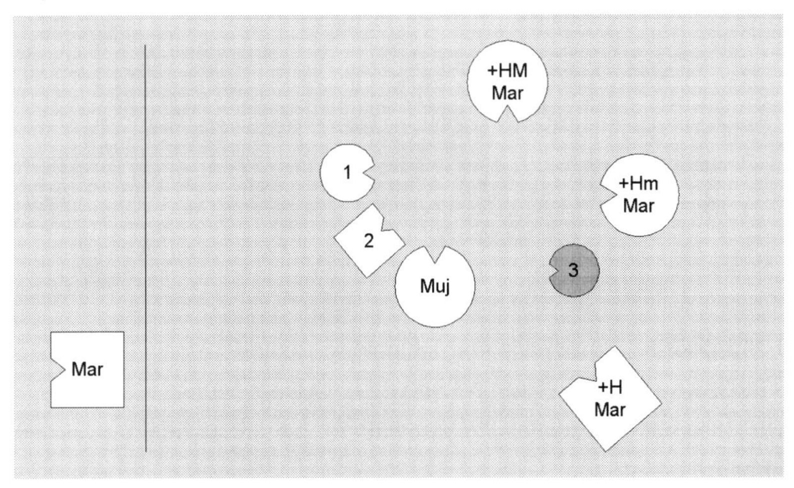

HELLINGER *a la tercera hija*: ¿Cambió algo?
TERCERA HIJA (REPRESENTANTE DE LENA): Estoy un poco más tranquila, pero siento como si todavía no acabara de llegar.
HELLINGER *a la representante de la mujer*: ¿Estás mejor o peor?
REPRESENTANTE DE LA MUJER: Un poco mejor. Ya no tiemblo tanto, pero todavía me siento intranquila, como si no tuviera piernas.
SEGUNDO HIJO: Yo me siento más inquieto, sobre todo en las piernas.
PRIMERA HIJA: Tengo la sensación de que se han formado dos bandos. Ya no es un grupo, falta el eslabón que los une.

Hellinger coloca a los hermanos a la izquierda de la madre, por orden de edad.

Figura 4

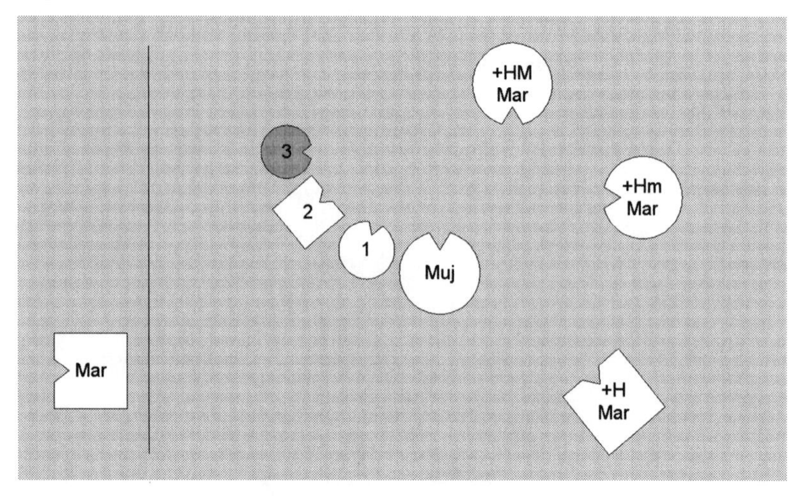

HELLINGER *a la tercera hija*: ¿Cómo te sientes?
TERCERA HIJA (REPRESENTANTE DE LENA): Mejor.
HELLINGER *dirigiéndose al matrimonio*: La tercera hija impide que el padre muera.

Silencio. Ambos miran interrogativamente.

HELLINGER *al hombre*: ¿Esto tiene sentido para ti?
MARIDO *encoge los hombros y niega con la cabeza*: Pues en principio, no. En realidad, soy una persona positiva. No soy depresivo, ni nada.
HELLINGER: Vi tu rostro, me diste la señal.
MARIDO: ¿Sí?
HELLINGER: Asentiste ligeramente cuando lo dije.
A la mujer: ¿Tiene sentido para ti?
MUJER: Para mí, sí. Ahora entiendo mejor cosas que antes no había comprendido bien. No está del todo presente, siempre tengo que decirle las cosas: piensa en esto, haz lo otro. Olvida cosas importan-

tes, muy importantes, para la familia. Eso me asusta. Siempre quiere irse. Eso de que quiera morir no tiene tanto sentido para mí, directamente. Pero su conducta sí podría ser una cierta fase previa.
Dirigiéndose a su esposo: Me vas a perdonar que diga esto aquí, pero bebe demasiado. Se embriaga con frecuencia, con demasiada frecuencia.
HELLINGER: Todo apunta en esa dirección.
A alguien del público: Tráelo de regreso.

Figura 5

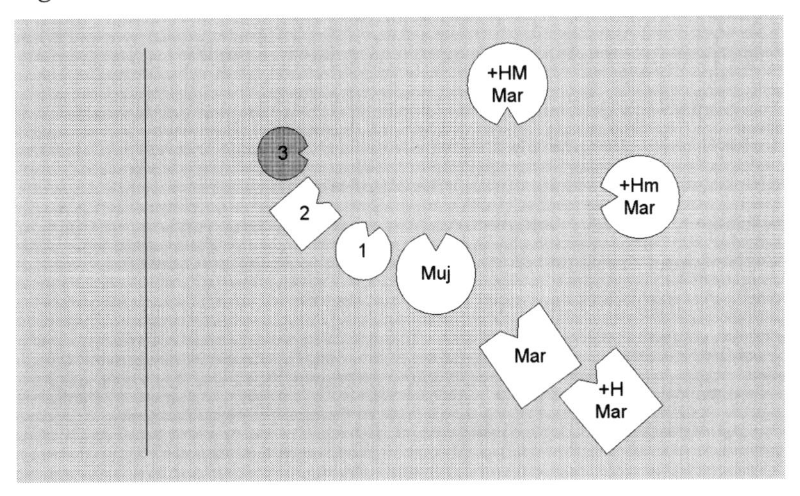

HELLINGER *al representante del marido*: ¿Cómo te sentiste afuera?
REPRESENTANTE DEL MARIDO: Bien.
HELLINGER *al público*: Precisamente, quiere morir.
Al hombre: ¿Qué pasó con tu padre?
MARIDO: Mi padre murió hace tres años.
MUJER *en voz queda*: Ay, Dios mío...
HELLINGER: ¿Qué quiere decir ese "Ay, Dios mío"?
MUJER: Voy a decirlo brutalmente: estoy contenta de que haya

muerto. Fue un gran alivio. Tenemos tantas preocupaciones y problemas y con él yo siempre tenía miedo de que fuera a ocasionar todavía más problemas. No era un buen ejemplo para mi esposo.
HELLINGER: ¿Y eso qué quiere decir?
MUJER: Creo que algunas conductas que me ocasionan problemas con él las aprendió de su padre. Como el estar fuera de sí o la ira.
HELLINGER *al hombre*: Tu padre es el despreciado en la familia. ¿Tú también lo desprecias?
MARIDO: No se puede decir eso. Cuando murió estuve realmente triste y pensé que, en principio, podría haber disfrutado más de su vejez, siendo que también tuvo una vida difícil.
HELLINGER: ¿Qué quieres decir con vida difícil?
MARIDO: El destierro, la guerra. Nunca asimiló bien lo que pasó en la guerra, fue nazi hasta el fin.
HELLINGER: ¿Estuvo en alguna organización nazi?
MARIDO: Estuvo en el partido nacionalsocialista, pero no en la SS, SA o alguna cosa así, sólo en las fuerzas armadas.
HELLINGER: ¿No tuvo un puesto oficial?
MARIDO: No.
HELLINGER *al marido*: Te voy a colocar de una vez en tu lugar en la constelación. Ven para acá.

Hellinger cambia las posiciones de la familia. A los hermanos del marido los coloca por orden de edad, a la derecha de él.

Figura 6

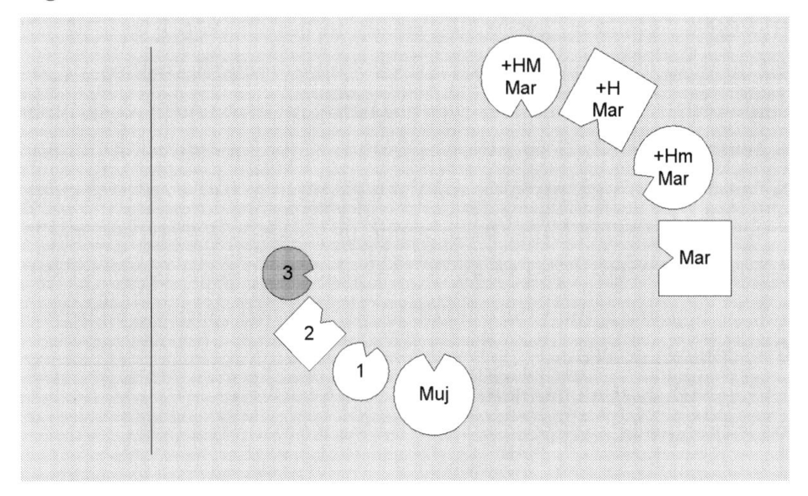

HELLINGER *al marido*: ¿Cómo te sientes?
MARIDO: Debo decir que no me siento mejor o peor que antes.
HELLINGER *al público*: Voy a tener que volver a tomar al representante, esto me resulta muy inseguro.
Al marido: Después te vuelvo a colocar a ti en la constelación.

Hellinger hace que el representante regrese a la constelación y que se coloque junto a la mujer y desde ahí se dirija hacia sus hermanos.

HELLINGER: ¿Cómo te sientes ahí?
REPRESENTANTE DEL MARIDO: Bastante bien. Me quiero recargar.
HELLINGER *a la hermana mayor del hombre*: ¿Cómo te sientes?
HERMANA MAYOR DEL MARIDO †: Bien
HERMANO DEL MARIDO †: Bien.
HERMANA MENOR DEL MARIDO †: Ahora me siento mejor.
HELLINGER *a la representante de la mujer*: ¿Cómo te sientes ahora, con él en ese lugar?

REPRESENTANTE DE LA MUJER: Mal, muy mal.

HELLINGER *a la mujer*: ¿Qué pasó en tu familia de origen?

MUJER: También hay algunos lastres. Fuimos ocho hermanos, de los cuales cuatro están sanos. Mi quinto hermano tuvo una psicosis en la pubertad. Mi sexta hermana se enfermó psíquicamente a los 14 años de edad, tuvo una psicosis maníaco-depresiva. Todavía hoy sigue enferma, tiene que tomar medicamentos y existe el riesgo de que la psicosis se reactive. Mi séptima y mi octava hermana fueron gemelas. La séptima tiene síndrome de Down y la octava murió a las cuatro semanas de edad.

HELLINGER: ¿Qué número de hija eres?

MUJER: Soy la cuarta.

Mientras que la madre habla, Lena está muy inquieta, y la tira de la mano para que se levante.

HELLINGER *a la mujer*: Constela a todos estos muertos y enfermos. Elige representantes para ellos.

La mujer elige representantes para sus hermanos menores. Hellinger cambia la posición de la familia.

Figura 7

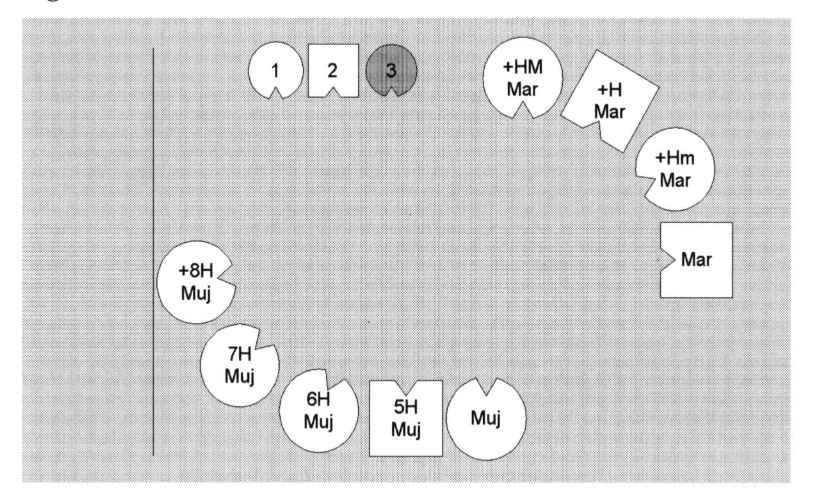

5HoMuj	Quinto hermano de la mujer, sufrió una psicosis
6HaMu	Sexta hermana de la mujer, maníaco-depresiva
7HaMuj	Séptima hermana de la mujer, gemela, con síndrome de Down
8HaMuj	Octava hermana de la mujer, gemela, murió al mes de edad

HELLINGER *a la representante de la mujer*: ¿Cómo te sientes ahora?
REPRESENTANTE DE LA MUJER: Siento una gran añoranza por mi hija menor.

Hellinger coloca a la mujer a la izquierda de su hermana menor.

Figura 8

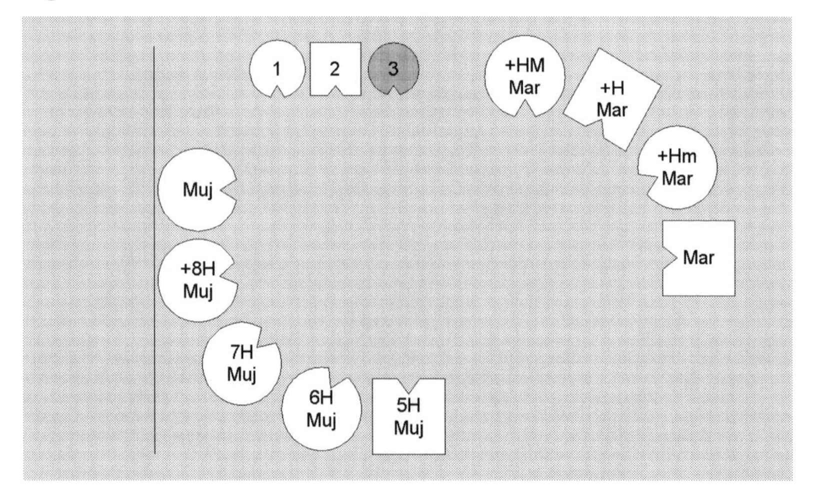

HELLINGER: ¿Qué tal te sientes así?
MUJER: Mejor, siento otra vez las piernas y me estoy tranquilizando.
HELLINGER *a la hija mayor*: ¿Cómo te sientes?
PRIMERA HIJA: Ahora siento yo en las piernas el hormigueo del que se libró mi madre. No me siento bien.
SEGUNDO HIJO: Ahora las cosas son más claras, pero estoy muy triste.
TERCERA HIJA (REPRESENTANTE DE LENA): También estoy muy triste y me siento vacilante.
HELLINGER *a la tercera hija*: Te voy a colocar de espaldas frente a los diferentes hermanos de tu madre. Quiero que me digas dónde te sientes mejor.

Hellinger lleva a la tercera hija con el quinto hermano de la madre, hace que apoye la espalda en él y observa su reacción. Después la lleva con la sexta hermana. Ahí, la representante de Lena rompe en llanto repentinamente. También con la séptima y la octava hermanas es evidente cuán conmovida está.

HELLINGER: ¿Dónde fue más fuerte el sentimiento?
TERCERA HIJA (REPRESENTANTE DE LENA) *señalando a la sexta hermana de la madre*: Ahí tuve el sentimiento más fuerte. Con la séptima hermana sentí tranquilidad, con la octava, más fuerza.
HELLINGER: Vuelve a tomar tu lugar en la constelación.
Al representante del marido: ¿Ha cambiado algo en la forma en que te sientes?
MARIDO: Siento un fuerte hormigueo en todo el cuerpo y estoy confundido. Me sentí muy atraído hacia mi hija menor, pero esa sensación cedió ante la confusión.

Hellinger conduce a la tercera hija también con los hermanos muertos del padre y la hace expresar lo que siente. Con los dos mayores siente tranquilidad, con la hermana menor siente como un cosquilleo en el cuello. Pero sigue siendo más fuerte el efecto que experimentó con la hermana de la madre. Después, Hellinger reacomoda a la familia.

Figura 9

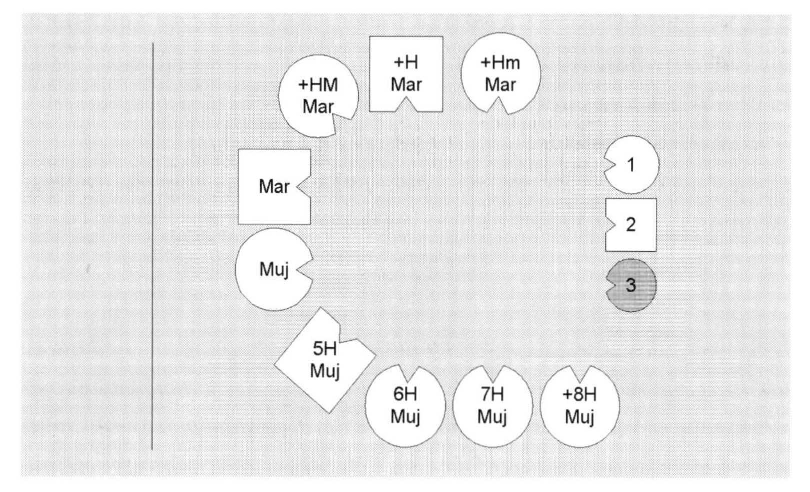

Hellinger hace que la representante de la mujer tome a la representante de Lena por la mano y que ambas se inclinen antes los hermanos enfermos.

HELLINGER *a la representante de la mujer, después de que se ha inclinado frente a su sexta hermana*: Dile a esta hermana: "Por favor, mira con ojos amorosos si ella está sana."
REPRESENTANTE DE LA MUJER: Por favor, mira con ojos amorosos si ella está sana.

Mientras que su madre dice esto, la representante de Lena está muy conmovida y llora.

HELLINGER *a la tercera hija*: Dile: "Por favor, mírame con ojos amorosos si me quedo con mi mamá.
TERCERA HIJA (REPRESENTANTE DE LENA) *llorando*: Por favor, mírame con ojos amorosos si me quedo con mi mamá.
HELLINGER *a la sexta hermana de la mujer*: ¿Cómo se siente esto?
SEXTA HERMANA DE LA MUJER: Tengo la sensación de que tendría que enviarle muchísimo amor.
HELLINGER *a la tercera hija*: Ve con ella.
A la sexta hermana de la mujer: Abrázala muy fuerte.
HELLINGER *después de un rato, a la tercera hija*: Retrocede. ¿Cómo te sientes ahora?
TERCERA HIJA (REPRESENTANTE DE LENA): Mejor.

Hellinger hace que las representantes de la madre y de la hija se inclinen también frente a la séptima y la octava hermanas. Cuando la verdadera Lena se acerca, Hellinger le dice que acompañe a su representante y que se incline con ella. Antes de cada inclinación, Hellinger le explica de quién se trata. Por ejemplo: "Ésta es la her-

mana enferma de tu mamá, fue gemela" y "Ésta es la gemela muerta". Después le dice a Lena que también puede inclinarse ante la sexta hermana de su mamá. Las representantes de la madre y de Lena la toman de la mano entre ellas y se inclinan con ella ante esta tía. Después, Hellinger hace que las representantes y la niña se vuelvan a acercar a ella. Mientras tanto, Lena está tranquila y concentrada.

HELLINGER *a Lena*: Ve con ella, si quieres.

Lena va con su tía y deja que la abrace.

HELLINGER *a Lena*: Dile "Querida tía".
LENA: Querida tía.

Las representantes de la madre y de Lena regresan a sus lugares. Lena se sienta junto a sus padres.

HELLINGER *a los representantes de los hijos de la pareja*: ¿Cómo se sienten ahora?
PRIMERA HIJA: Todo esto me entristeció, pero ahora estoy más tranquila.
SEGUNDO HIJO: Sentí mucho calor. Ahora podría llorar, pero más bien de alivio.
TERCERA HIJA (REPRESENTANTE DE LENA): Yo también me siento mejor. Estoy más presente y más despierta.
HELLINGER *al representante del marido*: Ahora toma tú a tu hija de la mano e inclínate con ella frente a tus hermanos muertos.

El representante del marido se inclina con su tercera hija frente a sus hermanos muertos. Cuando se inclina frente a su hermano, se conmueve mucho.

HELLINGER: Dile: "Por favor, mira con ojos amorosos si me quedo."
REPRESENTANTE DEL MARIDO: Por favor, mira con ojos amorosos si me quedo.
HELLINGER: "Con mi esposa y con mis hijos."
REPRESENTANTE DEL MARIDO: Con mi esposa y con mis hijos.
HERMANO DEL MARIDO †: Sí, lo haré.
HELLINGER *después de que se han inclinado frente a la hermana menor, al representante del marido*: ¿Cómo te sientes?
REPRESENTANTE DEL MARIDO: Estoy contento.
TERCERA HIJA (REPRESENTANTE DE LENA): Se siente bien.

Hellinger manda a sus lugares a los representantes del marido y de Lena. Después elige a un representante para el padre del marido y lo coloca atrás de él. Mientras, Lena se dirige obstinadamente hacia fuera. Pareciera que lo más importante ya hubiera terminado para ella.

Figura 10

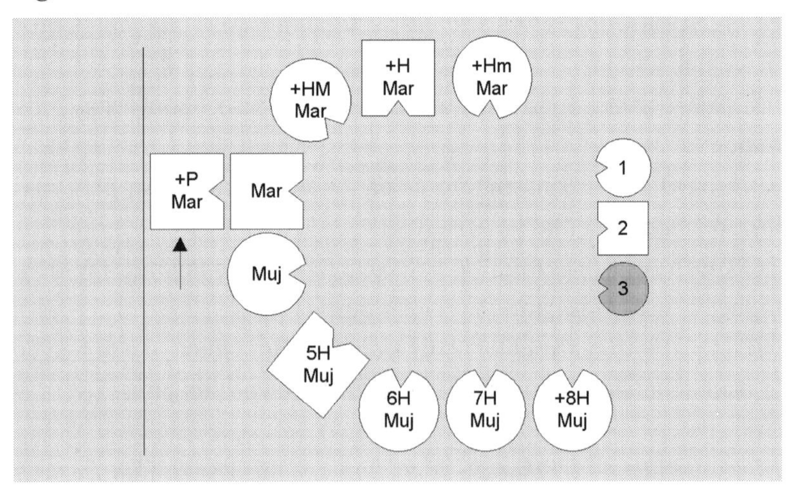

+PMar Padre del marido, murió hace poco

HELLINGER *al representante del marido*: ¿Qué tal te sientes?
REPRESENTANTE DEL MARIDO: Bien.
HELLINGER *a la representante de la mujer*: ¿Y tú, cómo te sientes?
REPRESENTANTE DE LA MUJER: También bien.
HELLINGER *al matrimonio*: ¿Qué dicen al respecto?
MARIDO: No puedo decir nada.
HELLINGER: Veo que estás conmovido. Eso es bueno, eso sana.
A la mujer: ¿Tú cómo te sientes?
MUJER: Estoy emocionada, como si algo se hubiera puesto en movimiento y pudiera albergar esperanzas.
HELLINGER *a ambos*: Colóquense en sus lugares.

Ambos toman su lugar en la constelación. Después, Hellinger hace que el marido se coloque frente a su padre.

Figura 11

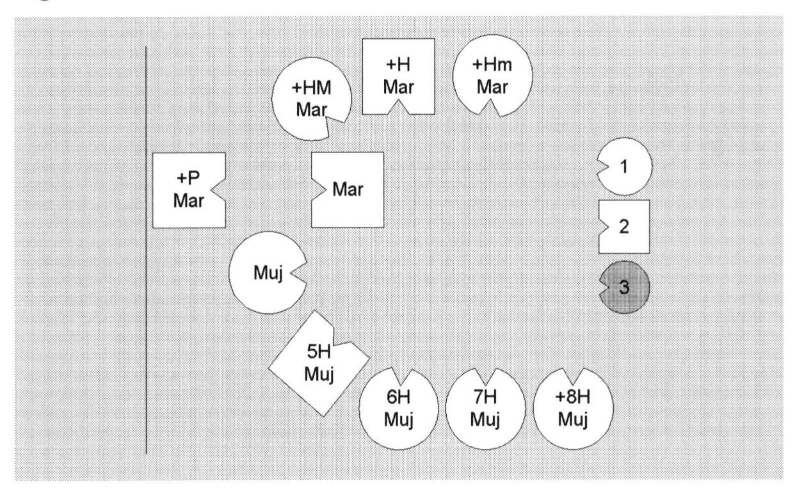

HELLINGER *al marido*: Dile a tu padre: "Te concedo el honor que te mereces."

MARIDO: Te concedo el honor que te mereces.
HELLINGER: "Tú eres mi padre y yo soy tu hijo."
MARIDO: Tú eres mi padre y yo soy tu hijo.
HELLINGER: ¿Qué tal se siente el padre con esto?
PADRE DEL MARIDO †: Bien.

El marido retoma su lugar, con la espalda hacia su padre. Ahora Hellinger hace que la mujer vaya frente a sus hermanos.

Figura 12

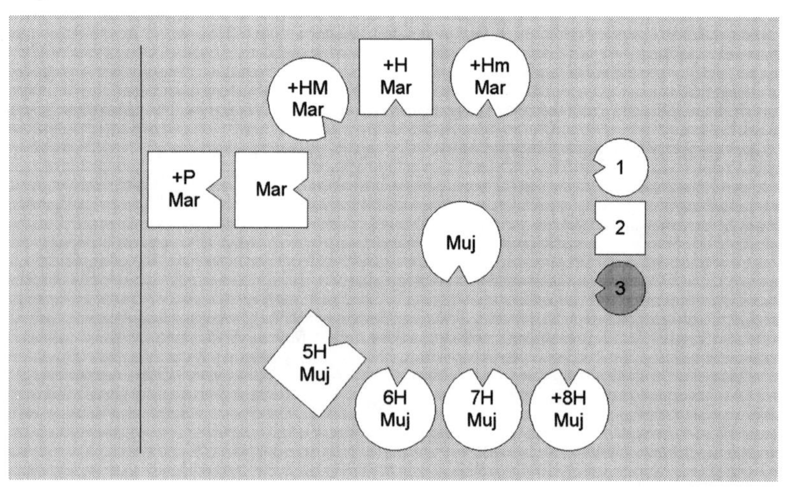

HELLINGER *a la mujer*: Míralos a todos y diles: "Yo soy su hermana mayor."
MUJER: Yo soy su hermana mayor.
HELLINGER: "Por favor, miren con ojos amorosos si les va bien a mis hijos."
MUJER: Por favor, miren con ojos amorosos si les va bien a mis hijos.
HELLINGER: "Y si me quedo con mi esposo y con mis hijos."
MUJER: Y si me quedo con mi esposo y con mis hijos.

HELLINGER *a la mujer*: ¿Cómo te sientes con esto?
MUJER: Me resulta particularmente importante con mi hermano. Él tiene una relación especial con mis hijos.
HELLINGER: Diles: "Miren con ojos amorosos a mis hijos."
MUJER: Miren con ojos amorosos a mis hijos.
HELLINGER: "Para que les vaya bien."
MUJER. Para que les vaya bien.
HELLINGER: "Los respeto como mis hermanos, cualquiera que haya sido su destino."
MUJER. Los respeto como mis hermanos, cualquiera que haya sido su destino.
HELLINGER: Ahora regresa a tu lugar.

Figura 13

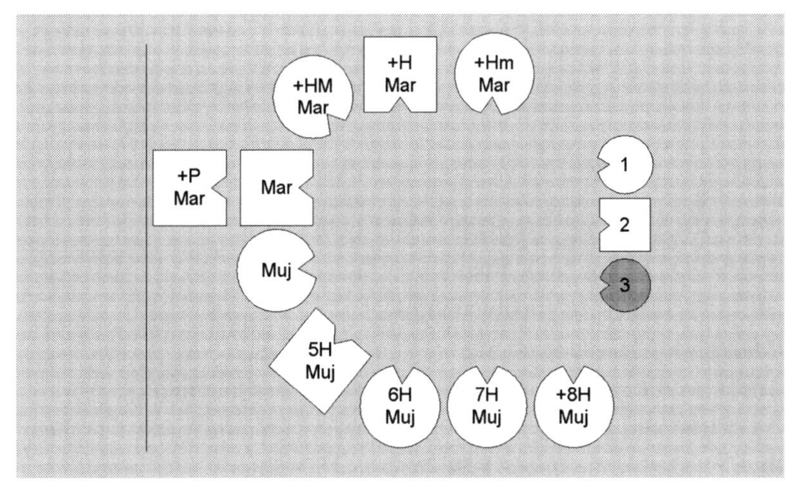

HELLINGER *a la tercera hija*: ¿Cómo te sientes?
TERCERA HIJA (REPRESENTANTE DE LENA): Mejor. Me doy cuenta de que el abuelo también es importante.

Hellinger conduce a la representante de Lena con sus padres y hace que recargue la espalda en ellos. Ambos padres la toman suavemente de los hombros.

Figura 14

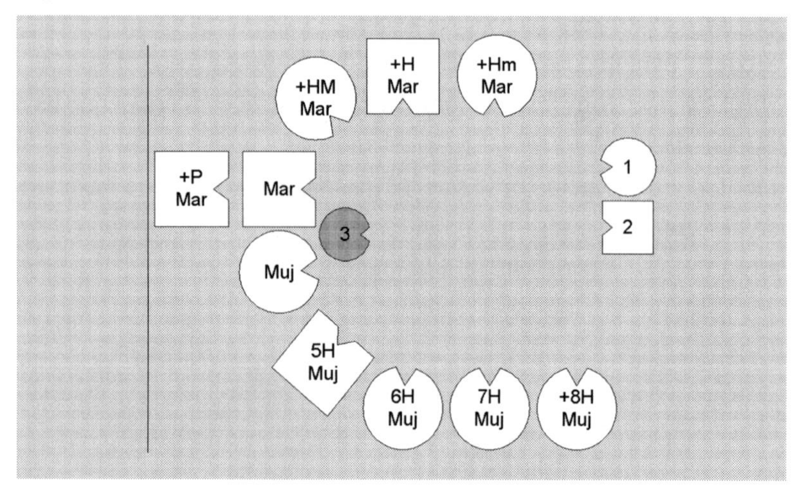

HELLINGER *al marido*: Dile: “Yo soy tu padre.”
MARIDO: Yo soy tu padre.
HELLINGER: “Me quedo contigo.”
MARIDO: Me quedo contigo.
HELLINGER: “Y me alegrará que tú te quedes también.”
MARIDO *muy conmovido*: Y me alegrará que tú te quedes también.
HELLINGER *a la mujer*: Dile: “Yo soy tu madre.”
MUJER: Yo soy tu madre.
HELLINGER: “Me quedo contigo.”
MUJER: Me quedo contigo.
HELLINGER: “Y me alegrará que tú te quedes también.”
MUJER: Y me alegrará que tú te quedes también.

HELLINGER: “Mi hija querida.”
MUJER: Mi hija querida.
HELLINGER: Ahora, abrázala fuerte.

La mujer toma a la representante de Lena en brazos. Ambas lloran y están profundamente conmovidas. También el hombre llora.

HELLINGER *después de un rato, a la representante de Lena*: ¿Cómo te sientes?
TERCERA HIJA (REPRESENTANTE DE LENA): Bien.
HELLINGER: Ahora, colócate de nuevo junto a tus hermanos.

Figura 15

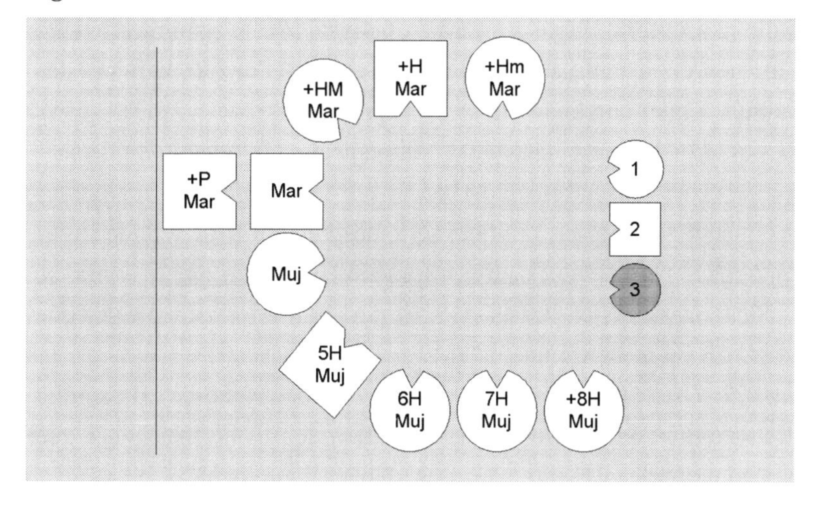

HELLINGER *a los padres*: Bien, terminamos.
A la representante de Lena: Lo hiciste muy bien. Muy bien, de verdad.

HELLINGER *después del receso*: Aquí pudimos observar cómo uno de los hijos asume algo en representación de otro de los miembros de la familia. Esto puede ordenarse cuando salen a la luz los muertos y los que tuvieron un destino difícil. Cuando se les puede mirar con amor y cuando ellos también nos pueden mirar de la misma forma.

A los padres: En su corazón, deben presentarles y confiarles a sus hijos. Entonces, los niños serán libres.

MUJER: ¿Entonces, cree usted que Lena todavía tiene una oportunidad de ser normal?

MARIDO: Hay que esperar.

HELLINGER: Exacto.

A la mujer: Esa clase de pensamiento estorba, más que ayudar. Si algo llegara a cambiar, sería un regalo divino. Hay que tomarlo como tal, con humildad, y esperar a que se dé.

Te resultó difícil decir "Me quedo contigo." Mientras que no estés resuelta a hacerlo, la niña estará en peligro. Y este peligro proviene más bien de tu familia que de la de tu esposo. Por eso, la niña estaría más segura con él.

Al marido: Te quiero decir algo con respecto a la bebida. La necesidad de beber aparece cuando el padre fue despreciado. El hijo entonces hace algo para que también se le desprecie. Es un acto de callado amor al padre. Si el padre es tomado en cuenta y se le honra, se puede dejar de beber. Por así decirlo, para honrarlo, para que vea que todo volverá a estar bien.

MUJER: Usted dijo que el problema principal viene de mi familia. ¿Se refiere al desarrollo tan problemático de mis hermanos o a que yo veo equivocadamente las cosas? No entiendo bien.

HELLINGER: Tras tu pregunta se oculta una cierta forma de pensar. Se busca una causa hipotética, porque si se tiene la causa, se tiene la solución. Como si eso dependiera de la buena voluntad de las personas. Si hay voluntad, se supone que todo mejorará. Pero aquí estamos viendo algo totalmente diferente. Aquí los individuos están enredados sin que lo sepan. Tu esposo no es malo, tú tampoco eres

mala. Se trata de un enredo y éste funcionará sin la influencia de nadie, mientras que no se le saque a la luz. Ahora está a la luz. Ahora hay que dejar que esto se desarrolle. ¿Ya has oído del jardinero que después de plantar algo saca las plantas cada cinco minutos para ver si ya empezaron a crecer?
MUJER: Sí. *Ríe.*
HELLINGER: ¿Entendido?
MUJER: Sí.

¿A quién ama Lena? ¿A quién ama en secreto? ¿Cuál es el secreto de su amor? ¿Cuál es el sentido oculto de su discapacidad?

Inmediatamente después de terminar la constelación, María repite desesperada la pregunta: "¿Entonces, cree usted que Lena todavía tiene una oportunidad de ser normal?"

Bert Hellinger contesta: "Esa clase de pensamiento estorba, más que ayudar. Si algo llegara a cambiar, sería un regalo divino. Hay que tomarlo como tal, con humildad, y esperar a que se dé. Te resultó difícil decir 'Me quedo contigo.' Mientras que no estés resuelta a hacerlo, la niña estará en peligro. Y este peligro proviene más bien de tu familia que de la de tu esposo."

Se dirige después al esposo de María: "Te quiero decir algo con respecto a la bebida. El alcoholismo aparece cuando el padre fue despreciado. No por el hijo, sino por la esposa. La adicción es provocada por la conducta de la madre, que desprecia a su esposo. Ella dice: 'Todo lo que venga de tu padre es malo. Toma sólo lo que venga de mí.' Esta es la sutil forma del desprecio: 'Yo soy mejor que él, toma sólo lo que provenga de mí.' Entonces, el niño se venga y toma tanto de la madre, que se hace daño. Es un acto de callado amor al padre. Entonces, la curación de esta adicción comienza cuando se respeta al padre y el hijo le exige a su madre que ame y respete a su esposo. Si el padre es tomado en cuenta y se le honra, se puede dejar de beber."

El esposo de María escucha atentamente. Se siente extraordinariamente tranquilo, la tempestad ha dejado de bramar en su alma. Recibe cada palabra como si se tratara de una hostia. Sí, lleva a su padre en lo más profundo de su corazón, por respeto a su difícil destino. Si su madre estuviera aquí, le diría: "Mamá, es mi único padre y yo soy su hijo. Lo quiero y lo respeto aunque a ti no te guste. Es mi derecho. Pero también te quiero y te respeto a ti, a pesar de todo, porque también tú tuviste una vida difícil." Está satisfecho. No siente la necesidad de beber. Ya no. Cuando, un año y medio después del taller de constelaciones, pregunto cómo le va, me entero de que rara vez toma y de que ni él mismo ni los demás lo consideran un bebedor.

Pero la desesperación y la consternación de María van en aumento. ¿A qué viene el respeto al suegro, que le convirtió la vida bajo el mismo techo en un infierno, con su compulsión por la limpieza, su manía por recoger cosas y su codicia? Ese hombre que jamás la aceptó como hija, a pesar de que ella, hasta con sus últimas fuerzas, hizo todo lo que pudo por sus suegros. Como si el dolor y el sufrimiento no hubieran suficientes, este hombre llegó todavía a colmar la medida. Y su esposo nunca la defendió frente a su padre. Otra se hubiera derrumbado y se hubiera marchado. "Ay, Dios mío" gritan sus entrañas.

Un grito que se traga una y otra vez, que crece dentro de ella todos los días, que siempre amenaza con escapar de sus labios; ella sabe que el dique que contiene ese grito es frágil y no puede arriesgar el valioso resto que aún le queda: sus dos hijos sanos. Entonces, ¡tiene que aguantar, no se puede derrumbar! Tiene que mantenerse siempre erguida, aunque le duela el cuello del esfuerzo. Se traga la queja y suspira. Pero durante la constelación no se pudo contener más. ¿Qué quiere decir ese "Ay, Dios mío"?, pregunta Bert Hellinger. Y ella responde de manera brutal que se alegra por la muerte de su suegro, que representaba para ella y su familia una carga terrible, insoportable, de modo que su muerte constituyó un alivio para ella. No, no puede honrar ni respetar a su suegro. No se lo merece. Y su muerte no cambia nada al respecto. Y no obstante, Bert Hellinger no escudriña en la estirpe de su suegro, sino en la suya. Todo le parece una pesadilla. ¿Quién se equivoca, el Maestro o ella? ¿Quién de los dos está loco? Fue al taller buscando una oportunidad de curación para su hija Lena, ¡y ahora se está buscando el error en las relaciones con sus hermanos! ¿Dónde está la lógica? "No entiendo bien. Usted dijo que el problema principal viene de mi familia. ¿Se refiere al desarrollo tan problemático de mis hermanos o a que yo veo equivocadamente las cosas?"

Bert Hellinger responde: "Tras tu pregunta se oculta una cierta forma de pensar. Se busca una causa hipotética, porque si se tiene la causa, se tiene la solución. Como si eso dependiera de la buena voluntad de las personas. Si hay voluntad, se supone que todo mejorará. Pero aquí estamos viendo algo totalmente diferente. Aquí los individuos están enredados sin que lo sepan. Tu esposo no es malo, tú tampoco eres mala. Se trata de un enredo y éste funcionará sin la influencia de nadie, mientras que no se le saque a la luz. Ahora está a la luz. Ahora hay que dejar que esto se desarrolle. Las fuerzas sanadoras están en manos de quienes tuvieron un destino difícil. Ellos sólo necesitan ser reconocidos, para que se les dé un lugar y puedan ser benevolentes. En eso hay que confiar ahora. Si retrocedemos y preguntamos quién tuvo la culpa, destruimos este efecto positivo. Siempre hay que ir hacia lo que sana, no hacia lo que enferma."

María quiere creer con todo su corazón en la lucecita que se le anuncia a la distancia. ¡Que el Maestro tenga razón! Ojalá que sea verdad lo que dice. ¿Pero cuánto tiempo más tendrá que esperar la salvación?

Como si pudiera leer sus pensamientos, Bert Hellinger la mira con calidez. Sus ojos, por lo general escrutadores, se tornan bondadosos y dice: "¿Ya has oído del jardinero que después de plantar algo saca las plantas cada cinco minutos para ver si ya empezaron a crecer? Tú estás haciendo lo mismo." María ríe. "¿Entendido?" "Sí."

Sí, entendía. El chiste sí lo entendía. De momento permitió que el humor adormeciera su dolor. Pero seguía sin entender su situación. Su dolor era mucho más grande que todos esos pensamientos sutiles. Mirar al futuro le producía pánico. Como un caballo de carreras, no podía mirar hacia los lados. Necesitaba anteojeras para sobrevivir. Ver hacia el frente, nada más. Como quien huye de un edificio en llamas y busca la salida más cercana sin pensar que ese camino es el más peligroso. A pesar de que la puerta más cercana se abría hacia adentro, llena de pánico, no podía hacer ese movimiento, que la acercaría a las llamas. Con toda su fuerza trataba, desesperada, de abrir la puerta hacia fuera. O se lanzaba al vacío desde el piso más alto, para salvarse del fuego.

Debido a su rechazo desmedido a la discapacidad y a la psicosis, María se llenó de pánico. Como un monstruo de varias cabezas, este miedo la acompañó durante toda su niñez. Después de ella y de sus tres hermanos mayores, la calamidad cayó sobre su familia. ¿Por qué precisamente después de ella ninguno de sus hermanos se pudo desarrollar de manera normal? Ella fue la última que conservó la razón, la última que pudo y tuvo que conservar la razón, pues se vio obligada a atender a todos en su familia: a los hermanos, a la madre, al padre. Todo el tiempo debía observar y distinguir quién era normal y quién no. Al principio, la calamidad se abatió sobre ellos de manera poco evidente. Después del nacimiento de las gemelas, se podía reconocer a simple vista que una de las dos padecía síndrome de Down. El *shock* fue difícil de aceptar para la madre, y no la consolaba el hecho de que sus otros siete hijos estuvieran sanos. Quizá muera la niña, pensó María. Pero a las cuatro semanas vino un segundo golpe, absolutamente inexplicable. No murió la "mongolita", sino la gemela sana. ¿Por qué? ¿Fue el castigo al pensamiento de muerte de María? Dios no podía ser tan injusto. ¡Ella no había querido aliviar su propio dolor, sino el de su madre! Y después de eso, siguió un golpe tras otro.

Extrañamente, la calamidad atacó sólo a sus hermanos menores, los mayores no se vieron afectados. La plaga se llamó psicosis. Al hermano más chico lo atacó en la pubertad, afortunadamente sólo de manera pasajera. A su hermana la afectó una psicosis maníaco-depresiva más severa. Todavía hoy sufría de fuertes recaídas. Una y otra vez se preguntó María si fue su hermana la que sufrió el castigo. Pero también una y otra vez se preguntó quién padecía el castigo más fuerte, si su hermana o ella, que había tenido que cuidarla toda su vida, sin esperanzas de que sanara o explicación alguna para su enfermedad. Era duro para ella tener que arreglar siempre los ingresos al hospital psiquiátrico, donde veía a los otros pacientes con una expresión ausente en sus rostros. ¿Qué era lo que estaba expiando María con ella y por ella? ¿Cómo podía honrar el duro destino de su hermana –una frase que Bert Hellinger dice con frecuencia y que también se halla en sus escritos– si ella había tenido las mismas condiciones que María para tener una vida normal? Pero ella, su hermana, había desperdiciado su inteligencia, no había sabido enfrentar la vida, no había podido superar su enfermedad y se había abandonado a María. "Yo soy la que carga con esta pena, yo soy la que tengo que soportar la preocupación, la responsabilidad y la terrible vergüenza." Ni siquiera había podido contestar con verdad la pregunta que le hizo Hellinger respecto de su familia de origen, sino que dio una respuesta que disfrazaba el problema: "También hay algunos lastres." Como si fuera sólo un "lastre" eso que en realidad a ella le parecía el infierno más terrible. "Dios mío, ¿cómo he de decirlo cuando la gente me pregunte? 'Tengo hermanos que son bastante normales: dos psicóticos, una mongoloide, una muerta en la cuna...' Y no puedo escapar, sobre mis hombros pesa esta carga. Como si todo fuera mi culpa."

Antes de casarse, María había esperado huir de la pesada carga familiar por medio del matrimonio. No obstante, María no se habría atrevido a buscar un hombre que proviniera de una familia intacta.

Seguramente la habría visto con desprecio. Entonces, buscó a alguien como ella. Se casó con un hombre que se sentía igualmente devaluado. Ella se podía sentir fuerte, sí, más fuerte y resistente que su esposo. Con todo, había traído al mundo dos niños sanos, un niño y una niña. Los dos eran talentosos y hermosos. La salvación. La absolución de toda culpa. Un regalo de Dios. Dios volvía a ver con buenos ojos a su hija María y le concedía la dicha en esta Tierra.

Dios no le concedió a su propio hijo la dicha terrenal, sino que lo destinó al camino de la Cruz, sobre la que se había clavado la pregunta ¿para qué? *No "por qué", como se ha traducido equivocadamente del hebreo en las Sagradas Escrituras. El ser humano no puede llegar con su intelecto al profundo y divino núcleo de la humanidad. Mientras que se esfuerce por analizar con precisión su espacio vital tridimensional con base en su razonamiento lógico, calculando, sorteando y agrupando los elementos individuales materialmente comprensibles y manteniendo el llamado sano escepticismo y el sentido de la realidad al interpretar estas relaciones, permanecerá en lo tridimensional. Y en ese plano, la pregunta por el sentido de la ausencia del bienestar terreno permanecerá sin respuesta. Mientras que el afectado se siga preguntando por la culpa, no se podrá inclinar ante el destino y aceptarlo, dice Bert Hellinger. También las investigadoras Kübler-Ross y Schuchard, que se dedicaron principalmente a las crisis existenciales inexorables, llegaron a la misma conclusión: la eterna cavilación, las preguntas "¿tenía que pasar esto?" y "¿por qué precisamente yo?", las tentativas de huir del golpe del destino, mantienen al afectado en una zona gris en la que no se puede tomar una decisión clara y en la que no existe una fuente para la verdadera fuerza vital. Este doloroso estado entre el blanco y el negro, donde no hay ni sí ni no, esta tragedia del intelecto receloso, los representó Shakespeare mediante la eterna pregunta sin respuesta, que termina por aniquilar la vida, de Hamlet: "¿Ser o no ser?". Entonces, la verdad superior no se debe buscar en el intelecto, ni en la soberbia de la razón. Únicamente desde la perspectiva del corazón humilde de una persona que nunca ha sido soberbia o que lo fue y ha dejado de serlo, resulta comprensible este sentido superior. Ya Saint-Exupéry sabía que lo esencial no se percibe con los ojos sino con el corazón. Dios no prometió el reino de los cielos a los ganadores del Premio Nobel ni a los banqueros, sino a los niños. Los niños que no pueden preguntar cómo ni por qué, sino que se entregan con confianza a una sabiduría superior.*

No obstante, el camino que conduce a la perspectiva del corazón no es cómodo. No es una ancha y moderna autopista, rodeada de paradores turísticos, diseñada para autos de lujo, sino una muy estrecha vereda llena de miedo y dolor. La única guía que conduce al centro del corazón sabio es el amor. *Pero primero tiene que ser profundamente herido para que se reconozca conscientemente su valor más elevado. Como la persona que sólo valora la luz de una pequeña vela después de haberse visto atormentado con la más profunda oscuridad. Alguien a quien una inundación le arrebató todo lo que había logrado adquirir en la vida –su casa, su auto, sus álbumes de fotos– puede no gustarse a sí mismo en su súbito empobrecimiento. Pero en medio de esta necesidad aprende a valorar a su vecino del piso de arriba, que le ofrece su cama seca. Hasta ese momento lo había despreciado porque escuchaba música a todo volumen, lo había ignorado, pero en su repentina miseria le pide que lo ayude y se lo agradece, pues en él encontró a un amigo. Ahora bien, este tipo de crisis es, en ciertas circunstancias, superable. ¿Quién sabe desde dónde nos sonreirá la suerte? Puede ser que el seguro pague los daños, que llegue una donación internacional, de modo que la persona afectada pueda volver a construir su casa y aun más moderna que antes. Entre más prometedora sea la ayuda externa, más se dirigirá hacia ella la mirada y más opaca será la visión hacia adentro. Pero las cosas son totalmente diferentes cuando la pérdida es definitiva, cuando toda la ayuda exterior fracasa. Por ejemplo, cuando ataca una repentina ceguera, una paraplejia o un cáncer incurable, cuando ningún especialista del mundo puede ayudar ya y cuando se ha perdido toda esperanza de evasión. Hay quienes en estos momentos de crisis inexorable se derrumban totalmente, renuncian a sus últimas fuerzas y a la vida misma. Pero quien acepte estos golpes del destino, con toda la crueldad y los riegos que implican, y soporte la derrota, podrá abrirse, en esta estrecha y pedregosa senda, una nueva perspectiva del corazón, llena de serenidad. La felicidad de otro mundo. El hogar celestial. El punto más profundo de la crisis inexorable sienta las bases para definir si uno lo pierde todo o lo gana todo. No existe una solución intermedia.*

Pero precisamente esa solución intermedia era la que deseaba María desde su infancia. ¡Por favor, ya no más anormalidades! Bastaba ya con las que había. No quería nada más que un matrimonio normal con un marido de una inteligencia promedio, de un salario promedio, que tuviera un empleo de clase media. No necesitaba ni un bungalow ni una casa de campo. Una casita estándar le bastaba. Sus hijos tampoco tenían que ser extraordinariamente dotados, ni tampoco niños ejemplares, se daba por satisfecha con que tuvieran una inteligencia regular y buen carácter.

Si yo fuera el ángel de la guarda de María, estaría preocupada por su alma, a la que la mediocridad impedía reconocer los valores superiores. Por eso, tendría que decirle a mi jefe: "Dios, tú amas a mi más reciente protegida, María. Todo había empezado muy bien en su familia de origen, pero luego tuvo que soportar muchas pruebas difíciles. Ella estaba en buen camino, reconociendo los valores de la solidaridad y del amor. Es cierto que no llegó tan lejos en ese camino. Con frecuencia se avergonzaba de su hermana enferma de síndrome de Down y le tenía poca paciencia a su hermana maníaco-depresiva. Admito que debió haber aprovechado mejor las oportunidades para practicar el valor civil y la humildad. En lugar de eso, se refugió en su matrimonio y ahora está en su casita, echada como una gansa bien cebada con las alas cortadas, que gusta de las comodidades. Pronto ya no recordará lo que significa caer para abajo y volar para arriba. ¡Por favor, sométela a tu prueba más dura y aflígela con tu Cruz! Haz por ella lo mismo que hiciste por tu hijo Job." "Yo soy quien mejor sabe cuán difícil resulta llevar la Cruz", contestará Dios, comprensivo, al ángel guardián de María. "Le tengo a María un amor especial y por eso haré que lleve mi Cruz. Su proceso de maduración me es muy importante. Todavía tiene que hacer cosas trascendentes en su vida. Tú, ángel mío, la protegerás bien. Tú prepararás sus encuentros con personas importantes, que la ayudarán a alcanzar el conocimiento. Como mi mensajera le mandaré a una niña discapacitada llamada Lena. Gracias a esta niña, María tendrá una oportunidad especial de probar su amor y reconocer los valores verdaderos. Tendrá que abandonar su situación de mediocridad. Descubrirá dentro de ella su capacidad de amor, que le permitirá amar a esta niña a pesar de todas sus deficiencias. También aprenderá a valorar de otra forma a su marido, cuyo amor también está poniendo a prueba. Los valores materiales le importarán cada vez menos, y a cambio valorará cada vez más la solidaridad humana. Tendrá que alejarse cada vez más de su soberbia intelectual, pues para poder entender a su hija discapacitada tendrá que aprender su forma ingenua e infantil de sentir y de pensar. Así, ella misma volverá a ser una niña, una de mis hijas. Encontrará la entrada a mi mundo, que le está vedada a muchas personas."

María recibió con alegría la noticia de su tercer embarazo. Gracias a él pudo quedarse más tiempo en casa con sus otros hijos, a quienes disfrutaba enormemente. No le importaba renunciar temporalmente a su realización profesional. Finalmente, su marido debía saber que la familia era su responsabilidad, que le debía importar más que una botella de cerveza. Ni una sola dificultad seria anunció alguna gran calamidad. Sólo una serie de pequeños problemas presagió el duro destino que les esperaba: las contracciones desde el quinto mes de embarazo, la ictericia, la falla cardíaca que hizo necesario hospitalizar a Lena y separarla de su madre, sus problemas para tragar, la báscula que no servía. Cada paso fue problemático y, sin embargo, parecía que todos los obstáculos podían ser superados. Seguramente, porque la niña era tan especial. Inmediatamente después de que nació por cesárea la pequeña Lena llamó la atención por sus rasgos tan finos. Parecía tan sabia y tan bienaventurada, como si viniera de otro mundo, que una de las enfermeras dijo que había que bautizarla pronto, antes de que regresara a ese otro mundo. Antes de ser llevada a la unidad de terapia intensiva, Lena fue mostrada por primera vez a su madre. Ninguno de sus otros dos hijos la había mirado tan conscientemente, con sus enormes ojos llenos de atención, como esta niña tan peculiar:

"Así que ésta eres tú. A ti me enviaron. A ti te elegí como madre. Aquí estoy. Gracias a mí aprenderás cosas importantes."

Cuando, por insistencia de María y en contra de la voluntad del médico en jefe, Lena fue dada de alta de la unidad de terapia intensiva y llevada a la cama de su madre, María la observó cuidadosamente, buscando posibles señales de alejamiento. Pero Lena volvió a ver a su madre con la misma mirada profunda de la primera vez. Como si la pequeña estuviera sellando su relación al tiempo que le decía:

"No tengas miedo, mamá, las dos somos fuertes. No nos hundiremos. También lo malo lo vamos a superar juntas. Acepta la señal de mi fidelidad."

A pesar de la mala racha inicial, el desarrollo de Lena durante sus dos primeros años de vida transcurrió sin sobresaltos. Todas las fases del desarrollo parecían ser normales: sentarse a los seis meses, gatear y decir las primeras palabras de dos sílabas a los nueve meses: "mamá", "papá", "lalá". Los primeros deseos expresados verbalmente, como "beber" y "abajo", se presentaron aproximadamente al año y medio, y Lena era capaz de controlar sus esfínteres durante el día si se le sentaba de manera regular en su bacinilla. Pero algo no estaba del todo bien, presentía María, como madre experimentada que era. Y ni los comentarios de su marido, que le restaban importancia a sus recelos –"otra vez estás imaginándote cosas, María, todo lo arruinas con tus dudas"– ni las opiniones del médico –"querida señora, no todos los niños pueden ser Einstein"– la tranquilizaban. Empezó a notar los primeros atrasos en el desarrollo. La niña no hacía preguntas como "¿dónde está papá?", no afirmaba la noción de "yo" y "mío" ni tampoco hacía berrinches. Sus juegos se limitaban a simples manipulaciones como arrancar, aventar, hojear en catálogos sin interesarse particularmente por alguna ilustración, tampoco le gustaba hacer garabatos. Sus dos hijos mayores estaban mucho más avanzados a esa edad. La única habilidad que Lena dominaba a la perfección –pero en la cual María no veía ventaja alguna– era estar pegada a las faldas de su madre. Todo el tiempo se trepaba a su regazo y con una mano jugaba con el cabello de María mientras que se chupaba el pulgar de la otra mano. Era prácticamente imposible motivarla para que jugara. Y cuando se le hacían preguntas como "¿Dónde está…?" no respondía con palabra alguna ni haciendo señales por su cuenta, sino que tomaba la mano de mamá para señalar con ella.

"Quiéreme, mamá... percíbeme... tengo una importancia extraordinaria para ti..."

Una niña muy rara. Recientemente los había sorprendido a todos con una acción increíble. Cuando la hermana menor de María fue a visitarlos después de haber estado en Italia, saludó con exuberante temperamento "*bon giorno, bon giorno, amore mio*". Y Lena, como un eco, repitió estas palabras. Bien articuladas. María creyó que lo había soñado. Pero también otras personas lo oyeron. Desde entonces, nadie más había oído a Lena decir algo parecido. ¿Era genial o especialmente dotada? ¿O era discapacitada y sólo repetía palabras sin entender lo que decía, como un loro? Su mirada era soñadora, ¿alucinaba quizá calladamente, a diferencia de la hermana de María, que lo hacía con gran escándalo durante sus ataques psicóticos? ¿O era su mirada tan vacía y apática como la de la hermana de María que padecía síndrome de Down?

"Tu mirada escrutadora duele, mamá. Cuando leo en tus ojos la duda de si me querrás o podrás amar si no me desarrollo de manera normal, estalla en mí un dolor insoportable, de modo que no te puedo mirar. Prefiero no escucharte. Me tengo que alejar de ti, y, sin embargo, más fuerte es entonces también el impulso de acercarme a ti. No te puedo perder. Entonces, me ato a ti como mejor puedo. Te jalo de los cabellos, trepo por tus jeans cuando hablas por teléfono, cuando vamos de compras tiro de tu mano para conducirte en dirección opuesta a la que tú quieres ir y grito terriblemente si no quieres venir conmigo."

¿Por qué se comportaba así la niña? ¿Quizá la consentimos demasiado? ¿Quién de nosotros cometió un error? ¿Se golpearía en la cabeza sin que nos hayamos dado cuenta? ¿Quizá la dejó caer mi esposo mientras estaba ebrio? ¿O uno de sus hermanos? ¿Algún insecto le contagiaría un virus?

"Mamá, querida mamá, cada vez me cuestionas más. Te estás alejando de mí. El vínculo que nos une es cada vez más frágil. Yo quiero y tengo que ocuparme de que ese vínculo no se rompa. Pero no a través de la vista y el oído. Tus miradas llenas de duda, tus preguntas y exigencias que no puedo cumplir son demasiado dolorosas para mí. Tengo que percibir y sentir el vínculo contigo. Entonces, utilizo mi sentido del tacto. Tengo que experimentar con hechos y enérgicamente que me perteneces, que me atiendes, que eres predecible."

¡Típico de los autistas! Evitan el contacto visual, son aparentemente sordos, manipulan a las personas como si fueran objetos. Sí, así siente María que la trata Lena. Su desarrollo se estanca alrededor de los dos años de edad, antes de que se establezca la conciencia de la identidad del yo. Una horrible sospecha cruza la mente y el corazón de María. Como afirman casi todos los expertos, la alteración autista de Lena es una discapacidad incurable. María corre de especialista en especialista, de clínica en clínica. Ahora también los pediatras y los psiquiatras toman en serio las preocupaciones de María. Nadie duda ya de la discapacidad de Lena.

"¿Qué significo para ti? Me miras a través de las curvas del electroencefalograma, de las diversas pruebas de desarrollo, observas cada vez más atentamente lo que puedo y lo que no puedo, lo que podría hacer si no me negara, cada vez confías menos en mí. Cada vez prescindo más del contacto visual y te atormento con mis acciones perceptibles. Es un tormento para las dos."

A pesar de los muchos estudios clínicos, no se pudo dar un diagnóstico sobre las causas del problema de Lena. La amenaza se volvía cada vez más terrible. ¿Se trataba de una alteración no estudiada de las funciones cerebrales, como afirmaban los especialistas en autismo? ¿Era la alteración de la percepción la causa primaria o más bien la consecuencia de una relación madre-hija dañada, como opinaban los psicólogos clínicos? ¿Realmente se trataba de autismo? Pues algunos expertos lo dudaron. ¿Rondaba de nuevo la psicosis, como fue en el caso de la hermana de María, aunque con la pequeña diferencia de que ahora no se presentaban alteraciones maníaco-depresivas, sino una conducta autista?

"Preguntas y no obtienes respuestas. Yo sólo soy una niña y no puedo dártelas. Yo únicamente soy la portadora de tus preguntas, su encarnación. Sólo cuando me puedas amar totalmente, con mi cuerpo y con mi alma, así como soy yo, con todas mis deficiencias, podrás descifrar la respuesta."

María de nuevo llamaba la atención de la gente, como cuando vivía con sus padres. De nuevo tenía que soportar las miradas y preguntas curiosas de los vecinos y parientes. "Ah, ¿Lena todavía no va al jardín de niños? ¿Por qué no? ¿Todavía no controla los esfínteres?" ("¡Si tú supieras todo lo que no controla en su desarrollo!") "¿Por qué todos los miércoles se estaciona frente a tu casa el carro de la *Lebenshilfe*, María?"[9] Como hermana de una discapacitada podía evitar este tipo de preguntas. Los ataques frontales eran interceptados por sus padres. Ahora, ella misma debía encararlos. ¿Cómo había de explicar María por qué las especialistas en estimulación temprana se esforzaban tanto con Lena? ¿Cómo confesar que con las pedagogas sociales todo funcionaba mejor que con ella, que Lena jugaba más concentrada con ellas que con su propia madre? ¿Qué Lena se volvía inquieta, tiránica y destructiva únicamente en su presencia? Todos

9. La *Lebenshilfe* (ayuda vital) es una asociación alemana que brinda ayuda a enfermos y ancianos.

podían ver que María había fracasado totalmente como madre. Nadie dudaba que le resultaba imposible manejar la discapacidad. "¿Qué clase de persona eres, María, que no tienes lugar en tu corazón para tu hija menor?" No la pudieron haber etiquetado de peor manera. Su esposo trataba de tranquilizarla. "Tú y yo, María, hemos tenido ya que soportar tantas cosas. También esta pequeña cruz la vamos a poder cargar juntos. Juntos somos fuertes." "¡Me importa un bledo una unión que nos sea impuesta por la discapacidad!" Y él bebía cada vez más. Tampoco sus hijos mayores la entendían: "Lena no tiene la culpa de ser así, mamá. No te enojes tanto con ella."

Te sientes sola y abandonada, María. Sola contra todos. Como una solitaria desesperada te resistes contra el destino. Contra Lena. Y ella lucha a su demente manera. Entre menos aceptada se siente, más difícil se vuelve. Una cruz.

"¿Por qué precisamente yo?"

¿Y por qué precisamente tú no? ¿Por qué no habrías de recibir precisamente tú el regalo del difícil camino del conocimiento? Pero mientras te atormentes con el "por qué" no encontrarás respuestas. ¿No prefieres preguntar "para qué"?

Pero María no quería y no podía preguntarse todavía por el sentido de su sufrimiento. Todavía estaba tratando de evitar caer en el agujero más profundo. Después de su fracaso con la psicología convencional y la pedagogía terapéutica, recurrió a la medicina alternativa. María hizo que kinesiólogos la examinaran a Lena y a ella misma, y que les pusieran ejercicios, hizo la prueba con flores de Bach, biorresonancia y reflexología. Hizo que un rabdomante examinara si había venas de agua debajo de su casa y cambió la posición de la cama de

Lena siguiendo sus recomendaciones. En lo más profundo de la región alemana del Allgäu buscó a una vieja y milagrosa curandera que trató de curar a Lena por medio de la imposición de las manos. Pero Lena sencillamente no mejoraba.

Un sacerdote, a quien le pidió que le practicara un exorcismo a Lena, la contradijo. Él opinó que Lena tenía un alma especial, que era la portadora de un regalo divino. Tales discapacitados eran considerados santos en la India. También Jesús los había considerado bienaventurados. "¿Has leído alguna vez el Sermón de la Montaña, María? ¿Vislumbraste la sabiduría de 'El Lobo Estepario', que Hermann Hesse le dedicó 'a los locos'? Gracias a esta niña aprenderás a reconocer valores totalmente diferentes de lo que son de importancia para una persona normal. La niña te está señalando el camino hacia adentro. Hacia tu núcleo divino."

Chifladuras místicas, opinó María. "Me importa poco una particularidad celestial. Estoy más que harta de los locos y los discapacitados. Prefiero ser una persona totalmente normal. ¡Dios mío, si de verdad existes, dame a una Lena normal!" Así reñía María con Dios. Trataba de negociar con él un trueque: "Si curas a Lena, entones subiré todas las escaleras de nuestra iglesia. Y puedes quitarme diez años de vida. ¡Por favor, hazlo por mí!" Como si María supiera mejor que Dios lo que le convenía a su bienestar. Estaba amargamente consciente de su más grande tormento: no había nada peor que la discapacidad de un hijo, porque la responsabilidad no terminaba nunca. Si pensaba de manera realista, no podía morir antes que Lena, que era dependiente y requería de ayuda. ¿Quién le iba a dar cuidados maternales mejor que su madre? ¿Quién la iba a amar más? Hasta su muerte y probablemente aun después de ella, María habría de atormentarse con la maldita discapacidad.

"No te des por vencida, mamá. Sé que me amas y que tu repugnancia se refiere sólo a mi discapacidad. Haz algo para que me puedas amar completamente a pesar de mi discapacidad. Ámame como soy."

María esperaba que la terapia de contención restaurara el vínculo entre ella y Lena, de modo que la niña se volviera más dócil. Entonces, estaría más motivada para aprender y la discapacidad desaparecería. Pero la terapeuta responsable opinó que primero había que descubrir el lugar que Lena ocupaba en su sistema familiar. Las esperanzas de María aumentaron. Bert Hellinger era su última esperanza.

En cuanto se comienza a formar la constelación familiar, Lena percibe el campo de energía especial, al que entra de inmediato. Mediante un fino sistema de navegación reconoce el curso de los barcos que deben llegar a puerto. En cuanto se mencionan ciertas personas y ciertos acontecimientos, Lena se conmueve fuertemente y está más despierta. También repite en voz alta determinadas palabras clave. Conmovida por la mención de sus tías maternas, corre inquieta de acá para allá.

Debido a su excesiva preocupación, a María se le escapó lo esencial de la constelación. Se le escapó incluso lo que pensaba Bert Hellinger sobre el don de la percepción que tenía Lena:

"Podemos partir de que la alteración en Lena tiene también causas sistémicas. Ella siente todo esto con gran precisión y tiene una función específica dentro de esa dinámica."

Sí, Lena ama a su tía, la hermana de su madre que enfermó de psicosis. Es a ella a quien quiere recordar. Se está encargando de despertar el amor fraternal de su madre.

María tiene oídos y no oye. Tiene ojos y no ve. Sólo percibe su preocupación por que todo sea normal.

Pasa algo similar a la visita que hizo Jesús a dos hermanas. Una de ellas se llamaba Marta. Ella se preocupaba y se preocupaba, trabajaba y trabajaba para que todo estuviera impecable. No obstante, Jesús dijo que la otra (que se llamaba precisamente María) había hecho algo mejor: no hizo más que atender al invitado.

Pero las poderosas vibraciones generadas por la constelación también alcanzan a María. Como las cuerdas de una guitarra que poco a poco empiezan a vibrar. Poco a poco empiezan a sonar, como cuando un principiante toca por primera vez las teclas de un piano. ¡Con qué sorprendente atención se deja conducir Lena para inclinarse ante su tía! ¡Cuán extraordinariamente concentrada está al hacerlo! ¡Con cuánto amor le habla a la representante de su tía! "Querida tía", dice. Se le ve muy normal, como si estuviera sana, cuando la representante de su tía la toma en brazos. Qué difícil le resulta a María repetir lo que le indica Hellinger: "Yo soy tu madre..." "¡Ay, Dios mío, cuánto me gustaría haber sido madre de una niña normal!" Pero lo dice. Y cuando repite las palabras: "Me quedo contigo. Y me alegrará que tú te quedes también, mi hija querida", por indicaciones de Bert Hellinger, abraza fuertemente a Lena y respira profundamente.

Tiene la sensación de que la Tierra, y ella también, han empezado a girar en sentido contrario. Como si ya no estuviera sobre este planeta. Como si la hubieran mandado a una hermosa estrella que, libre de toda preocupación, flota danzarina y refulgente en el universo. Una serie de grandes arco iris. Innumerables formaciones de ángeles. La dulzura de la salvación. Con Lena en brazos, permite que los ángeles la lleven sobre sus alas. Por lo menos durante un breve momento, María descubre "el otro lado del tapete". El milagro del amor incondicional.

Pero inmediatamente sobreviene el desencanto: "Maestro, ¿vas a liberar a mi hija de la discapacidad?" Después, en otro taller, tendrá una sesión de contención con Lena y seguirá igual de confundida. Lena sigue tan discapacitada como antes. No hay un giro a la normalidad. ¿De qué sirvieron todos los esfuerzos? La última esperanza se reventó como un globo. "Ay, Lena, te quiero amar, pero sin tu discapacidad."

Lena siente la misma ambivalencia y no se puede entregar amorosamente a su madre. El puerto es demasiado inseguro como para anclar en él. La mensajera no puede bajar a la orilla. "Tú eres mi desafío..." María trata de repetir lo que le indica la terapeuta de contención. Siente que en lo que está diciendo se oculta la verdad. La misma valiosa serenidad de la cual ya tuvo una prueba en el otro lado del tapete.

¿Qué es esto del otro lado del tapete? Una hermosa imagen acuñada por San Agustín. Él comparó la vida difícil con un tapete, que tiene un lado inferior y un lado superior. Si se mira el tapete desde abajo, sólo se distinguirá una maraña de hilos y nudos. Pero en cuanto se atraviese el tapete para mirarlo desde arriba, se percibirá su belleza. Vistos así, cada hilo y cada nudo tienen su significado en el hermoso patrón. Ningún nudo está de más.

María todavía no llega allí. Pero sabe que puede y debe recorrer ese camino, porque ya alcanzó el punto más profundo de la repugnancia. Así no se puede amar ni a sí misma ni a los demás. Toda esperanza de que suceda un milagro ha desaparecido. El anhelo de salvación se convierte en el estímulo que la pone en la línea de arranque. La imagen de solución de la constelación todavía necesita tiempo para empezar a tener efecto. También la vid requiere de un cierto tiempo para que las uvas sean grandes y dulces y se haya realizado la fermentación. Sólo después de eso se podrá disfrutar el vino con los amigos.

Después de año y medio le pregunto a María cómo está. Todo sigue igual, contesta. Lena sigue siendo discapacitada, su hermana menor sigue sufriendo regularmente ataques psicóticos. Pero eso sí, su marido ya casi no bebe. ¿Si la discapacidad de Lena la ha cambiado de alguna manera? Sí, claro, ¿de qué otra forma podría ser? En esas circunstancias no se puede seguir siendo la misma persona que antes.

Estás pasando por una transformación, María.

Sí, María me cuenta que ahora podía distinguir mucho mejor lo importante de lo intrascendente. Lo material ya no le importaba tanto. Gracias a Lena, había desarrollado un sentido para los detalles. Un día que Lena buscó apasionadamente, en medio de un montón de hojas otoñales, una hoja de maple de colorido particular, María también descubrió su belleza. María vio, también gracias a la fascinación de Lena, cómo una gota de rocío sobre una hoja de pasto reflejaba el sol del amanecer. También el círculo de amigos había cambiado. Muchos parientes y viejos amigos se distanciaron. Algunos por que no supieron cómo enfrentar el tormento de María. ¿Con compasión, con consuelo? ¿O era mejor hacer como si no se supiera nada del problema? Pero eso es imposible de lograr cuando se tienen actividades comunes. Así, estos amigos se fueron. Pero, a cambio, llegaron nuevos amigos. Ellos aceptaban a Lena como era. No evadían una conversación abierta al respecto, no fingían. No les avergonzaba ser vistos con Lena en público. Y entre ellos no sólo había educadores profesionales, trabajadores sociales y otros padres con el mismo problema, sino también personas totalmente normales, los hasta entonces desconocidos vecinos o las personas que frecuentaban el mismo balneario. La discapacidad de Lena operaba como un filtro para probar su verdadera humanidad. Gracias a Lena, cambió también su opinión sobre su marido. Nunca hubiera pensado que apoyara siempre y en todo lugar a Lena de manera tan natural. Hace poco había dicho, cuando visitaron a los vecinos: "Gracias a Lena nos volvimos más sociales, todos: los grandes y los chicos. Nos ha enseñado mucho más que lo que hubiéramos aprendido en muchos semestres en una escuela superior de ciencias sociales."

"Quédate, Lena, me alegrará que te quedes... Soy tu padre y me quedo contigo... Soy tu madre y me quedo contigo... Los honro también a ustedes, hermanos míos, cualquiera que sea su destino..." Las palabras de solución de la constelación hacen que las cuerdas, ocultas en las más remotas profundidades, comiencen a vibrar. "Quédate Lena, gracias a ti estamos cambiando. Gracias a ti estamos sintiendo la gracia de Dios."

"¿De dónde sacas la fuerza, María, para soportar las particularidades de Lena, para lograr vivir fuera de la normalidad, para ser humilde? ¿Cuál es la fuente de tu fuerza?", le pregunto. Y contesta llanamente: "Es el amor de Lena el que me da fuerzas. Sólo el amor."

El amor es lo más grande que hay.

¿QUIÉN SINO YO HA DE AMAR A PAPÁ?

HELLINGER *a la mujer*: ¿Cuál es su problema?
MUJER: Vengo con mi hija. Es la de en medio de mis tres hijos y tenemos problemas muy fuertes entre nosotras. Siento que no tengo contacto afectivo con ella desde que cumplió tres años. En general llevamos una relación armoniosa, pero siempre hay algo que falla.
HELLINGER: ¿Qué pasó con tu madre?
MUJER: Es lo mismo con ella.
HELLINGER *al público*: Esto es una parentificación, su hija representa para ella a su madre. El problema no tiene nada que ver con la niña.
A la mujer: Bueno, entonces constelemos a ti y a tu madre.

Figura 1

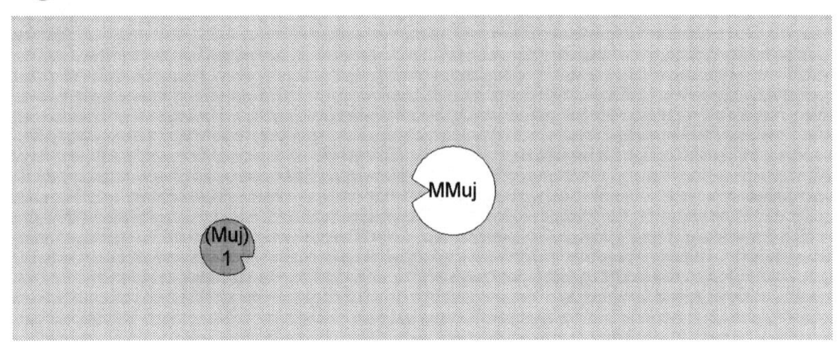

MMuj	Madre de la mujer
1	**Primera hija (mujer)**

HELLINGER *a la mujer*: ¿Qué pasó en tu familia de origen?
MUJER: Que yo sepa, nada particular.
HELLINGER. ¿Cuántos hermanos tienes?
MUJER: Tengo dos hermanos hombres, menores que yo. Soy la mayor.
HELLINGER. ¿Qué pasó con tu padre?
MUJER*inquieta*: ¿Cómo que qué pasó?
HELLINGER: Te pregunto, ¿pasó algo especial?
MUJER: Bueno, él abusó de mí, por lo menos tengo la sensación de que así fue, y sé algunas cosas, pero por lo demás…
HELLINGER. ¿Abusó de ti o sólo tienes la sensación?
MUJER: Abusó de mí.
HELLINGER: ¿A qué edad?
MUJER: Conscientemente, desde los doce años.
HELLINGER: ¿Conoces la constelación básica del abuso sexual?
MUJER. Sí.
HELLINGER: ¿Cuál es?
MUJER: Se da una relación entre padre e hija.
HELLINGER. No, no. Constela ahora a tu padre y a tus dos hermanos.

Figura 2

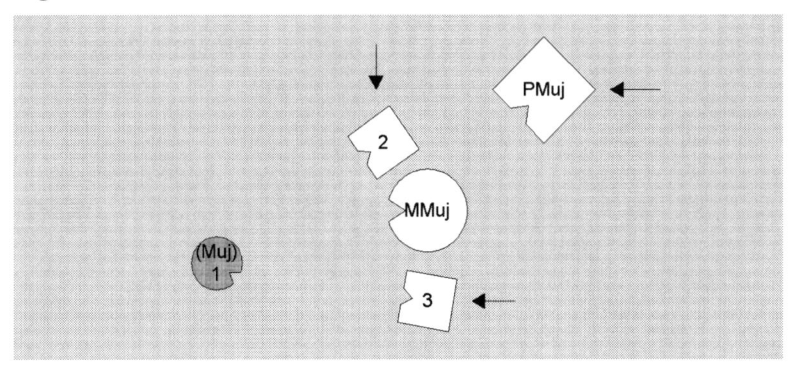

PMuj	Padre de la mujer
2	Segundo hermano
3	Tercer hermano

HELLINGER *a la mujer*: ¿Qué pasó en la familia de origen de tu madre?
MUJER: Eran dos niñas. Mi abuelo murió en la guerra.
HELLINGER: ¿Qué edad tenía tu mamá cuando eso pasó?
MUJER. Creo que seis años. En la familia estaba también mi bisabuelo y una hermana suya. Vivían todos juntos, un hombre con muchas mujeres.
HELLINGER: Constela ahora también al padre de tu madre.

Figura 3

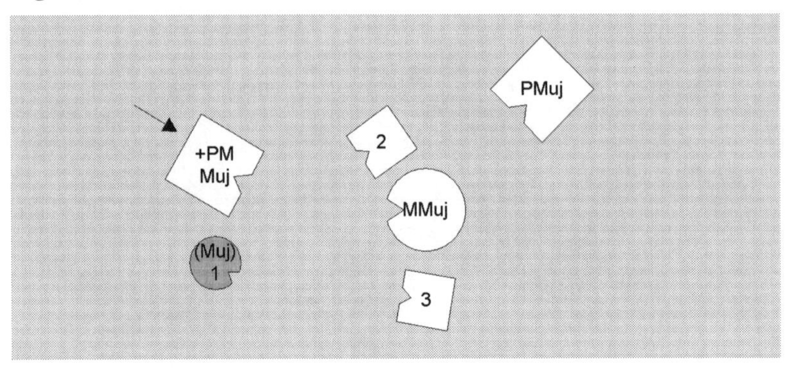

+PMMuj   Padre de la madre de la mujer, murió en la guerra

HELLINGER: ¿Cómo se siente la madre?
MADRE DE LA MUJER: Me pregunto por qué mi hija está tan triste. ¿Por qué no me mira, por qué no puedo alcanzarla? Quisiera consolarla, pero siento como si yo estuviera amarrada.
PADRE DE LA MUJER: Por el momento, no tengo nada que ver con todo esto.
PRIMERA HIJA (REPRESENTANTE DE LA MUJER) *que antes había estado mirando todo el tiempo al piso*: A mi izquierda sentí como una pared, y siento como si hubiera una conspiración en mi contra. Sólo ahora que llegó el papá de mi mamá me siento mejor, pero antes era como si se estuviera formando algo imposible. A mi izquierda está una pared enorme, una montaña, algo descomunal.
SEGUNDO HIJO: A mi izquierda todo está bien, en realidad. Cuando llegó el abuelo quedó cubierto también el lado derecho. Sólo atrás hay una sensación agobiante, de apremio.
TERCER HIJO: No tengo sentimiento alguno hacia mi padre, tampoco hacia mi madre. Sólo quiero consolar a mi hermana y abrazarla.
HELLINGER *al abuelo*: ¿Cómo te sientes?

PADRE DE LA MADRE DE LA MUJER†: Estoy triste. No tengo mucho que ver con mi nieta, pero noto que, de alguna manera, no está bien. Eso me entristece.
HELLINGER *al público*: Cuando alguien está rodeado, como la madre en esta constelación, la familia está impidiendo que se vaya.

Ahora, Hellinger coloca al padre de la madre aparte, dando la espalda a todos, con la madre atrás de él.

Figura 4

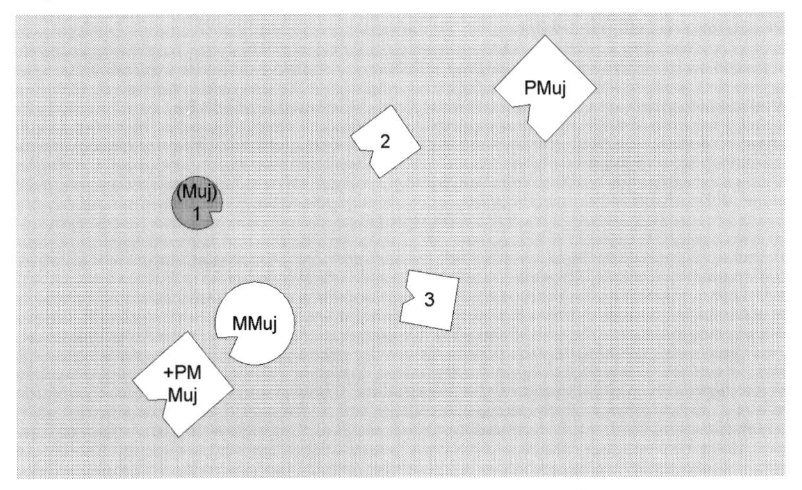

HELLINGER *a la madre de la mujer*: ¿Cómo te sientes ahora?
MADRE DE LA MUJER: Puedo respirar mejor, pero no me siento libre o feliz. Ahora, además, me siento sola.
HELLINGER *a la representante de la mujer*: ¿Cambió algo?
PRIMERA HIJA (REPRESENTANTE DE LA MUJER): Me siento mejor desde que se fue mamá. Se me quitó la taquicardia y ya tiemblo menos.
PADRE DE LA MUJER *señalando a su hija*: Ahora la siento más. Me da lástima.

SEGUNDO HIJO: Ahora me falta la protección de la izquierda y la derecha. Y la sensación opresiva de atrás y de que me tengo que defender de algo se hizo más fuerte. Me falta la fuerza de ambos lados.
TERCER HIJO: Yo me siento mucho mejor, sobre todo desde que se fue el abuelo.
HELLINGER *a la madre de la mujer*: Colócate de nuevo exactamente en el lugar en el que estabas.

La madre de la mujer se vuelve a colocar en su posición anterior, entre sus hijos. Hellinger conduce a la representante de la mujer a la izquierda de su padre.

Figura 5

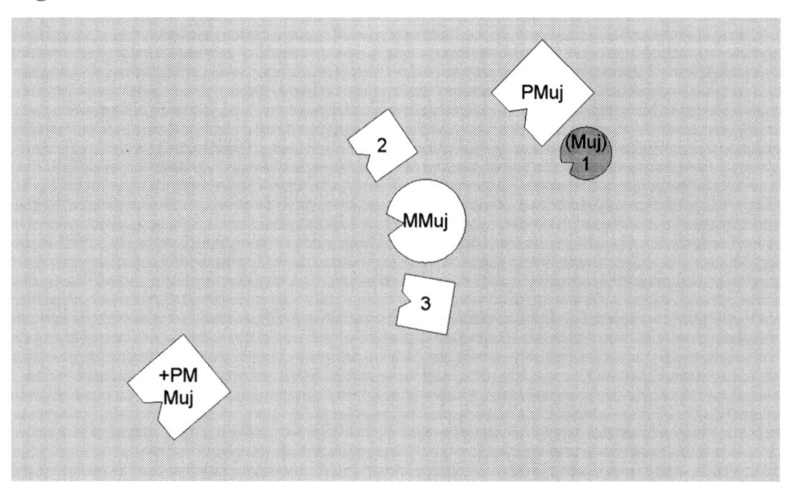

HELLINGER *a la madre de la mujer*: ¿Qué cambió?
MADRE DE LA MUJER *buscando a su hija*: Me falta mi hija. Ahora me preocupa lo que le pueda estar pasando.
HELLINGER: ¿Es mejor o peor que se haya ido?
MUJER: Para mí es peor, me siento más insegura.

HELLINGER *al padre de la mujer*: ¿Para ti es mejor o peor?
PADRE DE LA MUJER: Algo cambió, pero todavía no puedo decir qué.
PRIMERA HIJA (REPRESENTANTE DE LA MUJER): No me siento realmente bien aquí pero detrás de mi mamá me siento mejor que delante de ella.
HELLINGER *a la mujer, que observa*: La constelación normal del abuso sexual es que la madre se quiere ir, y para poder hacerlo le entrega una hija a su esposo. ¿Tiene esto sentido para ti?
MUJER. Sí, sí tiene sentido.
HELLINGER: ¿Quién es aquí el malo?
MUJER *llorando*: La madre.
HELLINGER: Exactamente, porque de ella parte toda la dinámica. Te voy a colocar ahora en tu lugar.

Hellinger conduce a la mujer a su lugar en la constelación. Hace que el padre de la madre se dé la vuelta y coloca a la madre de la mujer a su izquierda. A los dos hermanos los aleja un poco y los coloca juntos.

Figura 6

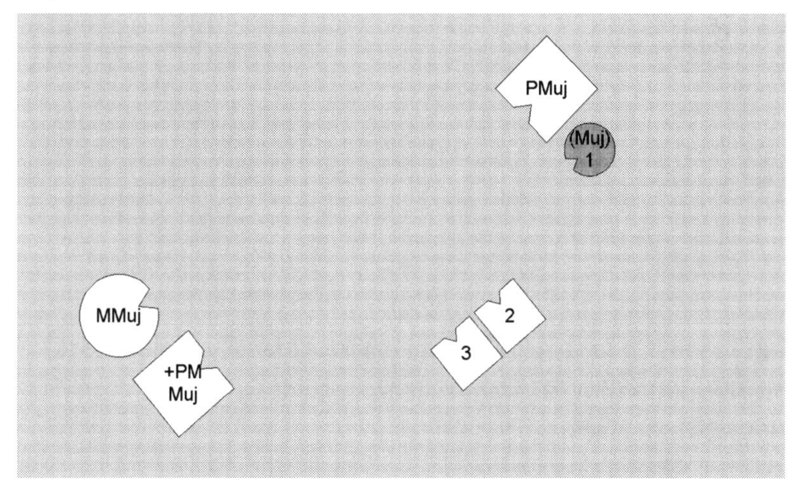

HELLINGER *a la madre de la mujer*: ¿Cómo te sientes ahora?
MADRE DE LA MUJER: Ahora estoy muy contenta de poder ver otra vez a mi hija. Ya no estoy tan triste como antes, tengo más contacto con ella.
PADRE DE LA MADRE DE LA MUJER †: Me siento mucho mejor. Tengo más contacto con mi hija que antes.
MUJER (PRIMERA HIJA): Me siento muy inquieta y me quiero ir. No estoy a gusto aquí.
PADRE DE LA MUJER: Ya hace rato que la indiferencia se adueñó de mí. No me afecta realmente lo que está pasando.

Hellinger aleja todavía más a los hermanos de la mujer y conduce a la mujer frente a su madre.

Figura 7

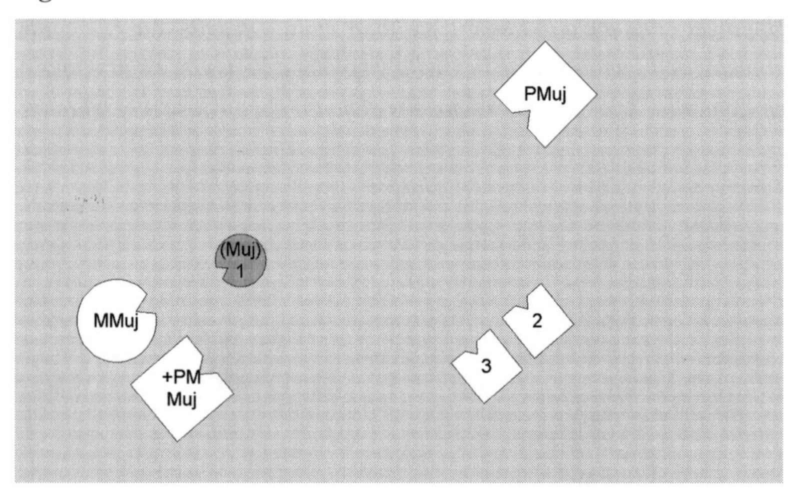

HELLINGER *a la mujer*: Dile a tu madre: "Mamá, me alejo de ti."
MUJER (PRIMERA HIJA): Mamá, me alejo de ti.
HELLINGER: Hazlo.

La mujer camina lentamente hacia atrás, sin perder de vista a su madre. Se detiene entre su padre y sus hermanos.

Figura 8

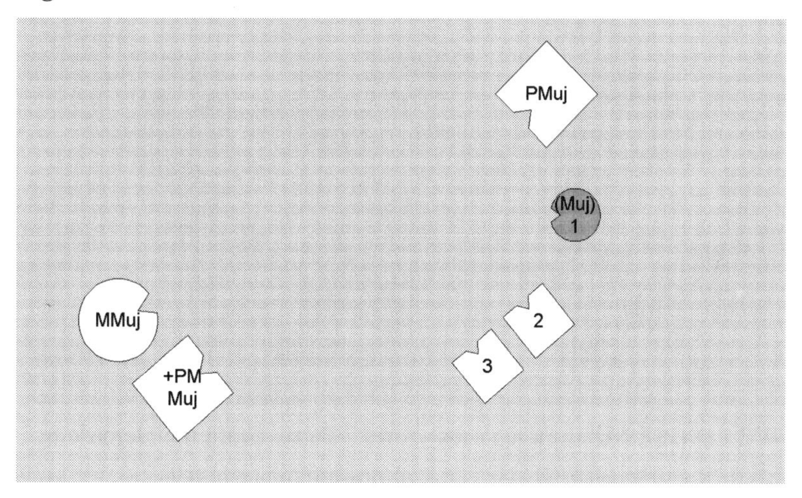

HELLINGER: ¿Qué tal se siente?
MUJER (PRIMERA HIJA): Mucho mejor, mejor que junto a mi padre.
HELLINGER: Ahora dile: "Te entrego a ti la culpa."
MUJER (PRIMERA HIJA): Te entrego a ti la culpa.
HELLINGER: "Y ahora me alejo de ti."
MUJER (PRIMERA HIJA): Y ahora me alejo de ti.
HELLINGER: Ahora voltea a ver a tu padre.

Figura 9

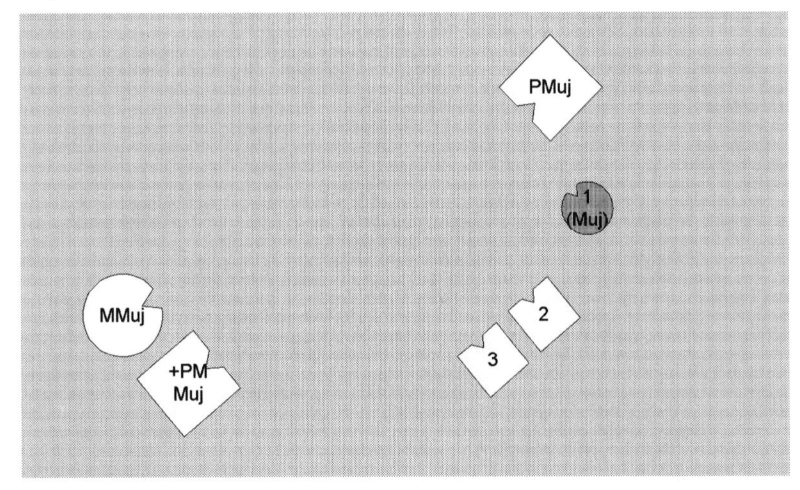

HELLINGER Míralo a los ojos y dile: "Papá, ahora me alejo de ti."
MUJER (PRIMERA HIJA): Papá, ahora me alejo de ti.
HELLINGER: "Y te entrego a ti la culpa."
MUJER (PRIMERA HIJA): Y te entrego a ti la culpa.
HELLINGER: ¿Cómo te sientes?
MUJER: Bien.
HELLINGER: Ahora retrocede unos pasos y ponte junto a tus hermanos.

Figura 10

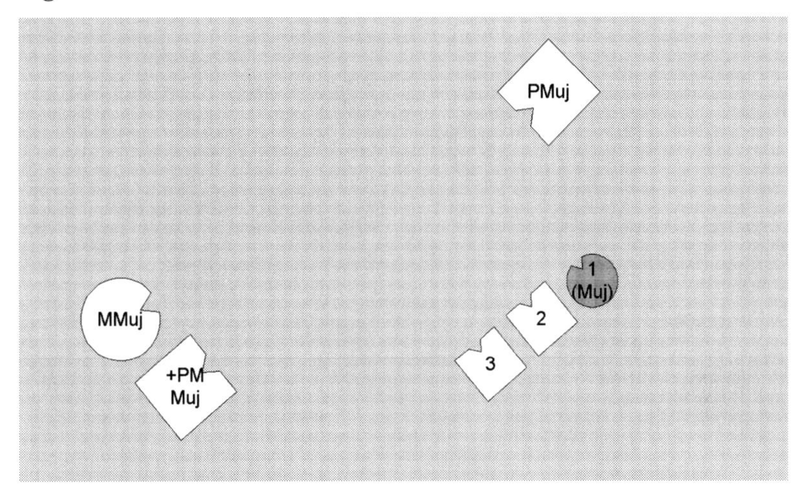

HELLINGER *a la mujer*: ¿Cómo te sientes?
MUJER (PRIMERA HIJA): Algo temblorosa, pero aquí me siento bien.

Hellinger le pide a la hija de la mujer, que ha observado todo el proceso, que se coloque de espaldas frente a su madre.

Figura 11

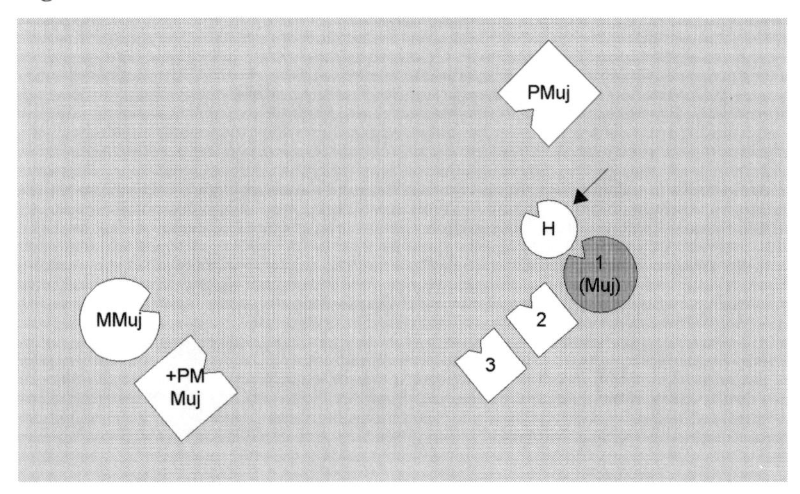

H Hija de la mujer

HELLINGER *a la mujer*: Dile a tu hija: "Ésta es mi madre y tú eres mi hija. Éste es mi padre y tú eres mi hija querida."
MUJER (PRIMERA HIJA) *a su hija*: Ésta es mi madre y tú eres mi hija. Éste es mi padre y tú eres mi hija querida.
HELLINGER: Bueno, ¿cómo te sientes?
MUJER (PRIMERA HIJA) *riendo*: Bien.
HELLINGER: Bueno, entonces ya terminamos.

La mujer regresa a su lugar. La niña se sienta en su regazo y se recarga en ella.

HELLINGER *al ver esto*: Exacto, así debe ser. *Al público*: Hablé de la mala madre, pero en realidad está enredada, no es por maldad. De ella parte la dinámica, pero no se le puede reprochar nada, porque es un proceso totalmente inconsciente, está siguiendo a su padre.

Al principio, la familia parecía como salida de un cuento de hadas. Los dos se habían casado por amor y pronto tuvieron a un niño llamado Markus. Dos años y medio después nació una niña a la que llamaron Josephine. Una familia feliz. Los dos venían de buenas familias de clase media, en las que, supuestamente, nunca había habido conflictos. La edad de los dos, su estatura, sus aficiones y preferencias personales, sus gustos, sus planes de vida coincidían totalmente. También estuvieron de acuerdo en esperar a estar casados para tener contacto sexual. La abstinencia no fue difícil para ellos. Sólo después salió a relucir que los dos tenían antecedentes patológicos que embonaban entre sí como piezas de un rompecabezas y que no favorecían el amor erótico. Silvia cargaba la historia de incesto con su padre y Johannes se había prescrito a sí mismo el celibato, puesto que quería ser sacerdote. Ya estaba estudiando en el seminario cuando conoció a Silvia. La flama se encendió desde la primera vez que la vio, también el fuego de la sensualidad lo abrasó. Estaba consciente de que el amor que sentía por Silvia era mucho más grande que el miedo de decepcionar a su madre y a Dios. Así es que se decidió por el matrimonio. Pero la dulce manzana de la sensualidad se vio carcomida por los gusanos de la duda y de la culpa, y por último Johannes perdió el gusto por ella. Además, tampoco había una sensual Eva que lo pretendiera seducir con la manzana del paraíso, sino sólo su sombra. La sombra que había arrojado su padre sobre su femineidad. Él no le había enseñado el arte de la seducción, al contrario. Silvia trató de salvar su matrimonio teniendo un tercer hijo, pero no lo logró. Los problemas sexuales y la distancia en la relación matrimonial se hicieron cada vez más grandes. Johannes se sentía como un absoluto fracasado, no era ni sacerdote ni marido y no se podía amar a sí mismo ni a los demás. Y cuando su hija menor, Jacqueline, tenía seis semanas de edad, le comunicó a su esposa la terrible noticia de que se iba a separar de la familia. Así, Silvia se quedó sola con los tres niños. Eso sí, siempre procuró que los niños mantuvieran una buena relación con su padre.

Poco antes, de manera inesperada, Josephine se había convertido en un problema, siendo que antes había sido siempre una niña tranquila y que no provocaba dificultades, empezando por su fácil nacimiento, que había sido un regalo para su madre. Y todo lo que Silvia le daba, la niña lo tomaba con gratitud. Empezó a hablar siendo muy pequeña y a los dos años ya sabía ir sola al baño. Cuando jugaba, lo hacía con gusto y perseverancia. Nunca se enfurecía, siempre equilibrada, adaptada. Pero cuando cumplió cuatro años sorprendió a todo el mundo con sus primeros ataques de rabia. Sus agresiones se dirigían exclusivamente a su madre. Le gritaba e incluso trataba de golpearla. Silvia pensó que se trataba de una fase del berrinche tardía. Pero también consideraba posible que, gracias a su gran sensibilidad, Josephine hubiera percibido al futuro hermanito y que tuviera miedo de los cambios que se avecinaban. Para tranquilizarla anímicamente y ayudarla a que fuera menos vulnerable, la familia, entonces todavía completa, asistió a un taller de terapia de contención. Si bien no se pudo salvar al matrimonio, Josephine pareció haber recuperado su paz interior. Durante la contención se mostró que no se trataba de una fase del berrinche que estuviera recuperando, sino del miedo a ya no poder seguir siendo pequeña y, además, de un miedo mucho más terrible: el miedo a estar sola. Fue para ella como un bálsamo poder llorar y desahogarse en los brazos de su madre, ser comprendida por ella y sentir tan cercanamente el mutuo vínculo. También le causó gran felicidad ver juntos a papá y a mamá, un cuadro cada vez menos frecuente en casa.

Pero de manera inconsciente seguía acechándola el miedo por la pérdida de una familia unida… Un miedo terrible, amenazador. Como un enorme dragón que se esconde en una cueva. Pero poco antes de la entrada de la cueva había un lugarcito soleado. Ahí se podía jugar despreocupadamente, a veces con mamá y a veces con papá, y hacer como si no estuviera el monstruo al acecho. Pero entonces, éste salía con pasos que retumbaban por todos lados, escupiendo fuego y achicharrando todo lo que hasta ese momento había sido alegría. De repente, mamá desapareció y cuando regresó ya no tenía su gran panza redonda. En su lugar traía, como lo había anunciado, a una diminuta bebé. Era bonita, como decía mamá, sí, pero... Era fastidioso que estuviera todo el tiempo pegada a mamá y que ella tuviera cada vez menos tiempo para Josephine. Pero, a cambio, papá se tomaba más tiempo para ella. Incluso se mudó de la recámara matrimonial al cuarto de los niños, donde dormía en un colchón inflable. Para no molestar a mamá y a la bebé, dijo. Josephine se alegró mucho de tener a su papa sólo para ella, de poder jugar a los almohadazos y acurrucarse con él. De por sí, a ella le gustaba hacerlo más que a Markus. Pero papá estaba como hechizado. Como si hubiera olvidado cómo divertirse. ¿O quizá mamá estaba enojada con él? "Igual que cuando se enoja conmigo", pensaba Josephine, "en realidad, cada vez se enoja más. Querido papá, tú yo nos vamos a mantener unidos, yo estoy contigo. Y le voy a enseñar a mamá lo triste y lo enojada que estoy. Por los dos. Lo peor de todo es que no lo puedo explicar. Me faltan las palabras. A veces mamá todavía me toma en brazos, me abraza y quiere que grite mi enojo. Pero, con un demonio, no entiende lo que me enoja. No se lo puedo decir. El dragón camina a nuestro alrededor y escupe veneno. 'Blablablabla', saco el coraje y luego me callo para que mamá me suelte. Pero en realidad no me callo. En cuanto me ordena que recoja mis juguetes o que me lave los dientes, grito y lloro sin parar. Me he vuelto incomprensible para ella. Cada vez más frecuentemente me dice que ya no soporta mi eterno llanto y mis agresiones y me manda a mi cuarto. A mí me gusta mucho ir allí. Ahí huele a papá. Ahí me gusta poner la cabeza sobre su pijama, que recoge todas mis lágrimas." Todo empeoró cuando una noche papá sacó sus cosas del ropero y metió también el pijama a la maleta. Dijo que a partir de ese momento ya no viviría con la familia. "Ahora sólo nos vamos a visitar. Cada segundo fin de semana podrán venir a visitarme. No me voy por ustedes. Es algo entre su mamá y yo." ¡Entonces sí era por culpa de mamá! "Papá, ¡llévame contigo!" Pero papá no escuchó, le acarició la cabeza a cada uno de sus tres hijos, les dio un besito y se dio la vuelta, desapareciendo en la negrura de la noche. Las enormes fauces abiertas del dragón se lo tragaron. Lo único que quedó fue rabia y tristeza.

Josephine no podía saber la verdadera pena de mamá. No podía saber cuánto le significaba a su madre. Que mamá la quería como a sí misma, pero también la odiaba como se odiaba a sí misma. Que en ella mamá veía su propio reflejo: la pequeña Silvia con su enorme susceptibilidad, su vulnerabilidad y su obstinación. La delicada niña que hubiera preferido no ser una niña. Silvia adulta estaba consciente del gran parecido que había entre ella y su hija. Pero no le resultaba tan fácil admitir el alarmante parecido entre ambos destinos. Lo que de alguna manera le quedaba claro, es que a ella, como a Josephine, no le gustaba la callada tristeza de su madre. Odiaba a su madre cuando se quedaba callada, porque no sabía por qué lo hacía. ¿De quién era la culpa? "¿Le hice algo o sería papá, con el que habla todavía menos que conmigo?" Su madre le parecía incomprensible. ¡Esa máscara petrificada! Le hubiera encantado decírselo a gritos en la cara. Sí, así como Josephine lo hacía con ella. Pero la pequeña Silvia no se había atrevido a hacerlo. ¡Al contrario! No hacía nada que pudiera enrarecer aún más el aire en la familia, sino que más bien trataba de rescatar lo que todavía era rescatable. Porque la rondaba el miedo de que sus padres pudieran separarse. "O mamá hace algo terrible contra sí misma o papá no soporta más la situación y se va de la casa." Ella sabía que su madre no podía amar a su padre, ni a la vida misma. Ninguno de los dos pueden, pero menos mamá, reconoció tempranamente la pequeña Silvia. ¡Ni siquiera es capaz de darse cuenta cómo se sienten los otros! Es como una piedra, una estalactita de la que de vez en cuando escurren lágrimas. Papá va acabar por irse de la casa si mamá le vuelve a decir: "Vete, búscate otra mujer..." Pero, gracias a Dios, papá no se iba. No todavía. "¿Qué puedo hacer para que se no se vaya, para que se sienta bien, para que mamá también se quede?" se preguntaba la pequeña Silvia. Y como era una niña valiente se sacrificó a sí misma. Sin tomar en cuenta las pérdidas. La niña le daba a papá el amor que su esposa le negaba. Pero debido a eso no podía seguir siendo ya una niña. Su sacrificio la convirtió en adulta, porque estaba sustituyendo a su madre, a quien perdía cada vez más. Tampoco su padre era ya un padre para ella. Y sin embargo, todos se quedaron, aunque fuera a medias. Como sombras. Como un teatro de sombras en el que todos se deslizaran calladamente de aquí para allá. Como si no supieran nada. Cuando papá abrazaba a Silvia mientras estaban viendo televisión, mamá veía para otro lado. Y cuando papá visitaba el cuarto de Silvia por las noches, mamá nunca entraba. Silvia pensaba que sólo ella lo sabía y que tenía que callar su secreto, como callaban todos los demás. Una conjurada, que negó lo vivido incluso ante sí misma. No lo sentía. No veía sus nacientes senos, era como si no existieran. No reflexionaba sobre lo que estaba pasando, tampoco sobre el dolor y la culpa, ¿porque de quién más era la culpa si no de ella, de la niña que todo lo refería a sí misma? Vivía de un día para otro, para poder sobrevivir. Como alguien que se ha extraviado en la selva y que no siente los piquetes de los mosquitos ni se atreve a llamar a otras personas en voz alta, por miedo de atraer a los animales salvajes.

Silvia siguió observando su pacto de olvido aun dentro del matrimonio. Hacía como si su cuerpo no tuviera erotismo, y se alegraba de que su esposo fuera tan poco sexual como ella. Sólo se complacía en su femineidad cuando estaba embarazada y amamantando. Le gustaba ser madre. Pero precisamente en el reino de su alegría maternal, en la profundidad de su subconsciente femenino, las larvas que durmieron durante tantos años se empezaron a convertir en horribles gusanos. Los gusanos de la duda horadaron profundos canales que unieron la superficie de los acontecimientos actuales con los ya olvidados. Una y otra vez y cada vez con mayor frecuencia notaba algo que, de alguna manera, le era familiar. Como si fueran fragmentos de una vida anterior o de una película de horror. La rabia que Josephine manifestaba frente a ella le resultaba conocida de alguna parte. Como si se estuviera observando a sí misma desde afuera, notaba en sí misma un desvalimiento materno al que ya se había enfrentado alguna vez. ¡Qué desvergonzado era el intercambio de miradas entre el padre y la hija en su presencia! "¿Qué se traen ustedes?" "Nada", contestan los dos al mismo tiempo, como si se hubieran puesto de acuerdo. La madre era la tonta, la mala. Cuando Josephine se trepaba al regazo de su padre para ver la televisión y le acariciaba la barba y hacía que él le acariciara la espalda, un fuego ardiente se encendía en el estómago de Silvia. ¿Cómo podía una hija tener una cercanía tan íntima con su padre? ¿Y cómo podía él permitirla? Una caótica mezcla de horror y de culpa, de rabia y de dolor surgía de lo antes vivido. Casi siempre, Silvia se tragaba todo y trataba de reprimirlo, pero a veces el dolor escapaba de su control y se lanzaba a atacar a los presuntos culpables.

Pero su esposo y su pequeña hija no se sentían culpables, más bien consternados. Él contestaba sus ataques con silencio y, en última instancia, acabó por marcharse. Pero no se llevó a Josephine, ella se tenía que quedar. Y se quedó. Como un leal soldado peleaba por los dos, por su padre y por ella. El único arsenal del que disponía era su conducta. Entonces, se volvió cada vez más agresiva y escandalosa. La guerra entre madre e hija se volvió cada vez más confusa, porque cada una de las combatientes no sólo sentía furia, sino una gran necesidad del amor de la otra. Para el Día de las Madres, Josephine le dibujó a mamá un gran corazón adornado con muchas delicadas flores. Cuando se lo dio, voló a sus brazos. Pero antes de que pudiera ver las lágrimas de alegría de su madre, le dio rápidamente un besito e inmediatamente le enseñó la lengua. "¡Puras tonterías!", gritó antes de azotar la puerta tras ella. Así terminaban todas las tentativas de acercamiento entre ellas: con un doloroso rechazo. Una guerra constante sin un posible armisticio.

Silvia era incapaz de comprender esto racionalmente. Bajo el caparazón del secreto todavía intacto, se asomaban algunos fragmentos de recuerdos. Como en una horrible pesadilla, las cosas más pequeñas adquirieron dimensiones monstruosas. La huida frente a la madre silenciosa le resultaba demasiado conocida. Si se atreviera a hablar, sería como si un dique se rompiera y el agua derramada sería como un diluvio. Mundos enteros serían destruidos. "Tras una negra puerta me espera el fuego del infierno. Sólo mamá me podría proteger de esta catástrofe. Sólo en sus brazos podría yo esconderme. Pero su pecho me asquea. Precisamente mamá no entiende nada de mis terribles miedos. Nada. Ella sólo mira el vacío, mira lo desconocido. Y, en realidad, es mejor así, sino se daría cuenta de lo que me pasa. ¡Mejor guardar silencio! Cuántas veces tengo en la punta de la lengua las palabras: '¡Vete al diablo, Josephine!' ¡Dios mío, qué madre tan terrible soy, que quiero mandar al infierno a mi propia hija! Me odio a mí misma cuando veo la obstinación pintada en su rostro."

Esta insoportable y dolorosa ambivalencia entre el odio y el amor hizo que Silvia buscara ayuda. Un psicólogo le aconsejó constelar su sistema familiar. El viaje al taller parecía agotador, no sólo por las distancias y las complicadas conexiones de los trenes, sino también por Josephine. Silvia temía que diera problemas en el camino y que la hiciera quedar como una terrible madre, incapaz de educar a su hija. Pero era imposible no llevarla, porque se solicitaba expresamente la presencia de los niños en el taller. Josephine también sabía del taller e insistió con gran terquedad en que asistieran, como si en ello le fuera la vida. Contra todo lo esperado, Josephine no molestó en todo el camino. Iba sentada en silencio junto a su madre en el compartimiento del tren. Pero su silencio no era provocador ni autista, sino serio y reflexivo. Parecía presentir algo. (Como cuando los niños esperan a Santa Clos o su Primera Comunión.) Contempló fascinada la constelación, desde la conversación previa entre su madre y el hombre mayor hasta la imagen de solución, en la que también se le integró a ella. Nunca se le ocurrió interrumpir con palabras impulsivas. El incipiente milagro no debía ser interrumpido, pues podría desaparecer. Finalmente hay alguien que sabe de qué cavernas salen los dragones y que los puede alejar de manera definitiva. El hombre de cabello blanco está liberando a mamá, y ahora puedo ser otra vez su hija.

Silvia percibió la situación de manera parecida. Le recordó un caleidoscopio en el que los pedacitos de vidrio se juntan para formar una figura clara, en la que cada fragmento obtiene un significado. O como cuando una roca cae en un lago, moviendo de arriba abajo las enormes masas de agua, de modo que los estratos se tienen que reacomodar: las piedras más pesadas abajo, las más ligeras encima, el lodo y la arena se van asentando poco a poco hasta que el agua vuelve a estar límpida y clara. Un espejo para el cielo azul y el sol resplandeciente. Durante la constelación, lo pasado quedó en el ayer y lo actual en el presente. Su madre, con su añorante fidelidad a su padre muerto, y su propio padre, solo y hambriento de amor y cariño, pudieron ser acomodados en el pasado. También pertenecían ahí el miedo al amor, el dolor y la rabia. Estos sentimientos formaban parte de su historia y no tenían nada que ver con Josephine ni con el presente. "Estás libre de mis proyecciones, Josephine, yo soy tu madre y tú eres mi hija querida."

Las dos, madre e hija, pudieron permitirse sentir amor. Y cuando las dos, algunas horas después, se tomaron en brazos bajo la conducción de su terapeuta de contención, la pequeña llamita se convirtió rápidamente en un fuego inextinguible. Josephine pudo dejar fluir sus lágrimas por el dolor que le ocasionó la separación de sus padres, pero también sintió una felicidad renovada cuando escuchó decir a su mamá cuánto valoraba la lealtad y el amor que ella, Josephine, sentía por su padre. "Todo lo que tienes de tu padre, lo amo. El color de tus ojos lo heredaste de tu papá. Amo tus ojos. En tu frente se forman estas dos pequeñas arrugas cuando algo te da pena, también en la frente de tu papá. Me da gusto que seas como él, Josephine." Entonces, en los ojos de la niña brillaron pequeñas lágrimas de alegría, como perlas salidas de la mar. "Eres la mejor mamá. ¡Te quiero tanto!"

Después de un año y medio, Silvia nos contó que el amor entre ella y Josephine seguía creciendo. Podía encargar a Josephine tanto con su padre como con sus abuelos. De repente aparecían ciertos desacuerdos, como en toda relación humana, pero ya no conducían a un silencio hostil. Ninguna de las dos tenía que callar algo frente a la otra. Las dos se atrevían a decir abiertamente la verdad. Por tanto, Josephine había adquirido también un sentido de la autoestima que hasta entonces le había sido ajeno. Cuando hacía no mucho una compañera de la escuela se burló de ella por su ropa, la pequeña Josephine, de ocho años, contestó tranquilamente: "A mí me gusta mi ropa. Tú no eres yo." Era importante para ella contárselo a su mamá y que ella le dijera si su reacción había sido la correcta: "¿Tú también le hubieras dicho lo mismo, mamá? ¿Sabes una cosa? Cuando sea grande quiero ser como tú."

¡HIPERACTIVO TE HAS DE QUEDAR!

HELLINGER *a los padres*: ¿Qué problema tienen ustedes?
MARIDO: Tenemos dos hijos, a Rafael le diagnosticaron hiperactividad. En la escuela tenemos unos problemas espantosos con él.
HELLINGER: ¿Es el mayor?
MARIDO: No, es el menor.
MUJER: Tenemos dos hijos, Tomás tiene trece años. Él es el segundo, mi primer hijo nació muerto.
HELLINGER: ¿Tu primer hijo nació muerto? Ese niño cuenta. Entonces tienen tres hijos.
MUJER *con la voz ahogada en lágrimas*: Nunca lo había visto así.
HELLINGER: Entonces es tiempo de que lo corrijamos. *La mujer se cubre el rostro.*
HELLINGER *a la mujer*: No te sientas mal, te lo digo con buena intención.
MUJER: Está bien. *Un poco más controlada.* Mi niño nació muerto a fines del séptimo mes o a principios del octavo. Después tuve un aborto espontáneo a los tres meses.
HELLINGER: Ése no cuenta.
MUJER: Hasta ahora, ninguno de los dos había contado para mí. Lo reprimí totalmente.

HELLINGER: El primer niño sí cuenta. *La mujer mira interrogativamente a Hellinger durante un momento.* ¿Alguien de ustedes tuvo una relación estable antes?

MARIDO. No.

MUJER: No.

HELLINGER: ¿Pasó alguna otra cosa en especial?

MUJER. Nos casamos. Después de cinco años quisimos tener un hijo y, bueno, pues las cosas no salieron bien. Entonces nos dijeron que debíamos esperar un año y lo volvimos a probar, aunque un poco antes de un año. El embarazo fue difícil. Tuve contracciones desde el quinto mes. Me cerraron la matriz. Después tuve que pasar tres meses en un hospital. Ay no, lo estoy confundiendo todo, esto fue en el tercer embarazo, el del niño que ahora es tan inquieto. Bueno, el caso es que entonces estuve acostada tres meses en el hospital, con la cabeza para abajo, para que no pasara nada, hasta que un médico se dio cuenta, seis o siete semanas antes del parto, de que el niño no estaba bien. Se suponía que durante las contracciones había estado mejor, porque eso favorecía su circulación. Entonces se hizo una cesárea y nació, por supuesto, con demasiado poco peso. Estuvo tres o cuatro semanas en el hospital pediátrico, donde pasó una semana en la incubadora. No vi al niño durante una semana, eso fue terrible para mí. Durante algunos días tuve miedo de que también le fuera a pasar algo, de que se fuera a morir y lo perdiera como al primero. Entonces traté de hacerlo todo bien y de estar atenta a todo. *Llora.* Todo esto rebasa mis fuerzas.

HELLINGER: ¿Y qué pasa con el hermano mayor?

MUJER: Él ahí la va pasando. Tiene que aguantar todo lo que hacen sus padres y su hermano.

HELLINGER: ¡Por Dios, los pobres padres! Cuando se empiezan a hacer reproches, verdaderamente me dan lástima. ¿Qué más podrían hacer? ¿Ya hicieron terapia de contención con el menor?

MUJER: Traté de hacerla yo misma, después de haber leído el libro de Jirina Prekop. Probé la terapia en casa. Pero después me dijeron que no se debía hacer sin asesoría, que primero había que ir a consulta y que alguien debía dirigir la terapia. Entonces buscamos a la señora W. y ella nos recomendó que viniéramos primero aquí. Con ella ya hicimos constelaciones con muñecos.
HELLINGER: Bueno, vamos a hacerlo, entonces. Es mejor si los niños están aquí, tráiganlos.
A la mujer, mientras el padre va por los niños: ¿Pasó algo especial en tu familia de origen?
MUJER. No, yo soy la mayor de tres hermanos, les llevo diez años. Siempre fui la que los cuidaba, la hermana grande, pero no pasó nada en especial.
HELLINGER: ¿Pasó algo especial en la familia de origen de tu esposo?
MUJER: Mi esposo es hijo único y sus padres son mucho mayores que los míos. Su padre fue herido gravemente en la guerra, tiene un fragmento de bala en el cerebro. Pero no tiene manifestaciones externas, sólo tiene que tomar unas pastillas. Más no sé. Siempre fue un tabú, algo de lo que no se hablaba. Mi suegra murió el año en que nos casamos, hace dieciocho años. No la conocí muy bien, conozco sólo a mi suegro.
HELLINGER: Bueno, entonces vamos a constelar el sistema actual: tú, tu esposo y tus hijos.
MUJER: ¿Los tres?
HELLINGER: No, primero sólo los vivos. Al niño muerto lo pondré después, para ver qué efecto tiene su presencia.

El hombre llega con los niños y la mujer comienza a elegir a los representantes.

Figura 1a

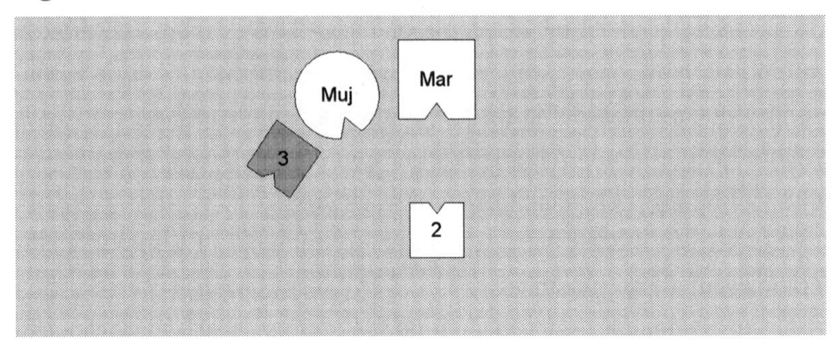

Mar	Marido
Muj	Mujer
2	Segundo hijo
3	**Tercer hijo (= Rafael)**

HELLINGER *al hombre*: Ahora haz tú tu constelación.

Figura 1b

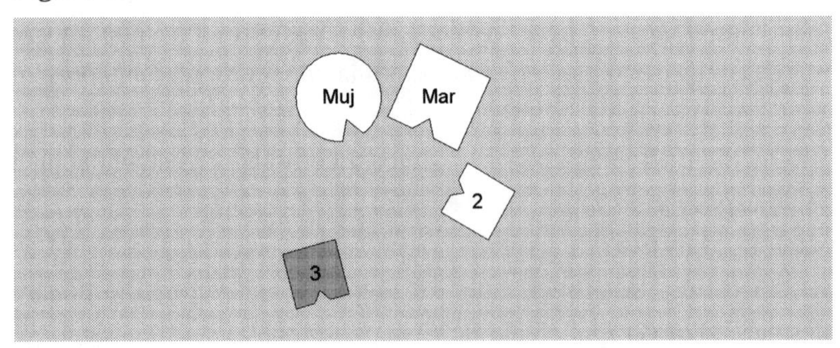

HELLINGER *al marido*: ¿Alguna vez tu esposa ha expresado pensamientos suicidas?
MARIDO: No, no conmigo.
HELLINGER: ¿Cuál es tu intuición al respecto?

MARIDO: No, no lo creo, tiene los pies bien puestos sobre la tierra.
HELLINGER *a la mujer*: ¿Y tú qué dices al respecto?
MUJER: No, nunca he llegado a eso. Sólo me siento desvalida y no sé cómo seguir adelante. Pero nunca he pensado en suicidarme. *Llora y su voz se quiebra.*
HELLINGER *al marido*: ¿Pasó algo particular en la familia de origen de tu esposa?
MARIDO: No, que yo sepa. Es la mayor de tres hermanos, le lleva diez años a su hermana y once a su hermano.
HELLINGER: ¿Alguno de sus padres estuvo casado o comprometido con anterioridad?
MARIDO: No, se conocieron muy jóvenes.
HELLINGER: ¿Hay algún hijo ilegítimo?
MARIDO: No sé.
HELLINGER *a la mujer*: ¿Lo hay?
MUJER: No, no ilegítimo, pero mi mamá tuvo también un niño que nació muerto, después de mí. No sé cuándo fue exactamente, yo no lo conocí, pero sé que fue un niño. Más no sé.

Hellinger coloca al hermano muerto de la mujer en la constelación, junto a ella.

Figura 2

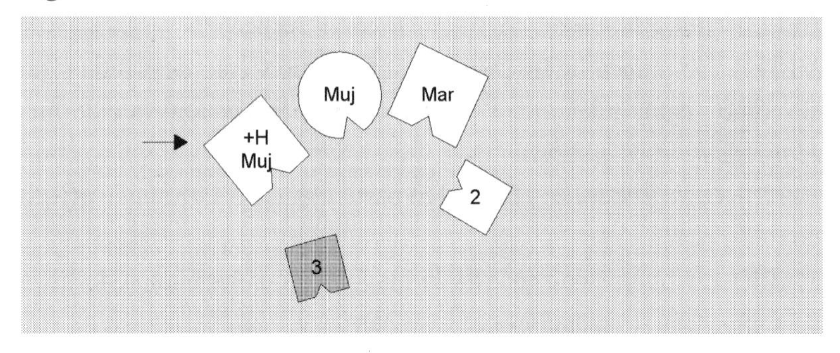

+HMuj Hermano de la mujer, nació muerto

HELLINGER *a la representante de la mujer*: ¿Qué tal se siente esto?
REPRESENTANTE DE LA MUJER. Me hace bien, me tranquiliza. Antes, como ella misma lo expresó, me sentía desvalida, temerosa. Esto me tranquilizó mucho.
HELLINGER *al representante del marido*: ¿Cómo te sientes?
REPRESENTANTE DEL MARIDO: En este momento no me siento bien, porque mi hijo mayor está demasiado cerca de mí. Antes, en la primera constelación, me sentí mejor. Incluso me pesa en el corazón, me oprime un poco.
HELLINGER *al segundo hijo*: ¿Cómo te sientes?
SEGUNDO HIJO: También me sentí mejor al principio. Estar frente a mi padre me daba fuerzas. Me guiaba más por él, mi madre estaba como entre tinieblas. Desde que su hermano muerto llegó me siento mejor.
HELLINGER *al tercer hijo*: ¿Tú cómo te sientes?
TERCER HIJO: Todo cambió mucho cuando llegó el hermano muerto de mamá. Antes sólo veía un amplio espacio frente a mí. Ahora, lentamente, tengo una sensación como de que hay algo atrás de mí. Antes tenía un vínculo con mi madre atrás de mí. Eso se debilitó cuando llegó mi tío. Estoy regresando poco a poco.

HELLINGER *al marido*: ¿Hubo entre ustedes algún conflicto o reproche por el niño nacido muerto?
MARIDO: No de mi parte. Últimamente hemos vuelto a hablar de ello. Vi al niño, estaba completo. Lo vi muy brevemente y luego se lo llevaron.
HELLINGER *a la mujer*: ¿Hay algún reproche por el niño muerto?
MUJER: Un reproche, no. Pero en ese entonces no nos permitieron enterrar al niño, porque no había vivido. Eso me pareció terrible. *Llora.*
HELLINGER: Sí, sí lo es.
Al público: Hay un famoso teólogo de la moral, Bernhard Häring, que ha escrito gruesos libros sobra la teología de la moral. Él se hizo teólogo de la moral por la siguiente razón: su hermana tuvo gemelos. Uno nació vivo, el otro muerto. El que nació vivo también murió poco después, pero se le alcanzó a bautizar. El gemelo muerto no pudo ser bautizado. Por eso al bautizado se le pudo sepultar, al otro, no. Eso lo indignó tanto, que se convirtió en teólogo de la moral para luchar contra esa injusticia.
A la mujer: Es terrible eso que pasó. ¿Tu hijo muerto era un niño?
MUJER: Sí.

Hellinger elige a un representante para el niño muerto y reacomoda a la familia. Hace que el niño muerto se siente a los pies de sus padres. Ambos colocan una mano sobre la cabeza del niño.

Figura 3

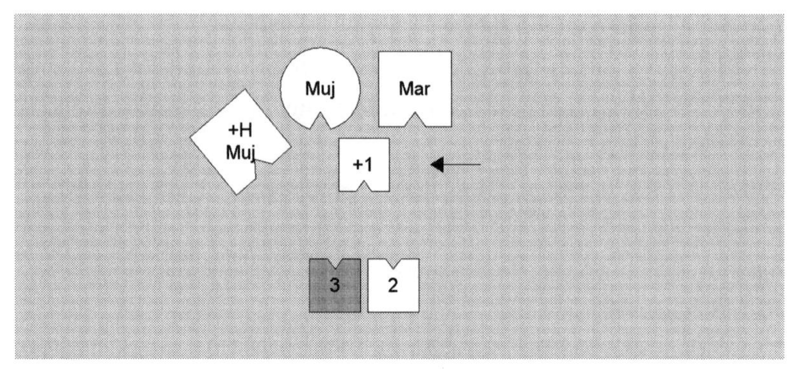

+1 Primer hijo, nació muerto

HELLINGER *al niño muerto*: ¿Cómo te sientes?
PRIMER HIJO †: Como si no estuviera realmente aquí, pero me siento protegido. No pertenezco realmente aquí, tengo la sensación de estar sólo a medias.
HELLINGER *a los padres*: Tomen sus lugares. Cambien las posiciones al hacerlo.

La mujer se coloca a la izquierda del hombre. Su hermano muerto se coloca junto a ella.

HELLINGER *a los padres*: Acérquense mucho, para que él los pueda sentir, y pongan una mano sobre su cabeza.

Figura 4

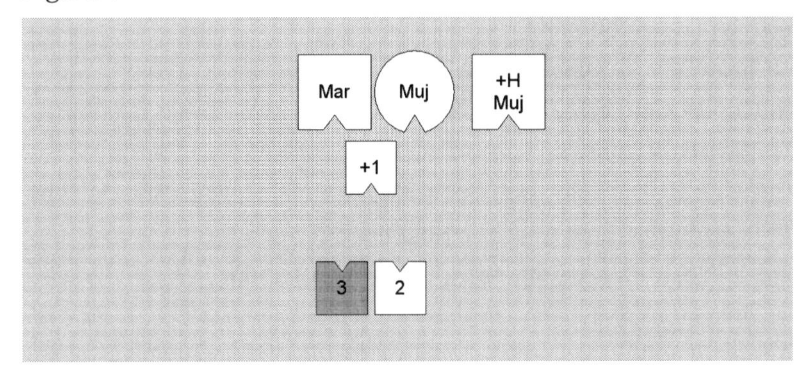

HELLINGER *al niño muerto*: ¿Qué tal te sientes ahora?

PRIMER HIJO †: Muy bien. Gracias a la presión de sus manos siento que ahora sí pertenezco.

HELLINGER *al hombre*: Dile: "Para nosotros eres nuestro hijo querido."

MARIDO *muy conmovido*: Para nosotros eres nuestro hijo querido.

HELLINGER: "Nuestro primogénito."

MARIDO: Nuestro primogénito.

HELLINGER: "Tienes un lugar en nuestros corazones."

MARIDO: Tienes un lugar en nuestros corazones.

HELLINGER *a la mujer*: Díselo tú también: "Mi hijo querido."

MUJER *llora*: Mi hijo querido.

HELLINGER: "Eres nuestro primogénito."

MUJER: Eres nuestro primogénito.

HELLINGER: "Te recibimos como nuestro primer hijo."

MUJER: Te recibimos como nuestro primer hijo.

HELLINGER: "Tienes un lugar en nuestros corazones."

MUJER: Tienes un lugar en nuestros corazones.

HELLINGER: Míralo, con amor. Pon también tu otra mano sobre su cabeza.

Al niño muerto: ¿Cómo te sientes ahora?

PRIMER HIJO †: Bien, es muy conmovedor. Estoy agradecido de que esto haya sucedido.
HELLINGER *al segundo hijo*: ¿Cómo te sientes?
SEGUNDO HIJO: Me siento bien.
HELLINGER *al tercer hijo*: ¿Y tú, cómo estás?
TERCER HIJO: Mejor, pero me siento extrañamente grande. Me gustaría sentarme junto a mi hermano muerto.
HELLINGER: Hazlo, entonces, del lado izquierdo.

Se sienta junto a su hermano muerto. Hellinger aleja un poco al hermano muerto de la mujer.

Figura 5

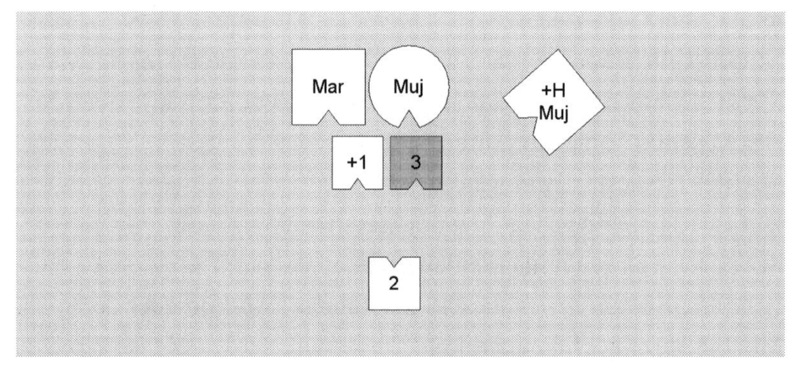

HELLINGER: ¿Cómo te sientes?
TERCER HIJO: Bien.
HELLINGER *a Rafael, que mira*: ¿Quieres sentarte tú ahí?

El niño se sienta en su lugar en la constelación, muy cerca del hermano muerto.

HELLINGER *a Rafael*: Dile: “Tú eres mi hermano muerto.”

RAFAEL (TERCER HIJO): Tú eres mi hermano muerto.
HELLINGER: "Te honro como mi hermano mayor."
RAFAEL (TERCER HIJO): Te honro como mi hermano mayor.
HELLINGER: "Mírame con ojos amorosos." *Hellinger hace que el hermano muerto rodeé con el brazo los hombros del niño.*
RAFAEL (TERCER HIJO): Mírame con ojos amorosos.
HELLINGER *a Rafael*: ¿Cómo te sientes ahí?
RAFAEL (TERCER HIJO) *con voz fuerte*: Bien.
HELLINGER *al hermano muerto*: ¿Cómo te sientes?
PRIMER HIJO †: Bien.
A Rafael: Pero quiero que tú vivas.

Hellinger coloca ahora a los tres hermanos frente a los padres, según el orden en que nacieron. También al segundo hijo, que había estado mirando, lo integra ahora a la constelación.

Figura 6

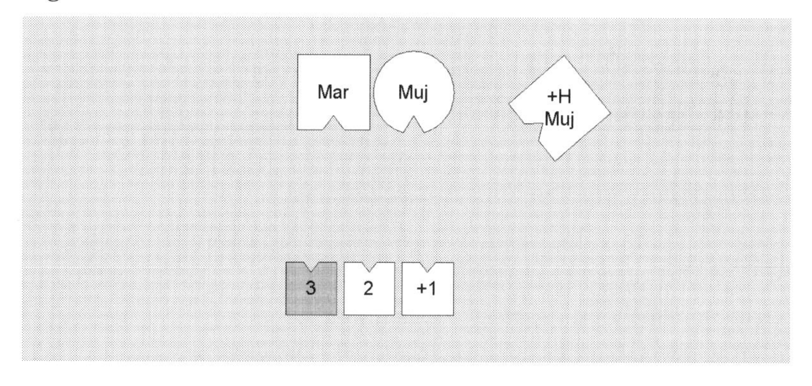

HELLINGER *mientras que coloca a los hermanos, dirigiéndose a Rafael y a su hermano*: Éste es de verdad su hermano mayor, fue el primero. No lo conocieron. *Al segundo hijo*: Porque tú eres el segundo, ¿lo sabías? *A Rafael*: Y tú eres el tercero.

Ambos niños asienten y se colocan muy cerca del representante de su hermano muerto.

HELLINGER *al hombre*: ¿Cómo te sientes ahora?
MARIDO: Mejor.
MUJER *muy conmovida*: Bien.
HELLINGER *al primogénito*: ¿Cómo te sientes?
PRIMER HIJO †: Bien.
HELLINGER *al segundo hijo*: ¿Cómo te sientes?
SEGUNDO HIJO: Bien. Es mejor tener un hermano mayor, que le enseñe a uno cosas.
RAFAEL (TERCER HIJO): También bien, otro hermano mayor.
HELLINGER *a la mujer*: Dile a tu hermano muerto: "Yo soy tu hermana mayor."
MUJER *muy conmovida, dirigiéndose a su hermano muerto*: Yo soy tu hermana mayor.
HELLINGER. "Te acepto como mi hermano."
MUJER: Te acepto como mi hermano.
HELLINGER: "Te otorgo un lugar en mi corazón."
MUJER: Te otorgo un lugar en mi corazón.

Hellinger hace que los hermanos se abracen.

HELLINGER *después de un momento, a la mujer*: Dile: "Mira con ojos amorosos a mi esposo y a mis hijos."
MUJER: Mira con ojos amorosos a mi esposo y a mis hijos.
HELLINGER. Míralo mientras le dices eso.
MUJER: Mira con ojos amorosos a mi esposo y a mis hijos.
HERMANO DE LA MUJER † *asiente sonriendo*: Claro que sí, con mucho gusto.
HELLINGER *al hombre*: ¿Cómo te sientes ahora?

MARIDO: Muy bien, cuando veo así a mi familia y a mi esposa junto a mí.
HELLINGER: Rodea a tu esposa con el brazo.
A la mujer: Rodea a tu esposo con tu brazo.
A los dos: Vean ahora a sus hijos, pero como padres, grandes y desde arriba. *A la mujer*: Te tienes que erguir.
MUJER: ¡Así de rápido nos hicimos grandes!
HELLINGER: ¿Está bien así?
MUJER: Fantástico.
MARIDO: El niño muerto seguramente estaría ya tan grande como ella.
HELLINGER. Hay que ponerle una lápida en alguna parte, algo conmemorativo. También tienen que ponerle un nombre. Y desde ahora cuenten bien a sus hijos. Bueno, eso fue todo.

HELLINGER *a la mujer, después de que todos se sentaron*: Los niños necesitan padres grandes, ¿lo sabías?
MUJER: Sí, sólo que a veces es muy difícil ser grande.
HELLINGER: Eso lo dicen los niños pequeños. *Risas.* Entonces, ¿qué vas a ser ahora?
MUJER: Grandísima.
HELLINGER. Te di un *tip* para hacerlo. ¿Te acuerdas?
MUJER: No.
HELLINGER: Uno se debe erguir internamente.
Al público: Ven, lo hizo inmediatamente. *La mujer ríe.* Y hay que ver un poco desde arriba.
MUJER: Muy bien.
HELLINGER: Exactamente, ahora me estás viendo para abajo.
Al público: Se podría ayudar a muchos niños si se supiera de estos enredos. También se podría ayudar a muchos padres si se supiera de estos enredos. ¿Alguna pregunta al respecto?

LA TERAPEUTA DE CONTENCIÓN QUE ACOMPAÑA A LA FAMILIA: Conozco a la familia, y les pregunté el nombre que habían elegido para el niño muerto. Me dijeron que se habían decidido por Rafael, como ahora se llama el tercero.
HELLINGER: Cuando un niño vivo recibe el nombre de un niño muerto, se está excluyendo de nuevo al muerto.
A los padres: El tercer niño debe recibir un nuevo nombre propio. ¿Tiene un segundo nombre?
MUJER: No, con toda intención le pusimos sólo uno. Pero no me pregunte por qué.
HELLINGER. Tiene que dársele un nuevo nombre. Ustedes deben imponerse para que esto ocurra. Deben explicar por qué y hacer que se le cambie de nombre. Y ustedes lo decidirán, no le preguntarán al niño cómo quiere llamarse.
MUJER: ¿Es posible?
HELLINGER: Eso no lo sé, pero ustedes tienen que hacer que sea posible.

La mujer se incorpora de un tirón.

HELLINGER: Ahora se ha erguido. *Risas*. Así es esto, es irresistible.
A la terapeuta: Gracias por el comentario, fue importante.

PARTICIPANTE: ¿Qué pasa si se pone a los niños un nombre de algún miembro de la familia que no esté asociado con un destino?
HELLINGER: Es bueno que los niños lleven los nombres de sus antepasados, por ejemplo, de los abuelos, así estarán bien integrados a la familia. Porque cuando se les ponen nombres raros, que nadie tiene en la familia, más bien se sienten como *outsiders*, como extraños.
PARTICIPANTE: ¿Y qué pasa si un hombre se llama como un tío que murió en la guerra?

HELLINGER: Eso depende de las circunstancias. Cuando tiene que sustituir al muerto, es muy malo para él. Una vez conocí a una mujer que llevaba los nombres de cuatro tías que habían muerto en un campo de concentración. Tenía un solo brazo, el otro lo había perdido en un intento de suicidio. Eso es terrible. Cuando se le pone un nombre a un niño, debe ser el de los abuelos, los padres, los tíos, que por lo general son buenos nombres. Pero no los que estén asociados con destinos especiales. Pero si alguien tiene un nombre así, entonces hay que presentarle al niño a esa persona, para que lo bendiga. Entonces todo estará bien. Ésa hubiera sido la solución para la mujer de mi ejemplo, se debió haber dicho: "Queridas tías, mírenme con ojos amorosos. Ustedes viven en mí." Entonces todo se hubiera resuelto. Cuando no se saben estas cosas es mejor no tocar esos nombres.

PARTICIPANTE *al día siguiente*: Estuve reflexionando acerca del cambio de nombre de Rafael. Me preocupa cómo reaccionará el niño si se le cambia de nombre, puesto que su identidad se relaciona con él. ¿Cómo maneja el niño una cosa así? ¿De verdad tiene tanto sentido hacer algo así?

MADRE DE RAFAEL: Lo mismo me pregunté yo también ayer por la noche.

HELLINGER. En relación con esta pregunta quiero decir algo acerca de la dialéctica y la fenomenología. Son conceptos filosóficos. En nuestra cultura pensamos de manera dialéctica, es decir, nos basamos en la cabeza, en la razón. La fenomenología quiere decir que nos basamos en la intuición. En la dialéctica, los pasos del conocimiento parten de una tesis, por ejemplo, cuando dije que hay que cambiar el nombre de Rafael, a una antítesis, que dice: eso es peligroso, él ya tiene otra identidad. Con la antítesis se elimina la tesis con la pura posibilidad del pensamiento, sin la intuición de la realidad. Quien vio ayer la constelación y vio cómo el niño se sentó junto

a su hermano muerto, que lo abrazó, sabe con precisión que el niño debe tener un nombre diferente, un nombre propio, para que pueda liberarse de la identificación. Porque está claro que ésa es ahora su identidad, se identifica con el muerto. Ahora tiene que hacerse de su propia identidad, entre otras cosas, mediante un nombre propio. Ésa es la intuición de la realidad. Lo que aquí nos ha presentado la persona que hizo la pregunta es una objeción. Yo puedo objetarlo todo, por bueno que sea, y de esa manera destruyo lo percibido. Eso es muy peligroso. Esta forma de dialéctica le da al individuo una impresión de libertad y poder sin riesgos. La objeción sirve siempre sólo para destruir, no para construir. Si la familia hiciera caso a esta objeción, se vería impedida de actuar. Tendría que pensar en la objeción: "Ay, quizá no es correcto hacer esto, él tiene ya su identidad." Pero todo eso pasa sólo en la cabeza, y se excluye totalmente la experiencia y la percepción que tuvimos aquí. Ésta fue una observación básica sobre la forma de proceder. ¿Me pude dar a entender?
PARTICIPANTE: Sí.
HELLINGER: Por eso, a esta forma de psicoterapia la llamo terapia fenomenológica. No pasa por la forma dialéctica del pensamiento conceptual, sino que parte de la intuición y confía en lo que se muestra, no en lo que se piensa al respecto.

Año y medio después, llamé por teléfono a la familia, para preguntarle cómo se había desarrollado el problema de la hiperactividad. Antes de que la madre me pudiera contestar, escuché que regañaba a su hijo: "¡Rafael, deja ese juguete y ponte a hacer tu tarea! Ahora no puedo estar contigo, estoy hablando por teléfono."

Después de eso, en realidad mis preguntas salían sobrando. El niño había conservado su nombre y seguía siendo hiperactivo. Bert Hellinger se había esforzado en vano por explicar por qué era tan importante hacer el cambio de nombre, cuando en realidad esa explicación había sido la parte más importante de la constelación. Mientras que el niño llevara el nombre de la persona con quien se identificaba, no podría desarrollar su propia identidad. Debería vivir el destino del otro, imitar su forma de vida y adoptar sus sentimientos. Debido a la identificación con el otro, se vería impedido de vivir sus propios sentimientos y enfrentar su propio destino. No se pertenecería a sí mismo, sino al otro. Este desgarramiento interior impediría que viviera como un yo unificado. No podría tener reposo alguno. Estaría siempre inquieto, sin importar la forma y el diagnóstico. Pero esta calamidad también afectaría a aquél con quien tenía la identificación. Mientras que alguien tuviera que vivir por él y representarlo, adoptando sus sentimientos y su destino, su vida no estaría siendo honrada a cabalidad. Todavía no se le habría admitido del todo en el sistema de la familia. El hecho de que un niño nacido después de él hubiera recibido su nombre implicaba que el niño muerto volvía a ser excluido del sistema. Y la desgracia provocada por esta exclusión por lo general no afectaría sólo a uno, sino a varios de los descendientes. La conciencia superior, que vigila que se mantenga la justicia dentro de un clan, no tolera que un miembro de la familia sea excluido. Entonces, otro miembro de la familia tendría que asumir la tarea de recordar a aquél que fue olvidado.

¿Cómo se manifestaba la identificación de Rafael con su hermano nacido muerto? Como el alma de este hermano tuvo que abandonar su cuerpo, el alma de Rafael no se atrevía a penetrar completamente su propio cuerpo. Algunos especialistas en materia espiritual hablan en estos casos de una encarnación no consumada. Debido a que sólo percibía su cuerpo parcialmente, no podía controlar sus movimientos. Como un bebé seguía impulsos momentáneos, cualquier ruido, fuera el de un carro o el de un teléfono, se convertía en motivo para perder la concentración en el juego o para interrumpir su tarea, para saltar de la silla y correr enloquecidamente por la habitación. Su carencia de conciencia del Yo se expresaba en numerosas ocasiones que normalmente estimulan a un niño para autoafirmarse, por ejemplo, en situaciones como "yo, igual que tú...", "yo soy más rápido que tú..." o "yo por ti...", etc. Rafael no le encontraba sentido a las competencias. Tampoco tenía para él valor alguno participar en las clases, como lo hacían sus compañeros. No era capaz de hacerle un regalo a su madre y mantenerlo en secreto hasta el día de su cumpleaños.

Naturalmente, la hiperactividad no sólo es ocasionada por enredos sistémicos. Existen múltiples causas para ella. La más frecuente es la formación deficiente del sistema motriz del bebé. Por lo general, este sistema se empieza a formar en el vientre de la madre, continúa en el rebozo o la cobija en que se cargue al recién nacido pegado al cuerpo de la madre y que restringe de manera beneficiosa los movimientos incontrolados del niño. Posteriormente, estos movimientos serán armonizados y coordinados mediante los movimientos rítmicos de la madre o de la cuna o hamaca en que duerma el niño. En bebés un poco más grandes, el regazo de la madre o un rincón de juegos bien delimitado (por ejemplo, un corral) funciona muy bien para inhibir el impulso de movimientos excesivos, que producen estrés. Si no se le da al niño el apoyo suficiente para desarrollar su concentración y atención y de experimentar fases sucesivas de actividad y de descanso, se verá rebasado por estímulos desordenados. Estas experiencias pueden grabarse en forma de disfunciones cerebrales en su joven y maleable cerebro. Pero tales disfunciones pueden ser también congénitas. Así mismo, resultan determinantes los estados de miedo y angustia sufridos por la madre, porque su intranquilidad le es transmitida al niño.

Visto desde esta perspectiva, también el hermano mayor de Rafael podría haber sido hiperactivo, porque en su segundo embarazo la madre había tenido pánico de que se repitiera la experiencia del bebé que nació muerto. El embarazo fue difícil, la boca de la matriz tuvo que ser cerrada. Y no obstante, Tomás no mostró signos de hiperactividad. Por el contrario, siempre fue un niño de movimientos ordenados. Disfrutaba estar sentado en el regazo de su madre o de su padre. Además, era un buen gimnasta y futbolista, un buen violinista y también iba bien en la escuela.

Tras este embarazo afortunado, los miedos de la madre disminuyeron en el siguiente embarazo. Pero regresaron en el quinto mes, cuando se detectó un embarazo de alto riesgo. En consecuencia, se presentó lo que se considera una causa de hiperactividad: un riguroso y prolongado reposo, en el que el niño no recibió más estimulación rítmica de su madre que los movimientos de su respiración, además, estaban el nacimiento prematuro por cesárea y la posterior hospitalización del niño, incluyendo su estancia en la incubadora, que interrumpió la vinculación entre madre e hijo. Estas circunstancias hubieran bastado para desencadenar la hiperactividad. Ahora bien, como se sabe, hay muchos niños que sufren un destino similar a la más tierna edad y que, sin embargo, no son hiperactivos. A esto se añadía el hecho de que este niño tenía una madre experimentada, que sabía cómo dirigir los impulsos de un bebé, y el bien desarrollado Tomás era el mejor ejemplo de ello.

¿Había otra causa operando aquí? ¿Por qué los padres escogieron precisamente para este niño el nombre Rafael, que habían elegido también para su primer hijo muerto? Con firme obstinación se empeñaron en que así fuera, sin importar que el bebé fuera niño o niña. Si hubiera sido una niña, se hubiera llamado Rafaela.

¿Pero qué pasa con un alma cuyo nacimiento fracasó y cuyo cuerpo fue despreciado de tal manera que no se le enterró y ni siquiera se le hizo algún sepulcro simbólico? También el nombre que se había previsto para él le fue negado, siguiendo el razonamiento "Tú nos

abandonaste, entonces vete completamente." Pero el alma sabe que la represión del dolor se da porque éste es demasiado grande. Sigue percibiendo a sus padres, con los que quería estar. El alma sigue vinculada a los padres, aunque desde una gran distancia, por medio del campo de fuerza espiritual superior al que regresó. Este campo de fuerza se encargará de que el alma no sea olvidada, de que sea verdaderamente llorada por los padres y que sea enterrada con todos los honores, incluyendo su nombre. Esta instancia superior de justicia se encargará de esto, sobre todo porque en la generación anterior ya había nacido un niño muerto, que también había caído en el olvido. Su propia hermana no sabía cuántos años después de ella nació, ni qué había pasado con sus restos mortales. Entonces, los padres tienen otro hijo, que ha de llamarse Rafael, y recordar, al mismo tiempo, al Rafael original y a su tío. Y lo hará con una vehemencia extraordinaria. Reclamará de manera constante la atención de sus padres. Como se volverá insoportablemente inquieto, los padres tendrán que consultar especialistas y, así, les llegará la hora de constelar su sistema familiar...

En la constelación pareció que todo era perfectamente claro para los padres. Todas las relaciones les parecieron lógicas. Los dos niños estaban contentos por el nuevo orden entre los hermanos. Rafael estaba visiblemente feliz por su hermano mayor, hasta entonces desconocido para él, y por su lugar de tercer hijo. Antes de que su familia quedara completa, parecía que en su pecho abierto temblaba una flama llevada por el viento de aquí para allá. Pero después se calmó su fuego interior e irradió una luz regular, las heridas superficiales parecían haber sanado. Sus movimientos se hicieron un poco más tranquilos, a pesar de que seguían siendo poco controlados y más bien espasmódicos. Eran patrones de movimiento a los que se había acostumbrado con los años. En este caso estaban indicadas la terapia de aprendizaje y la psicomotricidad, porque no todas las carencias se pueden sanar desde el nivel emocional.

En el receso que siguió a esta constelación, muchos participantes abordaron a la familia. Todos estaban asombrados por la claridad con la que se cubrieron las lagunas sistémicas y por la lógica del proceso que condujo a la solución. Los participantes estaban particularmente entusiasmados con el comportamiento de Rafael. ¡Con cuánta conciencia había participado y repetido las palabras del terapeuta! No se trató de un remedo sin sentido, sino que las frases que llevaban a la solución se grabaron en su mente y en su corazón palabra por palabra. Un niño especial, este Rafael.

En realidad, ya no deberíamos llamarlo Rafael. Sólo su hermano mayor tenía derecho a ese nombre. Se le debía dar un nuevo nombre propio. Y al llegar a este pensamiento, aparecieron las primeras dudas: "No va a ser nada fácil negociar con las autoridades el cambio de nombre. Son muy necios para esas cosas. Especialmente, si la recomendación viene de un psicoterapeuta." "También para el niño sería un cambio terrible. Él se concebía a sí mismo como Rafael. Ese nombre fue la primera palabra que aprendió a escribir."

Estas dudas habrían surgido también sin la intervención de los otros participantes. Tanto a la madre como al padre les pareció lógica la recomendación de Bert Hellinger, pero también muy complicada. ¡Todos los parientes estaban acostumbrados a ese nombre! ¿Cómo explicarles a los abuelos y a los tíos, así como al padrino, que el nombre del arcángel ya no era bueno para el niño? ¿No pensarían que estaban locos? ¿No pensarían sus parientes y amigos que eran unos tontos si les explicaban que después de tantos años habían comprendido que ese nombre le pertenecía a su primer hijo? Algunos, es más, la mayoría, no sabía nada del niño nacido muerto. Entonces, ¿cómo debían hacer las cosas? También habría que avisarle a la escuela del cambio de nombre. ¡Ay, Dios! ¿Cómo argumentarían su decisión?

¿Deberían decir que el cambio de nombre era un intento de curar la hiperactividad del pequeño? La maestra seguramente se reiría de ellos. Ella de por sí pensaba que la intranquilidad de Rafael se debía a los errores educativos de su madre. "Qué buena ocurrencia ha tenido", diría, "pero eso va a ser tan inútil como los masajes de reflexología que hace no mucho pensó que serían la solución." El pediatra reaccionaría de manera similar: "Permita que finalmente le recete a Rafael el efectivo medicamento Ritalin y déjese de tonterías."

Todas estas consideraciones preocuparon a los padres la noche entera. Los dos daban vueltas en la cama, llenos de dudas, ninguno podía dormir. "¿Tú qué opinas?" "Ay, no sé..." Como sea, dos nuevas estrellas habían aparecido en el cielo: el hermano y el hijo que habían muerto estaban ahora presentes a través de su recuerdo. Cuando despertaron al día siguiente, estaban más inseguros que cuando comenzó el taller. Durante el desayuno, Rafael seguía tan inquieto como siempre: tiró la cafetera, jugó con la silla, pateó la pierna de su hermano y embarró la mermelada en el plato.

"¡Rafael, estate quieto, por favor, Rafael!"

La madre gritó una y otra vez "Rafael". El niño no reaccionó.

"¿Te quieres llamar de otra manera?"

El niño inmediatamente vio a su madre y dejó, por un momento, de molestar, pero no dijo una sola palabra. Sólo sonreía.

"¿Ya no te quieres llamar Rafael, no te gusta tu nombre?"

Siguió sonriendo, pero sin dar una verdadera respuesta. También su papá le preguntó lo mismo. Sin éxito. "¿Podemos tomar su sonrisa en serio? Su sonrisa ingenua y algo boba muestra que no sabe de lo que se trata."

"¿Entiendes nuestra pregunta?"

En la mesa de al lado, una participante del taller escuchaba la conversación. Una psiquiatra infantil. Se permitió intervenir: "Ayer, durante la constelación, estaba segura que tanto el representante de

Rafael como él mismo habían percibido bien el problema. Pero cuando lo veo ahora, tengo la sospecha de que su conducta durante la constelación pudo haber sido influida por la fuerte fascinación que irradia Bert Hellinger."

Otro vecino de una mesa cercana la contradijo. No era el primer caso así que había visto y que había tenido un efecto sanador gracias al cambio de nombre. Él conocía a Hellinger desde hacía años. Gracias a su ingenuidad y a su pureza intelectual, el niño percibía la verdad con más precisión que un escéptico adulto. "Miren a este niño a los ojos. En sus ojos está la respuesta: 'Querida mamá, querido papá, no me pregunten a mí. Ustedes son los responsables. Ustedes tienen que hacer lo correcto.'" La respuesta la debemos percibir con el corazón, no con la razón crítica.

"Qué atrevimiento", pensaron los escépticos, el padre, la madre y la psiquiatra. ¿Cómo se atreve este hombre, con su trencita de Mozart y sus dos aretes, a aleccionarnos a nosotros, dos técnicos serios con los pies bien puestos sobre la tierra y una psiquiatra con años de experiencia? ¿Cómo se le ocurre que nos ha de decir cómo sentir con el corazón?"

De camino al salón en el que se estaba realizando el taller, una participante, generalmente razonable, les preguntó si estaban de verdad decididos a hacer el cambio de nombre. "¿Saben?, lo que pasa es que tengo mis dudas de si el niño se podrá acostumbrar a otro nombre. Porque, de todos modos, su nombre forma parte de su identidad. ¿No lo amenaza una gran confusión? Si ustedes no se atreven a hacerlo, yo misma plantearé abiertamente la pregunta. Por lo demás, me gustó mucho la constelación de su familia."

Las dudas de los padres de Rafael crecían como una bola de nieve. Cuando la mujer planteó la pregunta anunciada, escucharon sólo a medias la respuesta de Hellinger. Llenos de miedo por los problemas que implicaba la tarea, construyeron una pared entre ellos y

Bert Hellinger. Una objeción, por así decirlo. Sí, él llamó a las cosas por su nombre. Preferían quedarse donde estaban y enfrentar el riesgo de lo no percibido. De todos modos, con Rafael las cosas no podrían empeorar más. Pero si trataran de cambiar su nombre, seguramente los amenazaría un peligro mayor. El maestro había reconocido correctamente que la madre se sentía tan débil como una niña pequeña y que le resultaba difícil sentirse grande. Si él siempre estuviera junto a ella para indicarle que se irguiera internamente, quizá podría seguir sus indicaciones. Pero él no estaría con ella para apoyarlos a ella y a su marido. Entonces, de ninguna manera aceptaría correr el riesgo.

Pero las frases de Hellinger colgaban en el aire como una profecía de mal agüero sobre los padres. "La objeción sirve siempre sólo para destruir, no para construir. Si la familia hiciera caso a esta objeción, se vería impedida de actuar."
Incontables veces habían leído este tipo de historias en la Biblia y en los cuentos de hadas.

¿Qué había pasado con Lot y su mujer, cuando Dios decidió destruir la perversa ciudad de Gomorra y aceptó salvarlos sólo a ellos? La condición había sido que, al huir, no voltearan a ver la ciudad, sino quedarían convertidos en estatua de sal. Lot obedeció sin objetar nada. Pero Sara tenía sus objeciones. ¿Por qué no habría de voltearse a ver? ¿Con qué derecho le prohibía el Señor que viera lo que ella quisiera? Se convirtió en estatua de sal. Tan dura y muerta como una pared. Una sólida objeción de sal.

Los héroes de los cuentos de hadas debían cumplir sin objeción alguna las tareas que les encomendaban los poderes superiores. Sin contradecir, debían poner su vida en riesgo, soportar duras pruebas, hacer grandes sacrificios, aguantar largas esperas, seguir un orden específico en el cumplimiento de sus tareas o atenerse a determina-

dos números (por ejemplo, tres pruebas, seis camisas, siete montañas), sin preguntar por qué. De otra manera, no se daría la salvación. Sólo cuando se entregaran con todas sus fuerzas al orden que imperaba sobre ellos, lograrían alcanzar la felicidad.

Pensemos en el cuento de los seis cisnes. ¿Cómo iba? Seis hermanos fueron embrujados por su malvada madrastra, quien los convirtió en cisnes. Sólo su hermana menor los podría salvar, a condición de que durante los siguientes seis años no hablara ni se riera y que además tejiera para sus hermanos seis camisas hechas de flores. Sin dudarlo un momento, aceptó la tarea. No dijo ni una palabra cuando la atraparon unos cazadores; para comprar su libertad, les dio todo menos la camisa con la que estaba vestida. También reprimió sus palabras de amor cuando se enamoró de un joven rey. Y cuando su malvada suegra le arrebató también a su tercer hijo y lo escondió para acusarla de haber matado a sus tres hijos, la valiente muchacha no pronunció ni una palabra en su defensa al ser condenada a morir en la hoguera por su atribulado esposo. Fiel a su tarea, siguió tejiendo las camisas para sus hermanos hasta que, ya sobre la pira y mientras tejía la última camisa, sus hermanos se acercaron volando y ella logró arrojarles las camisas. Sus hermanos, ella y sus tres hijos se habían salvado y ella, finalmente, podría vivir feliz con su esposo, el rey.

Este cuento de hadas encierra un asombroso conocimiento. Como a pesar de todos sus esfuerzos la muchacha no logra terminar la última camisa, al hermano menor le falta el brazo izquierdo y, en su lugar, tiene un ala de cisne. A pesar de que la tarea no fue completada –sin culpa alguna por parte de ella–, la fuerza mágica superior respeta los esfuerzos realizados y los libera a todos. También el hermano menor puede ser desembrujado y volver a ser un hombre. Este proceso de salvación no se hubiera realizado si la hermana hubiera dudado de la necesidad de su tarea. A más tardar en el momento en el que no se pudo defender ante su esposo ni pedirle ayuda para buscar a sus hijos perdidos, muchas personas reconocerían como legítimas sus objeciones para continuar callando. Pero ella arriesga lo más valioso que tiene: el amor de su esposo y la vida de sus tres amados hijos.

Y pensemos en el cuento de la Señora Holle. ¿La pobre muchacha se hubiera convertido en una virgen de oro si se hubiera resistido, por motivos absolutamente razonables, a brincar dentro del pozo? ¡No se arriesga la vida por una lanzadera!

¿Qué hubiera pasado con la hermosa pero egocéntrica hija del rey del cuento "La Serpiente Blanca", si el lacayo hubiera renunciado a cumplir sus tareas después de haber considerado críticamente las exigencias que se le estaban haciendo? Hubiera podido decir, de manera completamente racional: "Pues sí, la Serpiente Blanca me otorgó el don de comprender el lenguaje de los animales y eso es algo fabuloso. También es bueno que gracias a eso haya podido yo ayudar a los peces, al rey de las hormigas y al joven cuervo cuando lo necesitaron. Y es muy conmovedor que, en retribución, se ofrecieran a ayudarme cuando yo mismo lo necesitara. Ya funcionó dos veces con gran facilidad. La primera, cuando los peces sacaron del agua el anillo que la hija del rey había arrojado al mar. La segunda vez yo no tuve que hacer esfuerzo alguno cuando la hija del rey me ordenó guardar en diez costales las semillas de mijo que había regado por el pasto. Sin que yo haya tenido que tomar un solo granito en mi mano, las hormigas lo hicieron impecablemente por mí. Pero ahora me piden que traiga una manzana del Árbol de la Vida. ¿Dónde, por Dios, estará ese Árbol? Ningún animal, ningún ave me han venido a decir por lo menos la dirección del viento." Entonces, en ese momento él se hubiera podido decir de forma completamente lógica: "Me están exigiendo demasiado, ni siquiera sé qué tan largo sea el camino, cómo he de reconocer el árbol y si me alcanza-

rán las fuerzas. De la condena a muerte con la que me amenazó la orgullosa hija del rey ya me libré con el cumplimiento de las dos primeras tareas. Ya no me puede pasar nada peor. No voy a buscar el árbol a menos que encuentre un compañero competente." Muchos psicoterapeutas calificarían su decisión como señal de un buen sentido de la realidad. ¿Pero cuáles serían las consecuencias de sus bien fundamentadas objeciones? Él hubiera seguido vagando por el mundo, con la imagen de la hermosa hija del rey en su corazón, a la que no hubiera podido hacer su esposa. Quizá hubiera perdido la capacidad para el matrimonio. Pero también la hija del rey hubiera sufrido una desgracia. Porque la oportunidad de perder su orgullo y de ser capaz de amar dependía enteramente de la manzana encantada del Fin del Mundo, que le debería ser llevada por un valiente lacayo con el que habría de compartir el manjar. Si él, debido a su razón crítica, hubiera prescindido del viaje, nunca se hubiera alcanzado la meta que los hermanos Grimm[10] *formularon como el final de su cuento: "Entonces, el corazón de la princesa se colmó de amor por él y fueron felices para siempre."*

Inmediatamente después de la constelación familiar, los terapeutas de contención presentes decidieron ofrecerle a la familia dos sesiones de terapia de contención. El tema de la primera sesión sería el duelo compartido por los padres debido a la muerte de su primogénito. Esta elaboración del duelo hubiera sido la condición para que su primer hijo, llamado Rafael, encontrara un lugar en los corazones de sus familiares y, de esta manera, pudiera ser también liberado. Como

10. Jacob Ludwig Karl Grimm (1785-1863) y Wilhelm Karl Grimm (1786-1859) nacieron en Alemania y se dedicaron al estudio de la filología y el folklor. Basándose en sus investigaciones de las tradiciones y la lengua alemanas, recrearon las leyendas y las historias populares campesinas y las publicaron en varias compilaciones de cuentos infantiles, como *Hansel y Gretel*, *Blancanieves* y *Juan sin Miedo*.

lo muestra la experiencia, después de esto los niños que son fieles a este miembro excluido se ven libres de la necesidad sistémica de representarlo. Sólo cuando el niño muerto pueda ser recordado con su propio nombre sus hermanos menores no tendrán ya que llamarse como él. De esa manera, el niño que hasta ese momento se había llamado Rafael hubiera encontrado el camino a su propia identidad.

En la segunda sesión hubiera sido importante asimilar afectivamente el "nuevo" embarazo y el "nuevo" nacimiento. El niño lo hubiera necesitado no sólo para recibir una nueva identidad con su nuevo nombre, sino también para elaborar emocionalmente el vínculo dañado con su madre. Mientras que la madre lo sostuviera contra su vientre, como si el niño todavía estuviera dentro de ella, los dos hubieran tenido la oportunidad de expresar los miedos por el embarazo de alto riesgo, el dolor por la separación durante la cesárea y la subsecuente hospitalización, pero también la alegría por el nuevo vínculo. Hubiera sido importante hacerle sentir y saber: "Ya no eres Rafael. Rafael es tu primer hermano, que murió y ahora está en el cielo. Le vamos a mandar un amoroso saludo y a pedirle que él también nos salude desde allá. Mira, allá en el cielo está él, tú estás en la Tierra. Tú estás aquí, en mis brazos, papá está junto a nosotros. Tu hermano Rafael, que está en el cielo, te mira con amor y te agradece que te hayas acordado tanto tiempo de él, pero ahora ya no quiere que lo sigas haciendo. Se alegra de que le regreses su nombre Rafael y que tengas otro nombre para ti y vivas tu propia vida."

Este plan terapéutico sólo pudo cumplirse en una mínima parte. El fallido intento fue después objeto de una intensa discusión entre los terapeutas de contención. Si la terapeuta de contención que se encargó de esta familia hubiera sabido a tiempo de las grandes dudas que albergaban los padres acerca de los resultados de la constelación sistémica, los hubiera declarado contraindicados para esta terapia y hubiera abandonado su plan terapéutico.

Pero los padres tenían miedo de contar sus dudas. Sabían que la terapeuta apoyaba totalmente las recomendaciones de Bert Hellinger. Y no querían contradecirla, porque esperaban que la terapia de contención fuera la curación de la hiperactividad de Rafael. Porque, originalmente, lo que a ellos les importaba era la contención. El rodeo que pasaba por la constelación sistémica lo tomaron sólo por insistencia de la terapeuta, pero sin entusiasmo alguno. En la conversación que precedió a la terapia de contención no dejaron traslucir su miedo. Los padres dijeron que estaban muy contentos por no tener ya que reprimir el recuerdo de los dos niños que nacieron muertos –el hermano de la mujer y su hijo–, y que ahora les concederían conscientemente lugares de honor en el sistema familiar. Cuando la terapeuta preguntó si ya sabían qué nuevo nombre le pondrían a Rafael, notó una pequeña indecisión: "Todavía no. Se nos viene un gran problema encima. Con el cambio oficial de nombre nos vamos a enfrentar a todo tipo de problemas." Pero los padres no permitieron que la terapeuta notara que lo más probable era que evitaran todas las dificultades y que no siguieran la recomendación más importante hecha durante la terapia sistémica a que se habían sometido.

La duda arrojó una sombra devastadora sobre los procesos emocionales. La contención se logró hasta cierto punto con la pareja. Las lágrimas fluyeron por la muerte del primogénito, sobre todo por la humillación y por su propia cobardía, que le impidió a la madre ver al niño muerto y que no permitió que el padre se impusiera para lograr un entierro digno. Pero la reconciliación completa de los padres sólo hubiera sido posible si se hubieran decidido por una reparación. Naturalmente, eso sólo hubiera sido posible en los términos de Hellinger. Pero esta decisión verbal no se logró para el final de la sesión. El matrimonio se abrazó fuertemente y, llenos de mutua comprensión, secaron con besos sus lágrimas. Pero la impresionante profundidad de su amor conyugal fue tomada por madurez. La terapeuta no entendió que, en realidad, estaba viendo a Hansel y Gretel abrazados, perdidos en el bosque. Lógicamente, el segundo proceso terapéutico con Rafael fue insatisfactorio para todos los participantes. El alma del niño sintió con precisión que sólo podría encarnarse bajo las condiciones que se habían puesto de manifiesto. Lo único que le quedó por hacer fue gritar lleno de furia contra su madre, demasiado débil como para imponer estas condiciones. Cuando el niño, iracundo, quiso morderla, la terapia degeneró en una lucha de poder. Al niño se le llamó siempre Rafael. Los padres no reaccionaron a las indicaciones correctoras de la terapeuta. Por supuesto que resultó impensable hacer una regresión al momento del nacimiento. La terapeuta ya había decidido interrumpir la sesión y declararla fallida cuando el niño, cansado, quizá también resignado, aceptó darle a su madre un fugaz beso en la nariz y descansó en sus brazos, aparentemente dormido. Los padres no quedaron contentos con lo sucedido. Nunca se atreverían a repetir la contención en casa, menos sin la presencia del padre. La madre sola nunca lo lograría. Una gran decepción los invadió. Perdieron la última esperanza de curar a su hijo de su hiperactividad. "A tantas familias les sirve la terapia de contención", decían con convencimiento, "¿por qué a nosotros no? ¿Por qué otra vez nos salen mal las cosas?" Pero estaban sordos a las explicaciones de la terapeuta de contención que, por supuesto, eran similares a las de Bert Hellinger.

"¿Cómo están?", les pregunto por teléfono año y medio después. "¿Qué ha pasado con la hiperactividad de su hijo?" "¿Cómo ha de irnos? Rafael está inquieto, como siempre. Además, ahora es de una agresividad sin freno."

Amando en secreto al hermano y al tío nacidos muertos, el alma fiel del niño seguirá luchando por los dos hasta que se les reconozca. La vida entera, si es necesario. Más allá de la muerte, cuando la estafeta llegue a manos de un miembro de una generación posterior.

EL BOTE SALVAVIDAS DE LOS ABANDONADOS

HELLINGER *a los padres*: ¿Cuál es su tema?
MUJER: Nuestros dos hijos son adoptivos. El más pequeño tenía 14 meses cuando llegó a nosotros. Vivió muchas cosas terribles y por eso padece de muchas dificultades que no hemos podido resolver a la fecha.
HELLINGER: ¿Por qué adoptaron?
MUJER: Porque no pudimos tener hijos propios. Yo trabajé cuatro años en un jardín de niños y los niños son mi vida. Nos hubiera encantado tener hijos, y entonces decidimos hacerlo de esta manera.
HELLINGER *a la mujer*: Entonces, ¿tú eras la que quería tener hijos?
MUJER: No.
MARIDO: Los dos queríamos tenerlos, fue algo acordado.
HELLINGER: ¿Para los dos era igual de importante?

Los dos afirman con la cabeza, pero el hombre es claramente menos enfático.

HELLINGER *al público*: ¿Cuál es su impresión?

La pareja y el público ríen.

HELLINGER: Una vez hice un viaje. Entre mis compañeros de viaje estaba una pareja, y cuando el hombre buscaba a su esposa, decía en voz alta: "¿Dónde está mi gobierno?"
A la mujer: ¿Qué pasó con los padres de los niños?
MUJER: Los niños no son hermanos. La madre del mayor vivía en un orfanato y me parece que tenía diecisiete años cuando el niño nació. Ella estaba en el orfanato porque sus padres se separaron cuando era pequeña y no se quisieron hacer cargo de ella. Del padre del niño no sé nada. Se piensa que fue un compañero del orfanato, más o menos de la misma edad que ella. Ahora estamos buscando a la madre, para establecer contacto con ella.
HELLINGER: ¿A quién tienen que buscar?
MUJER: A la madre. El niño tiene ahora diez años y quizá quiera…
HELLINGER *la interrumpe y repite su pregunta*: ¿A quién tienen que buscar?
MUJER *riendo*: Al padre.
HELLINGER: Claro, hay que buscar al padre.
MUJER: Pero eso sólo es posible a través de la madre. La gente que gestionó que nos dieran al niño no sabe nada al respecto. Creo que sólo buscando a la madre lo podremos encontrar también a él.
HELLINGER: Si se quisiera, esto se podría averiguar muy fácilmente en el orfanato. ¿O no crees que haya habido habladurías cuando todo esto pasó?
MUJER: Sí, claro.
HELLINGER: Entonces hay que servirse de esas habladurías.
MUJER: Pero…
HELLINGER: Ahora viene la objeción.
MUJER: Lo hemos manejado todo abiertamente con el niño y le contamos de su madre. Hace año y medio él me dijo que le gustaría conocerla. Yo le dije que sí, que podríamos arreglarlo. Y cuando volvimos a hablar al respecto, me dijo: pero que no sea muy de cerca,

que sea de forma que sólo yo la vea, por ejemplo, si ella pasara del otro lado de la banqueta. Me imagino que le resulta amenazante.
HELLINGER: No, así está bien. La madre perdió sus derechos. Una mujer que da a su hijo en adopción pierde todos sus derechos sobre él, y el niño lo sabe. Reacciona de manera totalmente correcta. No se le puede llevar con la madre como si ella tuviera derechos. Pero el padre probablemente sea inocente, porque aparentemente no se le consultó para dar al niño en adopción. Por eso, él no ha perdido sus derechos. El niño podría ir con su padre cuantas veces quisiera. Por lo menos, así lo veo en este momento. Además, los niños no sólo tienen padres, sino abuelos. También habría que buscarlos a ellos.

Los dos niños entran y se sientan entre sus padres adoptivos.

HELLINGER ¿Y cómo fueron las cosas con el niño más pequeño?
MUJER: Durante mucho tiempo nosotros nos hicimos cargo de él. Lo recibimos cuando tenía 14 meses, y llegó en un estado físico y psíquico muy malo. Su madre murió el año pasado, y entonces lo adoptamos. Él tenía siete años.
HELLINGER: ¿Y su padre?
MUJER: Sólo sé que es un delincuente.
HELLINGER: ¿Cómo, un delincuente?
MUJER: Sólo sé por las autoridades que ha estado varias veces en prisión.
HELLINGER: ¿Por delitos graves?
MUJER: Eso no lo sé. Es muy difícil obtener información de manos de las autoridades. Cuando pregunté por sus parientes, al morir su madre, para por lo menos tener fotos para el niño, bloquearon todos mis intentos.
HELLINGER: No necesitas preguntar a las autoridades. Buscas, por ejemplo, a los abuelos, los tíos, etc.

MUJER: Por la esquela y con el directorio telefónico encontré un nombre. Ahora quiero investigar para obtener más datos y poder establecer contacto. Pero en este tipo de casos eso no es tan fácil.
HELLINGER: Un despacho de investigadores puede hacerlo muy rápidamente. Pero te quiero decir mi impresión. Mi impresión es que se ocupan mucho de los niños.
MUJER: Yo creo que…
HELLINGER *interrumpe*: No me tienes que decir nada al respecto. Veo que les están haciendo bien. Vamos ahora a constelar la familia, para que obtengamos una imagen más clara.
Al hombre: Comienza tú. Constela a tu esposa, a tus hijos y a ti.

Figura 1a

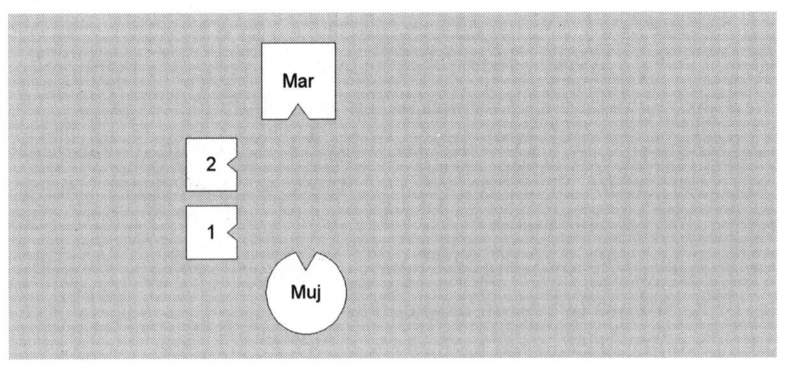

Mar	Marido
Muj	Mujer
1	Primer hijo adoptivo, 10 años
2	Segundo hijo adoptivo, 8 años

HELLINGER *a la mujer*: ¿Qué cambiarías tú?

Figura 1b

HELLINGER: Así es todavía peor.

A los representantes: Díganme cómo se sintieron en la primera constelación y cómo se sienten ahora.

REPRESENTANTE DEL MARIDO: En la primera constelación me sentí mal, tenía una tensión en el estómago. Ahora me siento totalmente vacío.

REPRESENTANTE DE LA MUJER: En la primera constelación me sentí muy pesada, y ahora me doy cuenta, conforme pasa el tiempo, que algo me jala hacia abajo. Es peor que antes.

PRIMER HIJO ADOPTIVO: En la primera constelación me sentí perdido, pero el estar perdidos nos unía. *Señala a su hermano adoptivo, quien afirma con la cabeza.* Ahora me siento tan lanzado hacia delante, que no lo podré soportar mucho tiempo.

SEGUNDO HIJO ADOPTIVO: En la primera constelación podía percibir a todos, ahora tengo frío, me hormiguean los dedos y me siento mal.

HELLINGER *a los representantes*: Regresen a la primera posición.

Figura 1a

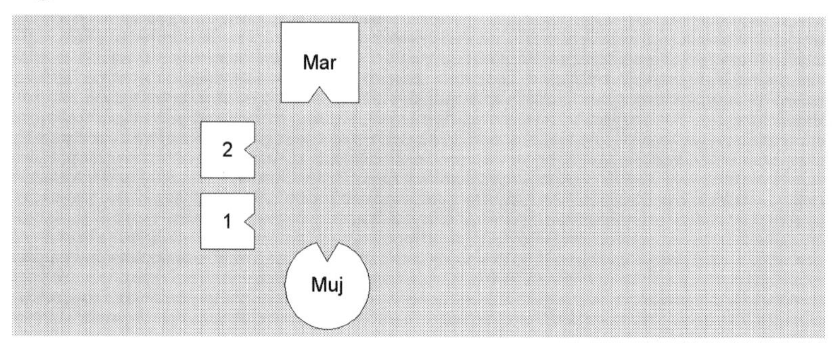

HELLINGER *al marido*: ¿Qué pasó en tu familia de origen?
MARIDO: Mi madre murió cuando yo tenía siete años. Tengo dos hermanas, una de las cuales murió a los 37 años.
HELLINGER: ¿Y tu padre?
MARIDO: En la casa vivía también su hermana, mi tía. Crecí con ella y con mi papá.

Hellinger toma una representante para la madre del hombre y la coloca junto a él.

Figura 2

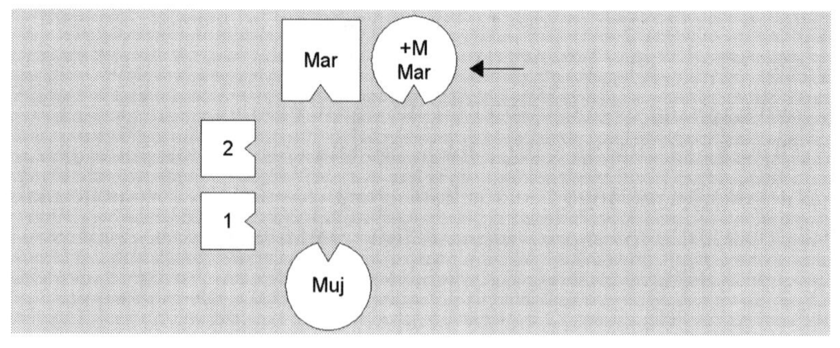

+MMar Madre del marido, murió prematuramente

HELLINGER *al representante del marido*: ¿Cómo te sientes ahora?
REPRESENTANTE DEL MARIDO: Estoy muy triste. Me quedé sin palabras.
MADRE DEL MARIDO †: Me da gusto estar con mi hijo.
HELLINGER *al marido*: Madre e hijo son inseparables.
Al representante del marido y su madre: Dense la vuelta y den un paso al frente.

Figura 3

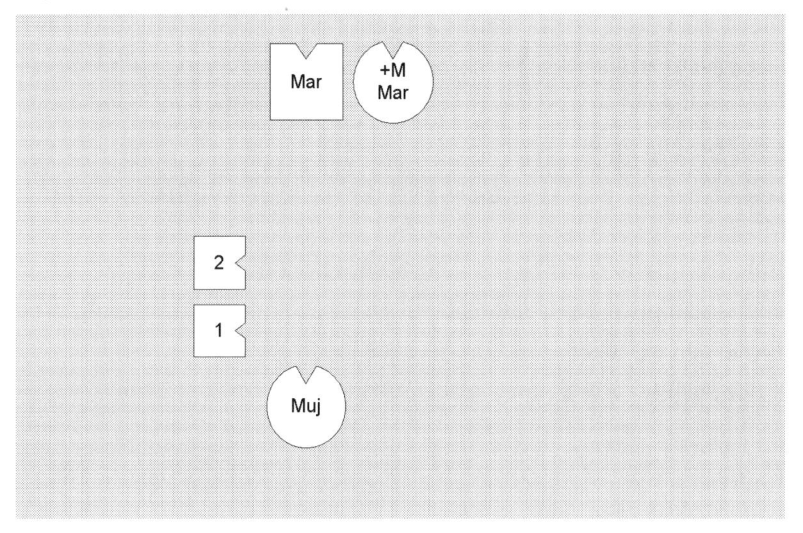

HELLINGER: ¿Cómo se sienten?
REPRESENTANTE DEL MARIDO: Mejor.
MADRE DEL MARIDO †: Me siento bien.
HELLINGER: Debido a la relación con su madre, este hombre no es apto para el matrimonio.
Al hombre: ¿Cómo lo ves tú? ¿También puedes sentirlo?
MARIDO: Me casé ya tarde. Conocí a mi esposa cuando yo tenía 28 años y nos casamos cuando yo ya pasaba de los treinta.

HELLINGER *a la mujer*: ¿Qué dices tú al respecto?
MUJER. Creo que sí fue un destino difícil el de mi marido. Además, las circunstancias, el trabajo en el campo, la precariedad de la existencia, se sumaron. Debe haber sido una situación difícil.
HELLINGER *a la representante de la mujer*: ¿Cómo te sientes mientras él está allá?
REPRESENTANTE DE LA MUJER: No hay cambios. Siento una carga sobre los hombros.
PRIMER HIJO ADOPTIVO: La sensación de estar perdido se hizo más fuerte cuando él se fue, pero no es tan dramático.
SEGUNDO HIJO ADOPTIVO: Tengo idea de que hay algo atrás de mí. Eso es agradable, pero lo demás, me siento indiferente, pero tengo más frío que antes.
HELLINGER *a la mujer*: ¿Qué pasó en tu familia de origen?
MUJER: Tuve un hermano dos años mayor que yo que murió a los siete días de nacido. No es sino hasta ahora que me está quedando claro cuán poco hablábamos de él en casa. Yo tenía un vínculo muy fuerte con mi madre, que murió hace cinco años.
HELLINGER: Voy a poner a tu hermano en la constelación.

Hellinger elige a un representante para el hermano muerto de la mujer y lo coloca junto a ella.

Figura 4

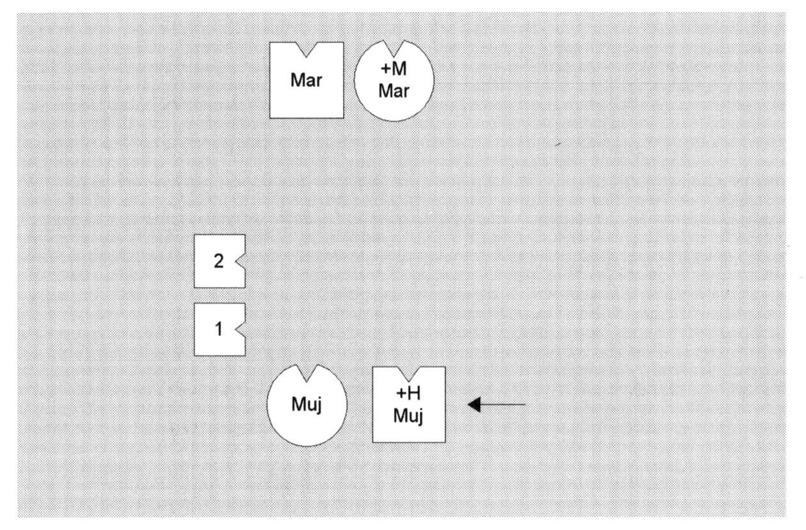

+HMuj Hermano de la mujer, murió a los 7 días de nacido

HELLINGER *al hermano de la mujer*: ¿Cómo te sientes?
HERMANO DE LA MUJER †: Siento calor del lado izquierdo.
REPRESENTANTE DE LA MUJER: Todavía siento que me jalan hacia abajo. A mi hermano no lo siento mucho.

Hellinger coloca lejos al hermano de la mujer y hace que la mujer se dé la vuelta y se vaya.

Figura 5

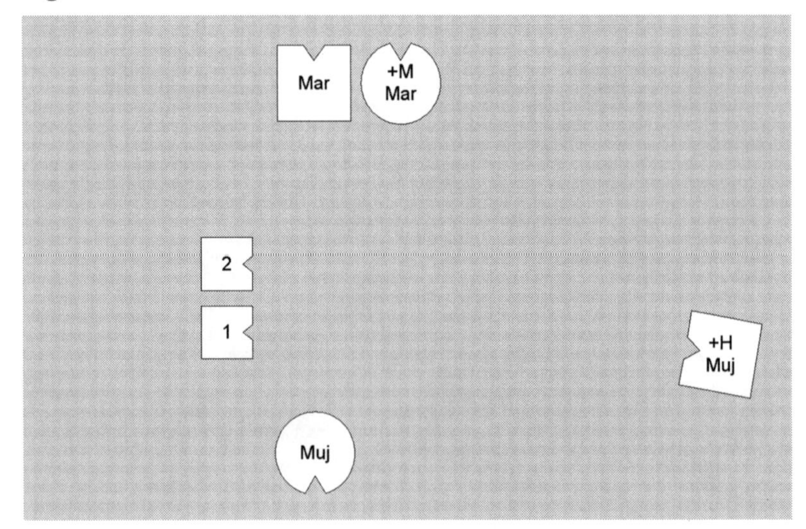

HELLINGER *a la representante de la mujer*: ¿Cómo te sientes?
REPRESENTANTE DE LA MUJER: Mejor. Cuando se fue mi hermano, me di cuenta que me hace falta. Sentí un fuerte mareo. Quiero acercarme a él.
HELLINGER: Entonces, acércate. Prueba qué tan cerca quieres estar de él.

La mujer prueba y se coloca frente al hermano, muy cerca de él, quien la toma de los brazos.

Figura 6

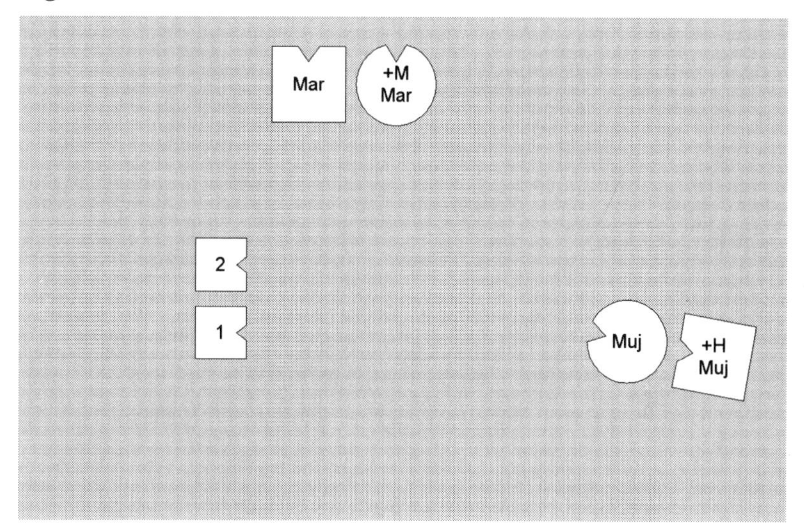

REPRESENTANTE DE LA MUJER: Me sigo sintiendo pesada, pero es agradable que me pueda recargar. Me estoy calmando.
HELLINGER *al primer hijo adoptivo*: ¿Cómo te sientes ahora?
PRIMER HIJO ADOPTIVO: Mi mamá está más presente para mí que antes.
SEGUNDO HIJO ADOPTIVO: Primero sentí miedo cuando se fue. Pero ahora me siento bien al ver que se pertenecen mutuamente.
HELLINGER: Ahora voy a colocar también a los padres biológicos.

Hellinger elige representantes para los padres y los coloca a la espalda de su respectivo hijo.

Figura 7

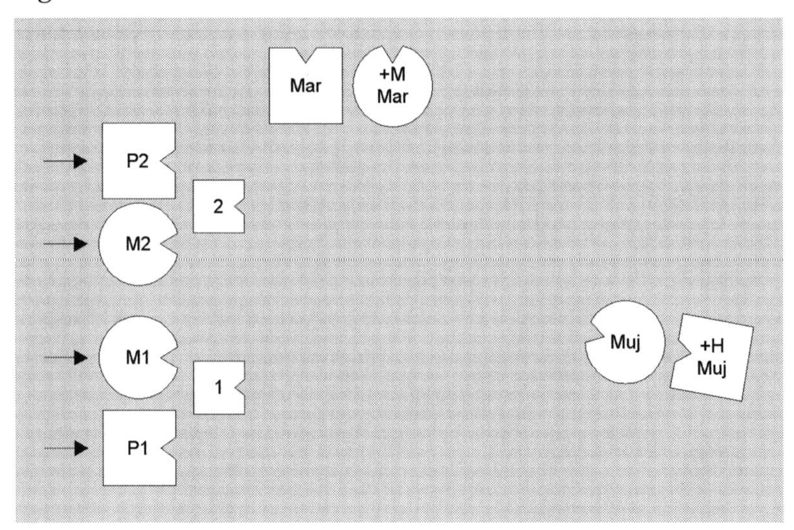

P1	Padre del primer hijo
M1	Madre del primer hijo
P2	Padre del segundo hijo
M2	Madre del segundo hijo

HELLINGER *al segundo hijo*: ¿Cómo te sientes?
SEGUNDO HIJO ADOPTIVO: Inquieto, inseguro. Tengo miedo.

Hellinger coloca a sus padres frente a él.

Figura 8

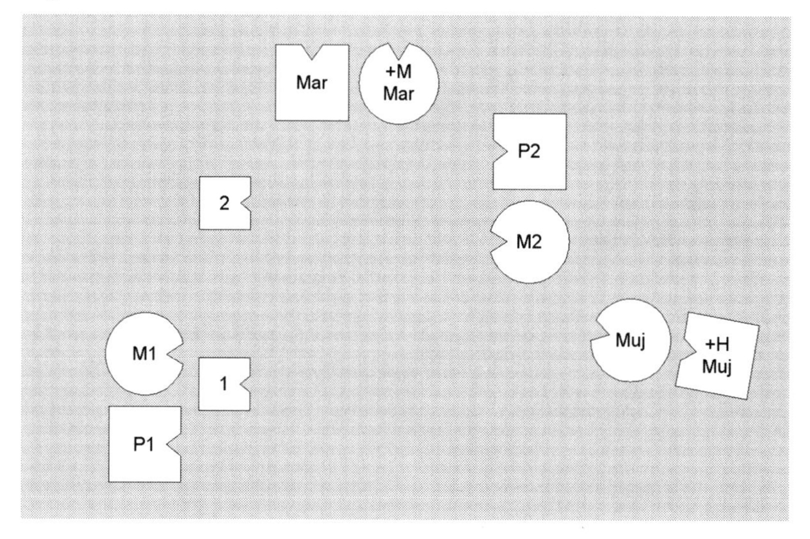

HELLINGER *al segundo hijo adoptivo*: ¿Qué tal se siente esto?
SEGUNDO HIJO ADOPTIVO: Bien.
PADRE DEL SEGUNDO HIJO: Creo que así es correcto.
MADRE DEL SEGUNDO HIJO: Era mejor cuando estaba atrás de él.

Hellinger coloca a la madre un poco más cerca.

Figura 9

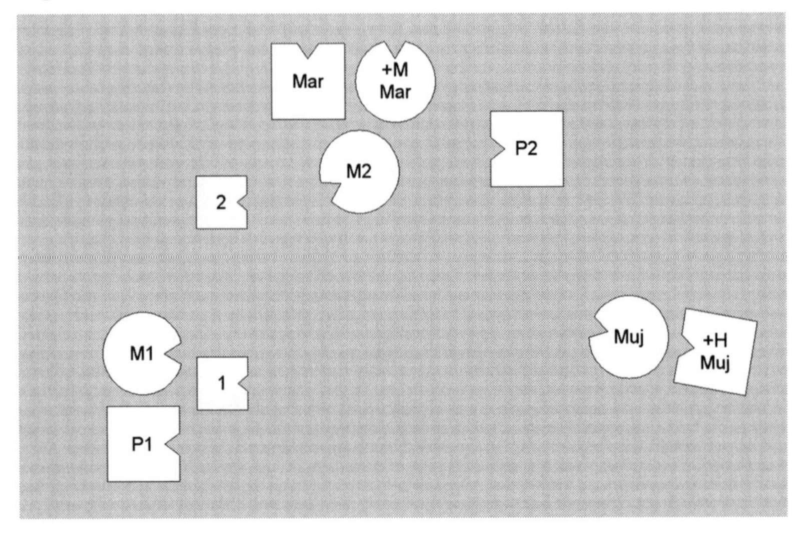

SEGUNDO HIJO ADOPTIVO: Así está mejor.
PRIMER HIJO ADOPTIVO: Si me tuviera que recargar en mis padres, siento que me caería. Los quiero ver.

Hellinger coloca a los padres de modo que el niño los pueda ver. Los mira fijamente.

Figura 10

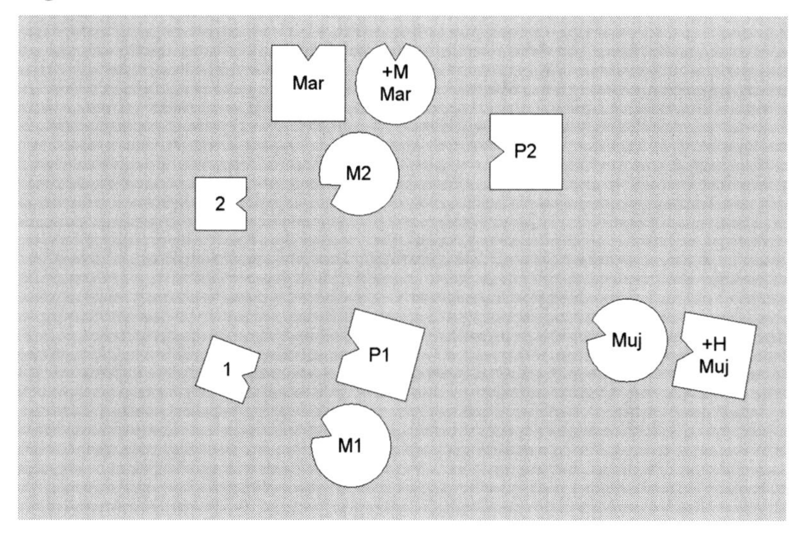

PRIMER HIJO ADOPTIVO: Es difícil, se me cierra la garganta, no lo podré aguantar mucho tiempo.

Hellinger coloca al niño junto a su padre.

Figura 11

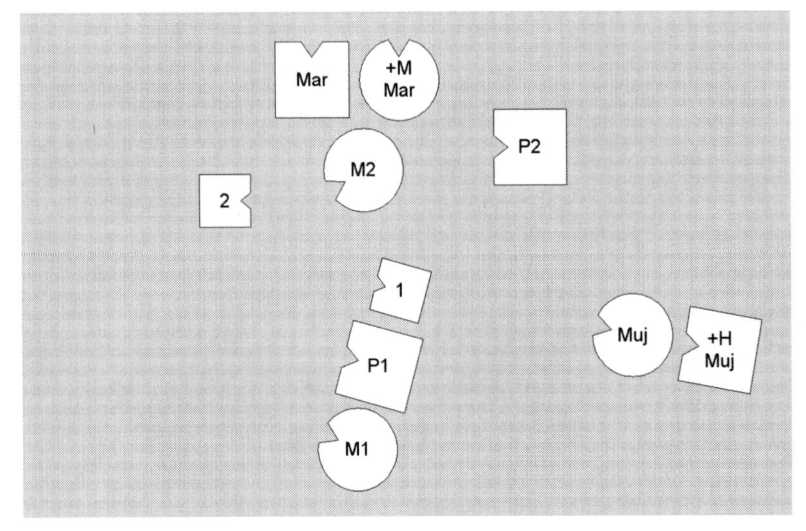

HELLINGER *al primer hijo adoptivo*: ¿Cómo te sientes?
PRIMER HIJO ADOPTIVO: Seguro.

Hellinger hace que los padres cambien la posición y coloca al niño a la izquierda de su padre.

Figura 12

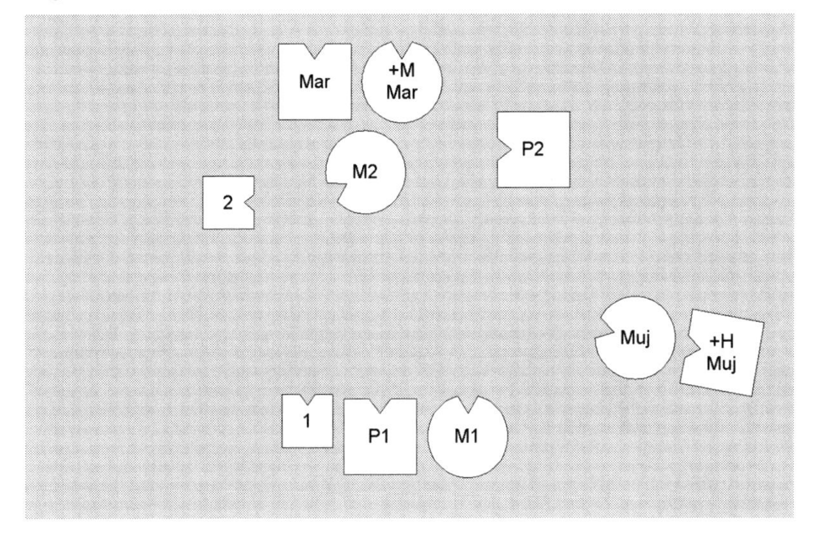

PRIMER HIJO ADOPTIVO: Está bien así, pero tengo que ver a mi madre adoptiva.

Hellinger hace que la madre adoptiva y su hermano muerto se coloquen a la vista del niño. El padre pasa un brazo por los hombros de su hijo.

Figura 13

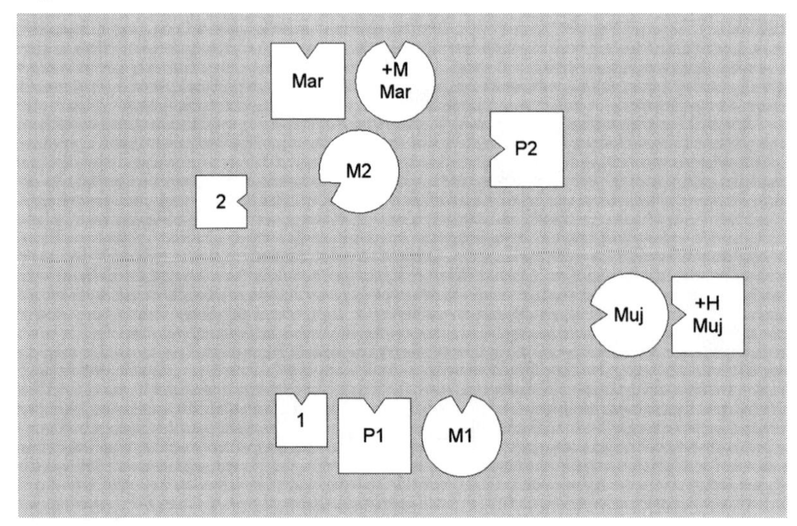

HELLINGER *al primer hijo adoptivo*: ¿Qué tal?

PRIMER HIJO ADOPTIVO: Está bien. Siento a mi padre y veo a mi madre adoptiva.

HELLINGER *a la mujer*: La madre adoptiva es indispensable para él. Ella representa la seguridad. Y esto es así para los dos niños.

Hellinger reacomoda el sistema.

Figura 14

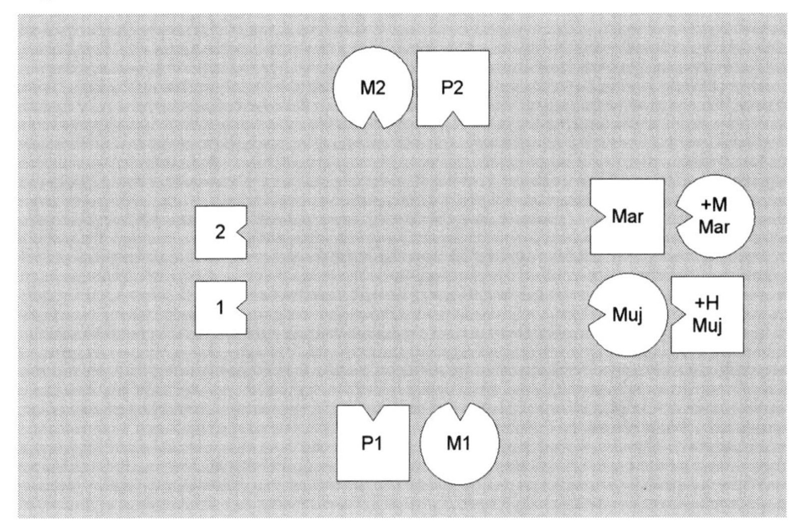

HELLINGER *al representante del marido*: ¿Cómo te sientes ahora?
REPRESENTANTE DEL MARIDO: Me siento mucho mejor. Entre más pasaban cosas con los niños detrás de mí, más inquieto me sentía. También me hizo falta mi padre.
HELLINGER. Entonces, también lo vamos a hacer venir.

Hellinger elige a un representante del padre del hombre y lo coloca atrás de él, junto a la madre.

Figura 15

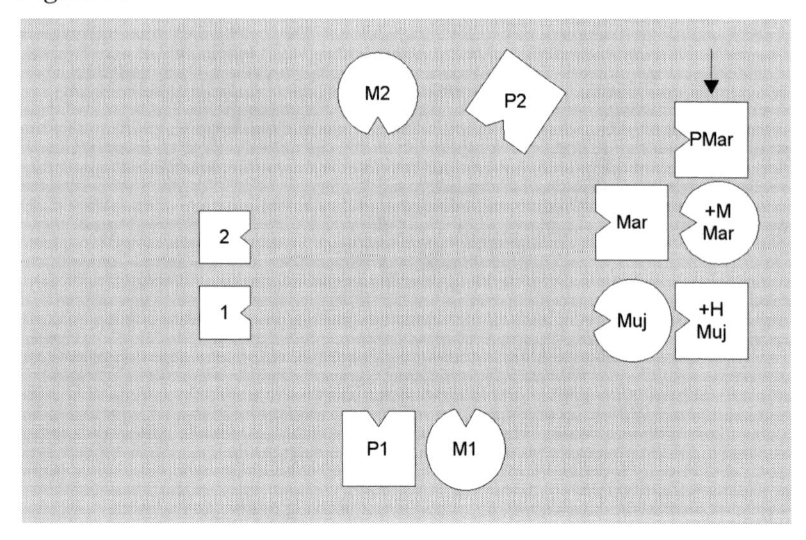

PMar Padre del marido

REPRESENTANTE DEL MARIDO: Ahora que siento a mi padre atrás de mí me siento muy bien.
REPRESENTANTE DE LA MUJER: Sigo sintiéndome pesada. Lo mejor es que me puedo recargar en mi hermano. Entonces todo se compone.
HELLINGER *a la mujer*: ¿A quién sustituye tu primer hijo adoptivo?
MUJER: No lo sé.
HELLINGER: A tu hermano muerto. ¿Tiene sentido?
MUJER: Sí.
HELLINGER. Debes tener claridad, para que distingas a uno del otro.

Hellinger hace que la pareja y sus hijos tomen sus lugares en la constelación. Les pregunta uno por uno cómo se sienten.

MUJER: Me siento bien aquí, miro a los niños con amor.
MARIDO. Me siento bien aquí.
MUJER *conmovida*: Me parece importante que no olviden a sus padres biológicos.
HELLINGER: Exactamente. Dile a cada uno: "Representamos a tus padres, a quienes respetamos en ti."
MUJER *a cada uno de los dos niños*: Representamos a tus padres, a quienes respetamos en ti.
MARIDO *a cada uno de los dos niños*: Representamos a tus padres, a quienes respetamos en ti.

Los padres adoptivos están muy conmovidos al decir esto.

HELLINGER *al primer hijo adoptivo*: ¿Cómo te sientes?
PRIMER HIJO ADOPTIVO: Bien.
HELLINGER *al segundo hijo adoptivo*: ¿Cómo te sientes?
SEGUNDO HIJO ADOPTIVO: Bien.
HELLINGER. Bueno, entonces ya acabamos.

REPRESENTANTE DEL SEGUNDO HIJO ADOPTIVO: Me parece importante añadir que mi hermano mayor siempre fue muy importante para mí. Siempre me sentí estrechamente ligado a él.
HELLINGER. Así es, el pequeño deber poderse recargar en el mayor. Estos dos niños constituyen una comunidad conformada por el destino.

Rainer y Helga vinieron a verme, porque Adam, su hijo mayor, estaba muy inquieto y había empezado a tener problemas de concentración en la escuela. No encontré causas objetivas para sus problemas escolares: en las pruebas de inteligencia obtenía resultados superiores al promedio, y tampoco sufría ningún tipo de disfunción cerebral. Tampoco se trataba de falta de voluntad por parte del niño, realmente se esforzaba, pero algo le impedía encontrar la paz. Por eso recomendé hacer una constelación del sistema familiar. Lo que vi en esa constelación me hizo recordar imágenes procedentes de los cuentos de hadas. Por eso, me atrevo a presentar la historia de esta familia adoptiva en forma de cuento.

Érase una vez un hombre llamado Reiner –parecido al famoso Robinson Crusoe–[11] a quien después del naufragio de su barco las violentas olas habían arrojado a la pedregosa playa de una pequeña isla. Primero pensó que no sobreviviría, tan golpeado, sediento y hambriento estaba. ¿No hubiera sido mejor ahogarse con los otros? Pero una voz interior le decía que se debía mantener con vida. Entonces, empezó a adaptarse a su soledad. Sin compañeros, sin hermanos, solo con el recuerdo de las personas que alguna vez amó. De ellas, su madre ocupaba el lugar más grande en su corazón. A Rainer, entonces de siete años, le habían dicho que el Ángel de la Muerte se había llevado a su mamá, enferma. Entonces, el valiente niño decidió no volver a dar oportunidad alguna a la muerte. Al contrario, él lucharía, en memoria de su madre, contra esos oscuros poderes; por eso, se enfrentó a la vida y logró salir adelante solo. El naufragio constituyó para él la prueba más severa: "¿Lograrás sobrevivir solo o te irás a pique?" Se decidió inequívocamente por la sobrevivencia. Se construyó un hogar en una tibia y bien protegida cueva. Encontró fruta suficiente, atrapó suficientes peces, aprendió a cazar conejos y a sacar huevos frescos de los nidos de las aves. Le ocasionaba gran alegría satisfacer sus necesidades de modo tan modesto. Pero el anhelo de volver a estar con otras personas era más grande que su

11. *Robinson Crusoe* es la novela más famosa de Daniel Defoe, se publicó por primera vez en 1719. Narra las aventuras de Robinson Crusoe, quien tras un naufragio se ve obligado a sobrevivir en una isla prácticamente desierta. Viernes es un nativo a quien rescata de los caníbales y que se convierte en su criado.

decisión de mantenerse solo. Sin embargo, no llegaba ningún Viernes a su isla. Y de todas maneras, ¿qué iban a hacer dos hombres solos en una isla?

El destino fue bueno con él y le regaló una esposa. Esta mujer había perdido a su hermano antes de que ella misma hubiera nacido. No podría descansar antes de haberlo encontrado, pues sentía en lo más profundo de su corazón que debían estar juntos, como hermanos. Durante su larga búsqueda por desiertos y campos nevados, bosques y ríos, cayó en el agua, y las olas del océano la arrastraron a la playa de la misma isla en la que vivía Rainer.

Después de las duras pruebas que habían superado, los dos se alegraron de haber encontrado a una buena persona con la cual vivir y en la cual confiar, aun en las situaciones más difíciles. Así, una vez Rainer buscó a Helga en la selva y la trajo cargando de regreso a casa, cuando ella se torció el tobillo buscando frutas silvestres. Y cuando Rainer enfermó de una alta fiebre, Helga lo cuidó día y noche, le preparó jugos de plantas curativas y lo calentó con su propio cuerpo. Y no obstante, no abandonaba a Rainer el pensamiento de que Helga desgraciadamente no era su amada madre. Pero mantenía este pensamiento en secreto para no lastimar a Helga, que era tan buena. Sin embargo, Helga sentía algo similar: Rainer, a pesar de ser tan valiente y bondadoso, no podía sustituir a su hermano. Se sentía culpable por haber interrumpido su búsqueda. Pero ella tampoco le decía nada a Rainer para no lastimarlo. Entonces, vivían juntos como hombre y mujer, hablaban de construir una casa para los dos, sobre la pesca y Dios y los libros que habían leído. Soñaban juntos cómo un barco los encontraría y los llevaría de regreso a su país. Pero cada uno de los dos conservaba en su corazón una pequeña concha secreta, en la que su dolor se anidaba como una perla. Para ser más felices, querían tener un hijo. Y no sólo uno, varios. Fundar una tribu en esta isla, que sería su nueva patria y recibiría el nombre del padre: Rainerlandia. Rainer pensaba en secreto que de esta manera tendría, finalmente, de nuevo una madre. Al ver a Helga como amorosa madre de sus hijos, también podría sentirla como madre para él. Y también Helga esperaba que sus hijos constituyeran una solución sucedánea. Si tuviera uno o varios hijos varones, ya no extrañaría a su hermano perdido.

Los dos se esforzaron mucho por ser padres. Pero entre más tiempo pasaba sin que lo consiguieran, más iban perdiendo la alegría por lograrlo. De mes en mes fue aumentando la desilusión. De año en año se redujeron las esperanzas, hasta que las perdieron totalmente. Un día, los dos subieron juntos al punto más alto de la isla, se sentaron uno junto al otro, se tomaron de las manos y, mirando a la distancia, hablaron de su destino y de cómo se habían encontrado en una edad propicia para el matrimonio sin que Dios les hubiera concedido la bendición de ser padres.

"¿Tiene mi vida algún sentido", preguntó Helga. "Ya he pensado en arrojarme al abismo desde aquí. A veces soy terriblemente infeliz. Porque hay una gran insatisfacción en mi vida." No mencionó ni una sola palabra sobre su pequeño hermano muerto. De todas formas, durante los últimos años sólo había pensado en el hijo que deseaba tener.

"Mi amada Helga", contestó Rainer, "yo también estoy muy afligido. Mi madre se fue tan fácilmente al Más Allá y yo tengo que sufrir en este planeta. ¿Qué digo planeta? ¿Acaso esta isla pedregosa es el planeta entero? Con hijos hubiéramos podido embellecerla. Deseaba tanto hacerte madre."

"No puede haber sido en vano todo lo que hemos tenido que pasar, Rainer, tampoco el hecho de que nos hayamos encontrado. Tiene que haber un sentido en ello. Una tarea que debamos cumplir. Queda claro que no se trata de nuestros propios hijos, tendrán que ser niños ajenos. ¿Pero dónde los encontramos, si el océano nos separa del mundo?"

"Helga, has hecho que se me ocurra una idea totalmente nueva. No puede ser que nosotros seamos los únicos náufragos en la inmensidad de este océano. No puede ser que sólo existamos nosotros, y que las olas no traigan a algún otro necesitado a nuestra Rainerlandia. En los últimos tiempos sólo nos hemos ocupado de nosotros mismos y de nuestra isla y no pensamos que resulta lógico que pueda llegar otro náufrago." "Es verdad. Entonces, manos a la obra."

Después de haber tomado esta decisión, los dos se concentraron con renovadas fuerzas en su nueva tarea. Día y noche mantuvieron encendida una hoguera en la playa. Construyeron un bote salvavidas, tejieron cuerdas y redes. Pocos días después los llenaba de asombro ver todo aquello que el mar arrojaba en sus redes: pescados muertos, botellas con cartas dentro, los podridos restos de un mástil. Una mañana encontraron una batea con un pequeño bebé, de apenas pocos días de nacido. Escasamente se mantenía con vida. Tenía tanta sed y estaba tan débil, que ya no tenía fuerzas ni para llorar. Helga lo calentó de inmediato contra su corazón y Rainer corrió a conseguir leche de cabra. El náufrago que esperaban había llegado: un niño expósito. El propio Moisés había sufrido la misma situación. Lo llamaron Adam, porque fue su primer hijo, con el que empezaron a poblar Rainerlandia. Ambos lo albergaron en su corazón.

Algunos meses después, notaron en el horizonte un pequeño barco de vapor. Entre más se acercaba, más raro parecía. A bordo había muchas luces de colores que daban vueltas como las de una discoteca, las pequeñas ventanas estaban muy iluminadas y, además, el barco ostentaba una rara bandera a rayas negras y moradas. Era una pesadilla, después de tanto tiempo lejos de la civilización. Sin duda se trataba de un barco pirata o de algún narcotraficante, o de ambas cosas. Pero Rainer y Helga no se amedrentaron. Estaban decididos a todo. El barco encalló en un banco de arena aproximadamente a cien metros de la playa y ahí ancló. Un hombre gesticulaba locamente desde el barco. Reiner se acercó en su propio bote de remos. Helga vio cómo el hombre bajó con una cuerda un pequeño paquete hacia el bote de Rainer. Después, el barco levó el ancla y se marchó mientras Rainer regresaba con Helga. "¡Un niño! ¡Un niño! Los hombres se quieren deshacer de él, porque su madre está gravemente enferma y no se puede encargar de él. El niño es demasiado rebelde y no es de ninguna utilidad a bordo." El pequeño tenía aproximadamente año y medio de edad, pero todavía no sabía caminar. Sólo se balanceaba sobre sus rodillas de un lado a otro, como probablemente se había acostumbrado a moverse en el barco. Tampoco sabía decir una sola palabra. Sólo golpeaba como loco todo lo que se le acercaba mientras gritaba fuertemente. "¡Qué suerte! Ya tenemos al cuarto náufrago, a nuestro segundo hijo", se alegraron Rainer y Helga y lo nombraron Willibald.

Eran felices. Cada uno de los cuatro era feliz de tener a los otros. Cuando hacía frío se acurrucaban juntos para calentarse, cuando hacía calor nadaban juntos en el mar, jugaban futbol con cocos que luego comían juntos. Y siempre mantenían la vigilancia por si llegaban otros náufragos. Se encargaban de que las redes siempre estuvieran extendidas y de que el fuego fuera visible. Y sobre la pared rocosa que miraba al Este grabaron en tres diferentes idiomas la frase: "Te damos la bienvenida".

Un pequeño grupo de autoayuda. Inspirados por su propio destino de abandono, abrieron sus corazones para recibir a otros abandonados.

En este punto se le podría dar un final feliz a este cuento. Pero eso sería demasiado simple.

En realidad, esta historia pide una continuación precisamente porque los corazones se habían abierto. Un corazón abierto no sólo es más susceptible a la alegría, también al sufrimiento. Siente lo que él mismo y otros necesitan.

A pesar de que la vida familiar era aparentemente perfecta –una pequeña unidad social con el bienestar material asegurado– dentro de cada uno acechaba una terrible carencia: el dolor del vínculo roto. Y como este dolor había surgido en el tiempo en el que eran niños pequeños, cuando no podían clasificarlo de manera lógica y describirlo con palabras, este dolor nunca recibió un nombre y, a pesar de la enorme confianza que se tenían mutuamente, no podían compartirlo dentro de esta comunidad de destinos.

Rainer no encontraba la verdadera alegría de vivir. Con frecuencia se preguntaba si sería un dolor concreto lo que le robaba el ánimo de vivir o si más bien era la falta de ánimo vital lo que lo tenía tan triste y dolorido. En todo caso, veía que Helga era una buena madre, pero no era su madre.

Helga sentía algo parecido. El agujero negro que se había formado en su niñez no podía llenarse con sus dos pequeños hijos adoptivos. Continuamente sentía en su corazón el impulso de buscar ese hoyo negro, saber qué se ocultaba atrás de él y que no la dejaba vivir en paz. Vislumbró la respuesta cuando vio a su primer hijo adoptivo. ¡Oh, sí! Así hubiera sido su hermano si la muerte no se lo hubiera llevado.

Adam apenas tenía tres días de haber nacido cuando llegó con sus padres adoptivos. Y a pesar de que era tan pequeño, asombraba la vehemencia con la que se resistía a cualquier contacto físico. Un abrazo le resultaba un tormento. Cuando era un poco mayor, siempre se limpiaba la mejilla después de haber recibido un beso. ¿Era una forma de mostrar fidelidad a su madre? Su pediatra dijo en tono de broma, pero con intención seria: "Si quieren hacer algo por su futura nuera y sus futuros nietos, liberen a su hijo Adam de su miedo al contacto físico. De otra manera, nunca va a estar abierto para la sexualidad y ni siquiera va ser capaz de abrazar y mimar a sus hijos."

Pero el que más claramente expresaba su aflicción era Willibald, el más pequeño: seguía defecando y orinando en la cama, a pesar de que ya tenía ocho años. Era amigo de todos, pero no tenía un verdadero amigo cercano y le hablaba a los extraños con una gran distancia. Por las noches, sufría ataques de terror, brincaba de su cama y corría locamente alrededor de la mesa del comedor, gritando, como si estuviera luchando contra monstruos. La regularidad de estos ataques nocturnos era pasmosa: siempre a la misma hora. La familia hubiera podido ajustar sus relojes basándose en ellos. ¿Qué habría pasado a esa hora? ¿Habría sido concebido sin amor, habría nacido sin ser deseado, lo habría abandonado su madre?

Si bien todos estaban juntos, cada uno, a su manera, se sentía solo, abandonado. Ninguna historia puede terminar bien así.

En los cuentos de hadas rige una ley: cuando una buena persona se siente desvalida y desorientada, aparece un personaje maravilloso que la ayuda: un hada buena, uno de los tres cuervos que deja caer la manzana del Árbol de la Vida en el regazo del necesitado. En nuestro caso: Bert Hellinger.

Hellinger empezó por comprobar concienzudamente la postura de los padres adoptivos frente a la procedencia de sus hijos. Dependiendo de la motivación, hubiera probablemente prescindido de constelar a la familia. Esto hubiera sucedido en el caso de que los padres adoptivos hubieran usurpado de manera totalmente desconsiderada el lugar de los padres biológicos, despreciándolos y ocultando a los niños su origen, o bien haciéndolo menos. Las bases para una buena adopción las constituye el respeto al niño. Y el niño no es concebible sin su origen. Entonces, es indispensable respetar también el origen del niño adoptado: el país del que es originario, la historia de este país, las tradiciones del lugar, su arte popular, sus ritmos, el color de la piel del niño, el duro destino de sus padres, etcétera.

Helga y Rainer le dieron muy buena impresión a Bert Hellinger. Se habían esforzado mucho por averiguar lo más posible sobre las raíces sistémicas de los niños. Lo hicieron con respeto, también frente al difícil destino de los padres biológicos, pero con gran sensibilidad frente a las necesidades de los niños cuando se trataba de encontrarse con ellos. “Mi impresión es que se ocupan mucho de los niños. Veo que les están haciendo bien”, dijo antes de iniciar. Sus palabras sonaron como una invitación para la constelación.

“Vamos ahora a constelar la familia, para que obtengamos una imagen más clara,” dijo Hellinger. Y cuando lo hizo, fue como si del fondo del mar hubieran sido arrojadas a la superficie cuatro conchas. En cada una de ellas resplandecía, bella y perfecta, una perla. Y cuando cada uno tomó su perla en las manos, vieron reflejados en ella a los seres que sentían que los habían abandonado:

Rainer vio a su madre, que murió cuando él tenía siete años. Helga vio a su hermano, nacido dos años antes que ella y muerto a los siete días de edad.

Adam encontró dos perlas en su concha: su madre y su padre, dos huérfanos de diecisiete años de edad, físicamente maduros para engendrar, pero no para asumir la responsabilidad de su hijo.

Willibald también tenía dos perlas en su concha. En la perla más grande, se reflejaba el rostro de su madre, muerta tras una larga enfermedad. En la segunda vio el rostro de su padre, opaco, difícil de reconocer. Casi un fantasma.

Sólo cuando las personas reflejadas en estas perlas fueron integradas a la imagen de solución, se redondeó también la imagen de esta comunidad que compartía un destino común. Ya no amenazaban ningún barco pirata ni ningún peligro surgido de las profundidades del mar. Ahora, por primera vez, su relación mutua tenía sentido.

Racionalmente, los padres entendían esto muy bien. Rainer comprendió porqué nunca había estado del todo libre para otras relaciones y Helga entendió porqué nunca pudo ver a su esposo como tal. Desde la perspectiva de la razón esto era muy claro. Pero todavía quedaba el dolor. Entre más clara era la herida que había en el corazón, más dolía. El dolor era tan grande porque se había acumulado durante años y nunca pudo fluir en forma de lágrimas. Cuando murió su madre, todos los parientes se habían encargado de proteger del duelo y el dolor al pequeño Rainer, que era tan sensible. Incluso se le ocultó el entierro. Casi nunca se hablaba de su madre, a menos que él preguntara. Pero pronto se dio cuenta de que sus preguntas resultaban incómodas y empezó a amar a su madre en secreto. Tan en secreto, que a veces ni siquiera él lo sabía. El dolor no vivido no puede ser superado con pensamientos, con palabras. Debe penetrar el corazón y la daga debe ser después sacada del corazón.

El terapeuta de contención decidió que en la terapia de reconciliación entre Rainer y su madre, éste debía ser contenido por Helga. Tenía buenos motivos para hacerlo así. La ventaja sería no sólo que Helga podría compenetrarse mejor con la historia de la vida de su esposo, sino que ambos podrían reconocer las necesidades que Rainer había transferido de su madre a su esposa. Rainer estaba acostado de espaldas, abrazado por Helga, quien sostenía la cabeza de su esposo contra su cuello. Ambos tenían los ojos cerrados, para poder visualizar el encuentro con la madre. En un primer paso, se hizo una regresión con Rainer, para llevarlo al momento en el que tenía siete años de edad y que se pudiera así confrontar con su madre moribunda. "¡Mamá, no te vayas! ¡Te necesito! ¡Todavía soy tan pequeño! ¿Cómo voy a poder vivir sin una mamá? Y tú te vas y no me oyes… El cuento del Ángel de la Muerte no es verdad. Tú te fuiste y ya no me miraste. A mis espaldas te marchaste, sin darme un beso de despedida ni decirme nada…" Toda la desesperación del niño abandonado se expresó. Y no sólo el anhelo, sino también los reproches salieron a la luz. Helga no hubiera pensado que este callado dolor se ocultara todo el tiempo en Rainer. También comprendió que sus reacciones ofensivas cuando de vez en cuando ella salía brevemente sin avisarle, fuera para ir al súper o para tomar café con sus amigas, no eran desplantes de macho, sino el miedo infantil de ser abandonado por su madre. La desesperación del niño impotente. Nunca había sentido tanta comprensión ni tanto amor por él. En un segundo paso, Rainer fue conducido por el terapeuta a ver a su madre, que estaba en el cielo. La encontró sobre una nube dorada, rodeada de hermosas flores. Joven y hermosa, como la veía en sus recuerdos. Rainer oyó cómo le hablaba, cómo le decía cuán infeliz era por haberse tenido que ir. No por los dolores que había sufrido ni por su joven vida trunca, sino porque había tenido que abandonarlo a él, su único, amado y pequeño hijo varón. Le pedía que comprendiera que no hubiera tenido valor para despedirse de él. "Ya lo sé, mamá querida", dijo Rainer, "yo también me sentía todo el tiempo como si no me hubiera despedido de ti. Te busqué por todas partes, como si no te hubieras ido para siempre. Pero ahora sé que estás para siempre en el Más Allá. Y yo todavía debo y quiero quedarme en la Tierra. Con mi esposa Helga y mis hijos adoptivos. Mira qué necio fui, que traté de encontrarte en Helga. Yo quería que ella fuera mi mamá. Pero no, tú eres mi única mamá y nadie puede sustituirte. Porque ahora te he vuelto a encontrar. Y Helga es mi esposa y no tu sustituta. ¡Por favor, bendícenos para que nos vaya bien!"

Esta terapia de reconciliación fue, al mismo tiempo, terapia de pareja. Ambos comprendieron lo que significaban el uno para el otro. Helga no era ya sólo la compañera de naufragio de su marido. Se convirtió en compasiva testigo de la historia de su vida, y fue bendecida por la madre de él. El mismo aliento los unía, sus corazones latían al mismo ritmo.

La contención de sus hijos adoptivos fue pospuesta. Debía ser realizada en casa, cuando un acontecimiento grave ofreciera la oportunidad. Se les había ofrecido que se les daría la asesoría posterior que necesitaran con un terapeuta de contención, en una consulta. La ocasión no tardó en presentarse. En medio de la noche, Willibald despertó gritando de pánico y comenzó a correr desesperado alrededor de la mesa del comedor. Cuando eso sucedía, no reaccionaba a las palabras. Helga tenía que interceptarlo y llevarlo de regreso a su cama, donde le ofrecía un biberón para que se calmara. Pero esa noche, Helga prescindió del biberón. Se acostó de lado sobre él y lo contuvo, para que no pudiera escapar. No trató de calmarlo, por el contrario, lo estimuló para que sacara a gritos el horror que lo invadía. "Estoy contigo, ¡grita! Lo hago en lugar de tu madre. Puedo soportarlo. ¡Grita más fuerte, lo más fuerte que puedas!" Los intentos de Willibald por lanzar golpes fracasaron en los brazos de Helga. Cuando gritó "¡Suéltame, suéltame!, Helga lo abrazó más fuerte y contestó decidida: "No te voy a soltar, Willibald, hasta que te sientas bien otra vez." Como si fuera un volcán en erupción, de la garganta de Willibald brotaron todo el espanto y la desesperación. Cuánto tiempo tardó en poder volver a respirar tranquilamente y en quedarse apaciblemente dormido en brazos de Helga, ni ella misma lo supo. Había perdido la noción del tiempo debido al dramatismo de lo sucedido. Era la primera vez que Willibald se quedaba dormido en brazos de su madre adoptiva. El conocimiento de que en ese momento se había establecido un vínculo fuerte entre ella y su hijo, como si fuera su madre verdadera, la conmovió y llenó su corazón de alegría. Acurrucado con ella, el niño durmió profunda y tranquilamente hasta la mañana siguiente. Cuando despertó, se repegó a ella y murmuró: "Mamá, mi mamá." Desde esa noche, nunca más defecó en la cama, y poco a poco dejó también de orinarse. Gracias al establecimiento de este vínculo entrañable y, por tanto, de la posibilidad resultante de distinguir entre este vínculo y los extraños, su distancia con los demás disminuyó. Pero no dejó de existir definitivamente sino hasta que Rainer también lo contuvo. Esa vez la ocasión no la ofreció el terror nocturno, sino la gran frustración que le ocasionó a

Willibald haber sido molestado por niños mayores en el parque. Regresó furioso a casa, furioso consigo mismo y con el mundo entero, también con su padre adoptivo. La respuesta se la dio Rainer en su abrazo de contención: "¡Saca tu furia conmigo! Sé lo mal que te sientes. Pero a mí no me vas a golpear, yo soy tu protector. Asumí esta responsabilidad en lugar de tu padre biológico. Pero sí puedes gritar y desahogarte conmigo. ¡Sé fuerte! Te voy a ayudar a ser un niño bueno y valiente..." Desde entonces, Willibald también estableció con su padre adoptivo un vínculo lleno de confianza.

Así, los cuatro náufragos fueron unidos entre sí con lazos de amor, y pudieron anclar en una familia solidaria en la que cada uno pudo desarrollar libremente su propio yo. Cada uno sabía que podía hacerse a la mar en su propio barquito y buscar nuevos horizontes, pero que siempre podría regresar al seguro puerto de su hogar.

BIBLIOGRAFÍA

Hellinger, Bert, Gabriele ten Hövel, *Reconocer lo que es. Conversaciones sobre implicaciones y desenlaces logrados*, Editorial Herder, Barcelona, 2ª ed., 2001.

Hellinger, Bert, *Familien-Stellen mit Kranken. Dokumentation eines Kurses für Kranke, begleitende Psychotherapeuten und Ärzte*, Heidelberg, 1995, 2ª ed. ampliada y revisada, 1997.

Hellinger, Bert, *Finden, was wirkt. Therapeutische Briefe*, Múnich, 1993, 8ª ed. revisada, 1997.

Hellinger, Bert, *Haltet mich, dass ich am Leben bleibe. Lösungen für Adoptierte*, Heidelberg, 1998.

Hellinger, Bert, *In der Seele an die Liebe rühren. Familien-Stellen mit Eltern und Pflegeeltern von behinderten Kindern*, Heidelberg, 1998.

Hellinger, Bert, *El centro se distingue por su levedad*, Editorial Herder, Barcelona, 1ª edición, 2002.

Hellinger, Bert, *Praxis des Familien-Stellens. Beiträge zu systemischen Lösungen nach Bert Hellinger*, ed. por Gunthard Weber, Heidelberg, 1997.

Hellinger, Bert, *Los órdenes del amor*, Editorial Herder, Barcelona, 1ª ed., 2001.

Hellinger, Bert, *Schicksalsbindungen bei Krebs. Ein Kurs für Betroffene, ihre Angehörigen und Therapeuten*, Heidelberg, 1997.

Hellinger, Bert, *Touching Love. Bert Hellinger at Work with Family Systems. Documentation of a Three-Day-Course for Psychotherapists and their Clients*, Heidelberg, 1997.

Hellinger, Bert, *Verdichtetes. Sinnsprüche – Kleine Geschichten – Sätze der Kraft*, Heidelberg, 1995, 3ª ed., 1997.

Hellinger, Bert, *Wo Schicksal wirkt und Demut heilt. Ein Kurs für Kranke*, Heidelberg, 1998.

Kübler-Ross, Elisabeth, "Der Tod als letztes Wachstumsstadium", en Grof, Stanislav, *Die Chance der Menschheit*, Múnich, 1988, pp. 282s.

Prekop, Jirina, *Hättest du mich festgehalten... Grundlagen und Anwendung der Festhalte-Therapie*, Múnich, 1989, 5ª ed., 1995.

Prekop, Jirina, Christel Schweizer, *Kinder sind Gäste, die nach dem Weg fragen. Ein Elternbuch*, Múnich, 1990, 12ª ed., 1998.

Prekop, Jirina, *El pequeño tirano. Autoridad, permisividad, terapia*, Editorial Herder, Barcelona, 1ª ed., 1991.

Prekop, Jirina, *Schlaf Kindlein – Verflixt nochmal! Ein Ratgeber für genervte Eltern*, Múnich, 1996, 5ª ed., 1998.

Prekop, Jirina, Christel Schweizer, *Unruhige Kinder. Ein Ratgeber für beunruhigte Eltern*, Múnich, 1993, 4ª ed., 1997.

Schuchardt, Erika, *Warum gerade ich...? Leben lernen in Krisen – Leiden und Glaube. Schritte mit Betroffenen und Begleitenden. Mit Bibliographie der über 1000 Lebensgeschichten seit 1900 bis zur Gegenwart – alphabetisch – gegliedert – anotiert*, Gotinga, 9ª ed., 1996.

Schweizer, Christel, Jirina Prekop, *Was unsere Kinder unruhig macht... Ein Elternratgeber: Aufklärung über Ursachen der Hyperaktivität, Empfehlungen zur Förderung der normalen Entwicklung*, Stuttgart, 1997.

Weber Gunthard (ed.), *Felicidad dual*, Editorial Herder, Barcelona, 2ª ed., 2001.

El Instituto Prekop México, asesorado por la Dra. Jirina Prekop, es la única institución en America Latina donde se imparte la formación para terapeutas en Terapia de Contención. Asimismo, se realizan ahí todas las terapias mencionadas en este libro.

Para mayor información:
INSTITUTO PREKOP, S.C.
Lafayette #54, Col. Villa Verdún
Tel. 56.35.33.23 y 56.35.42.64
México D.F. 01810

Directora: Dra. Laura Rincón Gallardo

www.institutoprekop.com
rincongallardolaura@hotmail.com